HISTOIRE POPULAIRE DE L'ACADIE

Maquette de la couverture: Jacques Léveillé.

ISBN 2-7609-5278-9

JEAN-CLAUDE DUPONT

HISTOIRE POPULAIRE DE L'ACADIE

LEMÉAC

Du même auteur

Contribution à l'ethnographie des côtes de Terre-Neuve. Québec, CEN, Univ. Laval, n° 22, 1968 (épuisé).

L'Art populaire du Canada français. Québec, Cinémathèque de l'Univ. Laval, 1971 (épuisé).

Le Légendaire de la Beauce. Québec, Garneau, 1974 (épuisé). Nouvelle édition revue et corrigée. Montréal, Leméac, 1978.

Le Pain d'habitant (Traditions du geste et de la parole I). Montréal, Leméac, 1974.

Le Sucre du pays (Traditions du geste et de la parole II). Montréal, Leméac, 1975.

Contes de bûcherons. Montréal, Quinze; Ottawa, Musée de l'Homme, 1976.

Héritage d'Acadie. Montréal, Leméac, 1977.

Le Fromage de l'île d'Orléans (Traditions du geste et de la parole III), (et collaborateurs). Montréal, Leméac, 1977.

Histoire de l'artisan forgeron. Québec, P.U.L. et Éditeur officiel du Québec, (à paraître).

Sous la direction de l'auteur

Habitation rurale au Québec. Montréal, HMH, 1978.

Mélanges en l'honneur de Luc Lacourcière (Folklore français d'Amérique). Montréal, Leméac, 1978.

À Marie et Luc

PRÉFACE

Cet ouvrage de Jean-Claude Dupont arrive à point! Il vient répondre au désir de conservation du patrimoine qui se manifeste partout depuis une dizaine d'années. On assiste, en effet, au pays, et tout particulièrement en Acadie, à une prise de conscience de l'héritage culturel légué par les générations précédentes.

Les antiquaires et les collectionneurs se multiplient, de nouveaux musées s'établissent dans plusieurs régions, de plus en plus les ethnologues étudient les mœurs des anciens, ils enquêtent sur les outils, le mobilier, les métiers qui datent d'un autre âge.

Des mouvements désintéressés, groupant des amateurs aussi bien que des spécialistes, s'appliquent à promouvoir le souci de conserver ou de restaurer les anciennes formes d'art populaire. Citons le dynamique mouvement Héritage Canada, qui publie régulièrement une excellente revue illustrée sur la conservation du patrimoine.

À quoi faut-il attribuer ce renouveau? Sans doute, y aurait-il plusieurs facteurs à évoquer. Qu'il nous suffise de cerner quelques faits concrets et de signaler les dates précises d'un tournant évolutif certain.

En 1968, une loi spéciale créait une Corporation de la Couronne appelée Les musées nationaux du Canada. C'était déjà un présage de grandes innovations. Le point culminant de «l'ère nouvelle» se produisit en mars 1972 quand le secrétaire d'État du temps, l'honorable Gérard Pelletier, rendait publique la nouvelle politique du gouvernement fédéral relative au rôle des musées dans la conservation de notre culture et qu'il laissait entrevoir de prometteuses possibilités, grâce à la générosité de son ministère.

Cette date marquait le point de départ d'une intervention résolue et bénéfique de l'autorité gouvernementale en politique culturelle, ouvrant en même temps un vaste champ de travail aux chercheurs et aux conservateurs de musées.

Une des conséquences majeures de cette réévaluation fut la réorganisation plus rationnelle du système de musées à travers le Canada.

En Acadie, ce mouvement général introduisit d'importants renouveaux, tels l'aménagement de villages historiques au Nouveau-Brunswick et à l'île du Prince-Édouard, et l'ouverture de musées dans plusieurs localités.

Nous sommes éminemment redevables à Jean-Claude Dupont d'avoir poursuivi ses enquêtes ethnographiques en Acadie pendant cette période d'effervescence. L'œuvre de Monsieur Dupont témoigne d'une vaste érudition, elle constitue une véritable encyclopédie de connaissances glanées au cours des années par des lectures assidues et des enquêtes méticuleuses sur tout le territoire dans le but de recueillir tout témoignage susceptible d'expliquer soit les objets techniques soit les comportements humains.

Le principal mérite de l'auteur consiste dans la consultation systématique des vieillards qui se souviennent. Une telle cueillette ne pouvait plus être différée car les informateurs s'éteignent lentement, il fallait vite rejoindre les derniers témoins d'une génération encore capable de décrire un mode de vie que notre civilisation hautement industrialisée tend à reléguer dans l'oubli.

Monsieur Dupont s'est appliqué à repérer non seulement les objets mais aussi le vocabulaire du terroir qu'il cite à côté des termes corrects du dictionnaire; avec beaucoup de soin, il signale les variantes d'une région à l'autre; à l'aide de nombreux témoignages recueillis sur le territoire ou dans les livres, il décrit les objets et leur usage. Tous ceux qui s'intéressent au patrimoine trouveront dans cette étude une abondante source de références.

Une dernière observation s'impose. La présente compilation a sans doute une connotation universelle, car les grandes inventions du XXe siècle ont profondément modifié la façon de vivre de tous les peuples, quels que soient les pays qu'ils habitent. Tous ont été affectés par la découverte des moyens de communication comme l'avion et l'automobile; la machinerie lourde a introduit d'énormes possibilités dans le domaine de la construction; les appareils électroniques perfectionnés ont augmenté nos moyens de production... Tout ceci a radicalement transformé la vie économique et le comportement social des peuples contemporains. Cependant, nous avons la témérité de croire que l'Acadie offre des conditions particulièrement propices aux chercheurs. Les anciens Acadiens avaient été réduits à vivre à l'écart de la société globale. Par intervalles pendant le XVIIe siècle, et de façon permanente à partir de 1710, ils ont subi une domination à la fois étrangère et hostile. Un auteur les décrit ainsi: «Une espèce de tribu patriarcale, à la mode biblique, dont l'entraide était la première loi.»

À défaut d'une administration civile accommodante, des conditions de vie très spéciales ont été imposées par les événements. C'est l'origine d'un mode de comportement social et économique: l'habitude de se suffire qui sans cesse fait appel à l'ingéniosité et à la débrouillardise. Voici comment Lauvrière explique ce phénomène: «... trop souvent mal gouvernés ou nullement gouvernés, ou même lamentablement sacrifiés, ils développèrent, jusqu'à l'excès peut-être, l'une des plus viriles qualités de l'homme, la confiance en soi, l'art de se passer d'autrui.»

10

L'indigence et le besoin engendrent l'esprit d'invention; c'est pourquoi on trouve beaucoup d'originalité dans la culture populaire acadienne. Et quand on explore nos anciennes granges et les greniers de nos vieilles maisons, on découvre souvent des pièces qui témoignent à l'évidence du savoir-faire de nos ancêtres. En choisissant de localiser ses recherches ethnographiques sur le territoire acadien, Jean-Claude Dupont nous fait grand honneur et nous l'en remercions. Son œuvre éclaire notre civilisation acadienne d'une lumière nouvelle, par elle nous apprécierons davantage ces richesses culturelles qui sont notre héritage et nous aurons le goût de livrer à tous ceux d'aujourd'hui le merveilleux message des laborieuses générations d'autrefois.

Clément Cormier, c.s.c.
Chancelier
Université de Moncton
17 janvier 1978

PRÉSENTATION

Situé sur les côtes est du Canada, dans ces lieux où, jadis, les ancêtres fondaient, à partir de 1604, le premier empire colonial français en Amérique, le pays des Acadiens est mieux qu'un souvenir, il demeure une branche vivante de la francophonie universelle. Le peuple d'Acadie, huit fois attaqué et quatre fois asservi par les Anglais, fut déporté au milieu du XVIIIe siècle. De nos jours, il rassemble un demi-million de descendants au Nouveau-Brunswick, en Nouvelle-Écosse, à l'île du Prince-Édouard et à Terre-Neuve, après avoir au cours de l'histoire dispersé un grand nombre des siens au Québec (dans la région de Nicolet et de Saint-Jacques de l'Achigan, en Beauce, en Gaspésie, sur la Côte Nord et aux îles de la Madeleine) dans les colonies américaines et en Louisiane, en France, en Angleterre, aux Antilles et en Guyane.

Les Acadiens, en grande partie fixés en bordure de l'océan, exploitent largement les pêcheries mais aussi l'agriculture, l'élevage et les ressources forestières. Depuis le milieu du XIXe siècle, des chefs de file se sont consacrés à la défense de la culture acadienne et leur ténacité a suscité le développement d'organismes qui sont à la source de la continuité scientifique, culturelle, sociale et économique.

Jean-Claude Dupont,

*Centre d'études sur la
langue, les arts et les
traditions populaires
(CÉLAT),
Université Laval, Québec.*

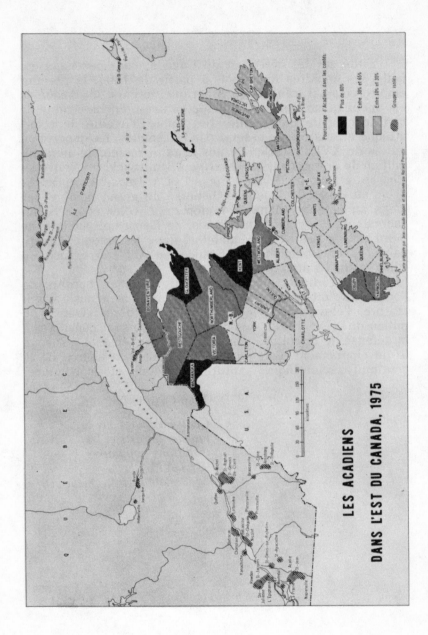

LES ACADIENS

DANS L'EST DU CANADA, 1975

TABLE DES ABRÉVIATIONS ET DES SIGLES

AFUL	Archives de folklore de l'Université Laval
ANC	Archives nationales du Canada
CEA	Centre d'études acadiennes (Université de Moncton)
CÉLAT	Centre d'études sur la langue, les arts et les traditions populaires (Université Laval)
CEN	Centre d'études nordiques (Université Laval)
Coll.	Collection
Doc. ms.	Document manuscrit
Doc. son.	Document sonore
É.-U.	États-Unis
Inf.	Informateur (trice)
Î.P.-É.	Île du Prince-Édouard
Man.	Manuscrit
N.-B.	Nouveau-Brunswick
N.-É.	Nouvelle-Écosse
North.	Northumberland (comté)
Photo	Photographie
Qué.	Québec
T.-N.	Terre-Neuve
Univ.	Université
West.	Westmoreland (comté)

INTRODUCTION

Ce volume tente de reconstituer au moyen de dires, de récits et de documents graphiques, les principaux faits de civilisation matérielle acadienne. L'objet premier de ces «mémoires populaires» consiste à reproduire une image aussi fidèle que possible du milieu de vie domestique rurale, déjà en voie de disparition au début du XXe siècle.

Parties intégrantes de la technologie des origines, ces éléments de la culture matérielle résident surtout dans les procédés manuels d'acquisition et de transformation des matériaux, dans la production et l'utilisation des objets essentiels à la vie quotidienne. La société traditionnelle s'autosuffisait; les chefs de famille souvent aidés de leurs enfants, et parfois de leurs voisins, travaillaient en commun; leurs mains unies construisaient des abris, confectionnaient des vêtements, préparaient la nourriture, cultivaient la terre, élevaient des animaux domestiques et répétaient les gestes patients de la pêche. Tous ces rites, assises de l'existence d'un peuple, ont laissé les traces d'une autarcie constituée par la force des circonstances. Mais, le temps inflexible a lutté contre ces précieux vestiges de l'*empremier* de telle sorte que leur reconstitution doit souvent se limiter aux documents photographiques et aux souvenirs des gens âgés. L'homme du peuple connaissait rarement l'écriture, aussi fixait-il dans sa mémoire toute son histoire familiale et sociale.

Le *livre de raison*, petit cahier dans lequel certaines familles inscrivaient, avec les recettes alimentaires et médicales, la comptabilité, les incidents de l'existence, a très peu survécu; les rarissimes exemplaires que nous ayons vus, avares de détails, ne nous renseignent guère sur la culture matérielle. Certains manuscrits, genre *livre de bord*, ont également existé en Acadie, tout comme au Québec; ces cahiers, devenus presque introuvables aujourd'hui, sont mentionnés dans les monographies paroissiales, la plupart du temps en termes semblables à ceux qui suivent:

Monsieur Vigneault n'avait que dix-sept ans lorsqu'il est arrivé à la Pointe-aux-Esquimaux. Ayant été témoin à plusieurs reprises de discussions inutiles et souvent erronées sur des événements passés, quoique très jeune encore, il eut l'heureuse initiative de tenir un journal dans lequel il inscrivait les plus importants[1].

De même type, les vingt cahiers de Joseph DeGrâce, de Saint-Louis de Kent, au Nouveau-Brunswick, commencés en 1880 et terminés à sa mort en 1921, ne nous parvinrent pas: «malheureusement ces cahiers ont été perdus ou détruits après sa mort[2]». L'abbé D.-F. Léger prétend encore, en parlant des cahiers de Joseph Goguen, de Cocagne, disparus eux aussi, que:

> Ces cahiers dans lesquels on datait tout furent souvent brûlés, parce que lors de maladies (fièvres diverses, grippe espagnole, etc.) les médecins faisaient tout brûler ce qui n'était pas nécessaire dans les maisons pour désinfecter[3].

Non seulement nos recherches nous ont conduit à constater très souvent la disparition de ces écrits mais encore à en déceler quelques causes: l'une d'elles serait l'entrée d'une bru dans la «maison paternelle». Presque toujours les membres de la famille faisaient disparaître le «petit cahier» lorsqu'un étranger prenait la responsabilité de la maison. «On aime bien garder ses secrets dans la famille», ont révélé des informateurs. Parfois, le «petit cahier» comme les vieilles photographies de la lignée demeurait caché; celui qui «mettait la main dessus» en gardait le secret pour n'avoir pas à le prêter. Ajoutons à cela la rareté du papier dans les maisons de campagne, et les enfants transformaient alors ces cahiers, à défaut de papier brouillon.

Relativement aux activités matérielles, une autre forme de documentation écrite, plutôt rare chez les Acadiens des provinces Maritimes, est l'acte notarié (contrat de mariage, inventaire après décès, contrat d'apprentissage, marché de construction, legs testamentaire). Nous voyons deux causes de cette pénurie des minutes notariales après 1755: le système légal anglais et la tradition des «ententes de bouche». Il est en effet certain que les Acadiens utilisaient souvent l'entente verbale; une lettre écrite par l'abbé C. Gauvreau, curé de Memramcook, Nouveau-Brunswick, et datée d'octo-

---

1. Anonyme, *La paroisse acadienne de Havre-Saint-Pierre célèbre,* p. 27. Une partie des notes de Placide Vigneau fut publiée en 1969, sous le titre *Un pied d'ancre,* par Gérard Gallienne.
2. Louis-Cyriaque Daigle, *Histoire de Saint-Louis de Kent,* p. 165.
3. *L'histoire de Saint-Pierre de Cocagne,* p. 12.

bre 1825, fournit un exemple de cette coutume chez le peuple :

> C'est un usage ordinaire aux Acadiens de ma paroisse de faire leurs contrats soit entre-vifs, soit pour cause de mort, de bouche seulement, sans employer le ministère d'un Magistrat. L'hiver dernier un homme âgé, du nom de Charles Melançon, et qui n'avait point d'enfants fut attaqué d'une fièvre maligne qui déjà en avait emporté quelques-uns (...) il a fait venir chez lui deux hommes comme témoins et dépositaires de ses dernières volontés (...)[4].

Des personnes traduisent même parfois leurs souvenirs dans ces poésies populaires chantées de mémoire en certaines circonstances; madame Zoël Cormier, âgée de 86 ans en 1967, jadis de Notre-Dame de Kent, Nouveau-Brunswick, avait composé des textes vers 1945 et on les chantait sur l'air de *Cadet Roussel*. Ils évoquent différentes activités de la technologie traditionnelle; en même temps, ils illustrent un type de document pouvant ici servir d'introduction à cette monographie.

Le village des Petits Cormier

1

Dans le village des Petits Cormier,
Le monde allait se promener,
On ne pouvait pas s'en aller,
Souvent c'était après souper.

Refrain :
Parlez-moi donc de par chez nous,
Ça me rappelle le bon vieux temps.

2

Je me rappelle que mon grand-père,
Venait souvent se promener,
Dans le fauteuil de ma grand-mère,
Nous *contant* des vieilles histoires.

---

4. Document manuscrit conservé au CEA, Univ. de Moncton.

3

Pour raccommoder nos vieilles *savates*,
Ma mère faisait venir Hébert,
Aurait passé toute la veillée,
Avec quelqu'un pour s'*astiner*.

4

Souvent mon père en *voiture fine*,
Allait chercher ma tante Dauphine,
Elle arrivait tout endimanchée,
Avec ma mère pour ricaner.

5

Au magasin après souper,
Le monde aimait *d'*aller veiller
Je vous assure que ça *boucanait*,
En allumant leur pipe de *craie*.

6

(............................)
Gardant le poêle pétillant,
Assis autour du vieux *fournil*,
On épluchait du *blé d'Inde*.

7

Avec la laine de nos brebis,
On nous faisait de vieux habits,
Les femmes faisaient les pièces d'étoffe,
On les foulait *à la mailloche*.

8

C'était à la *virée des chemins*,
C'est là où se trouvait le *lapin*,
On avait pas besoin de balle,
On le poignait à la *brimbale*.

9

Tous les automnes de grand matin,
On s'en allait sur le chemin,
On entendait jusqu'au midi,
Le flic à flac de la veuve Osite.

10

Durant les grandes soirées d'hiver,
On avait pas grand-chose à faire,
Les femmes *brochaient* des mitaines,
Les hommes jouaient à la *politaine*.

11

Sur le bord du Cap de Cocagne,
Là-bas vivait ma tante petite Anne,
Quand elle venait se promener,
Elle ne voulait plus s'en aller.

12

Tout le printemps mon oncle Fleurent,
Nous apportait du petit hareng,
Je vous assure c'était *handy*,
On en mangeait des pleines *pottées*.

13

Du haut de la Butte à Bélonie,
Voyant venir ma tante Alice,
En entendant jouer du violon,
Se faisait péter les talons.

14

À tous les soirs ma mère jamais,
N'oubliait de dire le chapelet,
Leurs chers parents je vous le dis,
Je crois sont tous au Paradis[5].

Par bonheur, en Acadie comme au Québec, des membres de communautés religieuses et des ecclésiastiques ont conservé des «antiquités», car ces artefacts constituent parfois, avec ceux des rares musées d'État, les seuls documents figurés propres à la reconstitution de l'environnement matériel d'il y a plus de cinquante ans.

À ces sources documentaires, ajoutons les récits de voyageurs, missionnaires, militaires, administrateurs et colonisateurs, les manuscrits et publications des curés et laïques, consistant surtout en des mémoires et des monographies paroissiales.

La culture matérielle acadienne est jeune, les objets conservés ne nous reportent guère plus loin que le milieu du XIXe siècle quant au mobilier, à l'éclairage, au costume, à l'alimentation, à l'agriculture, à l'élevage et à la pêche. Contrairement au Québec, par exemple, les pièces de mobilier de fabrication artisanale, œuvres de gens de métiers, sont presque inexistantes; la fabrication domestique abonde.

---

5. Coll. J.-Claude Dupont, doc. ms. 2646b, Inf. citée, Moncton, West., N.-B.

La période antérieure à la Déportation conserve uniquement des légendes relatives à des objets introuvables. Telle pièce, dit-on, doit se trouver à tel musée, comme ce verre à eau, ce peigne et cette jupe d'étoffe apportés à Bécancour, au Québec, par des Acadiens de la Déportation. (Le verre, selon la légende, faisait entendre des lamentations lorsqu'on s'en servait; et le peigne, lui, murmurait un air triste.) Lors de l'année du centenaire en 1967, la direction du Musée acadien de Bécancour reçut une subvention gouvernementale pour construire un centre culturel important, substitut du musée. En fait, le nouveau centre culturel n'a conservé que l'écriteau «salle acadienne» placé sur le linteau de la porte de la salle de musique moderne.

De la trentaine de musées acadiens visités, le Musée acadien de l'Université de Moncton, au Nouveau-Brunswick, organisé par le révérend père Clément Cormier, chancelier de cette université, brille à la fois par la qualité des artefacts en dépôt et le système de documentation s'y référant. Avec les archives de folklore, d'histoire et de généalogie regroupées dans le Centre d'études acadiennes qui voisinent avec ce musée, l'Université de Moncton est le lieu par excellence pour l'étude de la civilisation acadienne. Le village de Caraquet, au nord du Nouveau-Brunswick, possède également un musée et un village historique remarquables. Le musée de Miscouche, à l'île du Prince-Édouard, sauvegarde des spécimens de valeur; et dans cette province, à Mont-Carmel, on a reconstitué un village acadien. En Nouvelle-Écosse, il existe quelques collections disséminées dans les musées d'État. Dans la baie Sainte-Marie, à l'Université Sainte-Anne de Pointe-de-l'Église, le Centre acadien regroupe des archives et quelques spécimens ethnographiques. D'autres collections privées ou publiques, en Louisiane, au Québec, en Nouvelle-Angleterre, sont également appréciables; en bibliographie, nous donnons la liste des fonds consultés sur le terrain et ayant servi lors de l'élaboration de ce travail.

Nous devons souligner l'aide apportée par des responsables de ces musées, de même que par des propriétaires de collections privées; mentionnons, en particulier, les personnes suivantes du Musée acadien de l'Université de Moncton qui nous rendirent de grands services: mesdames Alberta Gaudet et Créola LeBlanc; du même endroit, monsieur Ronald LeBlanc et les pères Anselme Chiasson et Clément Cormier du Centre d'études acadiennes (Université de Moncton) nous prodiguèrent de précieux conseils et nous mirent sur la piste de documents intéressants. Nous ne pouvons manquer de souligner également la collaboration de Sœur Desroches, conservatrice du Musée historique acadien de Miscouche à l'île du Prince-Édouard, et de monsieur Alphonse Deveau du Centre acadien de l'Université Sainte-Anne à Pointe-de-l'Église en Nouvelle-Écosse.

Nous remercions les nombreuses personnes que nous avons interviewées sur le terrain depuis 1965 (ou interviewées par des étudiants de l'Université de Moncton à l'été 1973); ces informateurs, nos principales sources documentaires, prirent plaisir à parler de «leur temps»; sans doute à cause de l'affabilité naturelle acadienne mais aussi en réponse à cet appel des profondeurs de l'être, revivre des souvenirs.

Nous nous sommes efforcés d'identifier tous les documents oraux et graphiques utilisés. Presque toujours, il a fallu faire un choix et renvoyer à tel objet-témoin en particulier plutôt qu'à tel autre par souci de faire figurer les différentes régions. Plusieurs photographies présentées sont des documents d'archives, il ne faut donc pas trop les considérer au point de vue de leur qualité technique.

Un glossaire de la langue acadienne figure à la fin de ce travail; il est uniquement constitué de mots et expressions populaires utilisés sur les lieux et présentant quelques divergences avec le français des dictionnaires actuels. Ces mots et expressions, en italique dans le texte, renvoient au glossaire et les définitions se limitent au sens donné dans le présent ouvrage. Nous n'avons pas tenu compte des faits de morphologie et de syntaxe mais nous avons cru devoir conserver les formes dialectales, précieux apports à la connaissance de la culture acadienne.

Les documents d'enquêtes ethnographiques (manuscrits, oraux ou graphiques) cités dans ce volume, sont catalogués et conservés aux Archives de folklore du Centre d'études sur la langue, les arts et les traditions populaires des francophones en Amérique du Nord (CÉLAT). Les dessins, basés sur les relevés de terrain, ont été préparés au laboratoire graphique de ce Centre par Francine Garneau et Michel Bergeron, sous la direction de ce dernier.

Nous ne pouvons manquer de souligner l'aide apportée par Jeanne Pomerleau à tous les moments de la recherche et de la préparation de cette monographie. De même, nous remercions Sœur Thérèse Bernier, mademoiselle Odette Métayer et monsieur Gaston Dulong.

À tous un cordial merci.

PREMIÈRE PARTIE

Habitation rurale

Dans cette contribution à l'étude de l'habitation rurale, nous avons privilégié certaines traditions concernant le choix des lieux, l'organisation de l'habitation et les aspects intérieurs et extérieurs des bâtiments.

Dans une première partie, nous nous arrêtons au rôle de l'écologie riveraine dans le mode d'organisation d'un lieu de vie; ce sont des relevés notables du corpus des caractéristiques de l'habitation acadienne. Les facteurs de l'environnement tels les ressources naturelles, le climat, la végétation, la topographie auraient influencé la réponse de l'homme à ses besoins d'habitat. Dans la deuxième partie, nous décrivons quelques maisons ainsi que des bâtiments de tradition acadienne.

Loin de nous l'idée d'appliquer ces données à toute l'Acadie, des investigations plus profondes nous permettraient d'établir des distinctions entre les régions de pêche, les zones industrielles, agricoles, forestières, et de démontrer que les traditions mises à jour dans cette recherche non seulement ne sont pas communes à l'ensemble du pays, mais encore ne sont pas les seules qui ont joué un rôle dans l'organisation de l'habitation acadienne.

De nos jours, peu de renseignements ont été colligés sur l'habitation traditionnelle acadienne. Au Centre d'études acadiennes de l'Université de Moncton, le groupe de recherches «À la découverte de l'habitation acadienne» œuvre depuis quelque temps sur la question et, déjà, ses premiers relevés sont publiés. La section «Recherches Historiques» du gouvernement du Nouveau-Brunswick, à Fredericton, a de plus présenté un rapport de recherches de J.-Rodolphe Bourque[1] sur les caractéristiques de l'architecture acadienne. Cette dernière étude, de même que l'article du père Anselme Chiasson, intitulé «Les vieilles maisons acadiennes[2]», nous ont permis de retracer certains documents reproduits dans ces pages. Clarence LeBreton du Village historique de Caraquet s'intéresse également à l'habitation.

---

1. *Social and Architectural Aspects of Acadians in New Brunswick.*
2. *La Société historique acadienne*, 25e cahier, 1969, pp. 183-188.

A. Des lieux à habiter et des éléments riverains

Avant la Déportation de 1755, ainsi que par la suite, une grande partie du peuple acadien a survécu par groupes dispersés le long du littoral des provinces Maritimes, de la Gaspésie et de la Côte Nord. Ils se sont regroupés sur les rives et aux embouchures des rivières, lieux de circulation, de cueillette, de pêche et de relations, où ils ont créé des liens entre les membres de leur communauté.

Cette expansion le long du littoral a été précédée par un cercle d'influences exercées par les Amérindiens, les explorateurs, les missionnaires et les commerçants (maraudeurs américains, marchands anglais et pêcheurs en haute mer). Longtemps avant l'arrivée des premiers Français, le territoire était fréquenté et habité par les Amérindiens qui ont laissé leurs traces dans la toponymie riveraine: Kouchibouguac, Kouchibouacis, Aldouane, Richibouctou, Bouctouche. Les nouveaux venus allaient reprendre plusieurs de ces villages riverains et leurs voies de communication.

Les villages agricoles offrent aux regards l'image de la densité, tandis que les villages de pêche s'étirent le long des rivages. Caraquet, au Nouveau-Brunswick, est un village de vingt milles (32 km) de longueur; et baie Sainte-Marie, en Nouvelle-Écosse, se réclame d'être le plus long village au monde.

1. Le choix des lieux

Les premiers habitants de l'Acadie, auxquels vinrent s'associer les pêcheurs saisonniers, préféraient vivre sur les *côtes* afin d'être sur les lieux de pêche: «(...) ils s'y fixèrent sans ordre au bord de la mer et se taillèrent de petits domaines qu'ils agrandirent et multiplièrent au besoin[3]». Vers 1700, la plupart des habitants étaient installés aux embouchures des rivières à Grand-Pré, Saint-Joseph-de-la-Rivière-aux-Canards, Saint-Charles-des-Mines, Rivière Gaspereau, Rivière-des-Vieux-Habitants, Saint-Antoine, Sainte-Croix, Pisiguit, Cobequid. Un peu plus tard, au XVIIIe siècle, ceux qui habitaient dans les *terres* possédaient aussi un campement près de la mer et, l'été, la famille entière se transportait sur les grèves pour y passer la saison de pêche[4]. Les pre-

---

3. Paul Hubert, *Les Îles de la Madeleine*, p. 70.
4. Antoine Bernard, *Histoire de la survivance acadienne, 1725-1935*, p. 99.

mières églises et chapelles acadiennes sises au bord des rivières et des ruisseaux facilitaient aux habitants l'accès en canot[5].

Certains villages acadiens, comme ceux de la Côte Nord au Québec, doivent leur situation sur la rive au genre de vie des habitants[6]. Pour être présents sur le terrain de chasse aux *loups-marins*, les premiers venus se laissèrent attirer par ces endroits. Il en est ainsi, pour une bonne part, aux îles de la Madeleine.

Le gibier de rivage, les animaux marins et les fruits de mer, dont la renommée devait plus tard s'étendre dans tout le pays, causent, avec d'autres influences secondaires, la fondation de Shediac[7]. Nicolas Denys disait à propos de Cocagne, un village aux mêmes caractéristiques :

> J'ai trouvé tant de quoi y faire bonne chair pendant huit jours (...) et tout le monde était tellement rassasié de poisson et de gibier qu'ils n'en voulaient plus; soit d'outardes, canards, sarcelles, bécasses, tourtes, *lapins, perdrix*, saumons, truites, maquereaux, anguilles, éperlans, huîtres, et d'autres sortes de bons poissons[8].

Aux raisons déjà énoncées du choix des lieux à habiter, ajoutons celle de la sécurité dans les endroits bien abrités des vents et des incursions bostonnaises[9]. Chéticamp et Margaree, au Cap-Breton, en Nouvelle-Écosse, doivent leur existence au fait qu'ils étaient, par leur situation géographique, bien défendus des attaques de l'étranger. C'est aux embouchures des rivières, dans les havres, que les Acadiens pouvaient le mieux dissimuler leurs barques, échapper aux Anglais en remontant loin dans la forêt[10].

En 1880, un prêtre acadien trouvait «des chapelles le long des rivières de la Baie-des-Ouines où l'atterrage en bateau était facile[11]»; et il cite les endroits suivants: Kagibougouet (Saint-Louis), Aldouane (Saint-Charles), Richibouc-

5. Antoine Bernard, *Le drame acadien depuis 1604*, p. 161.
6. Anonyme, *La paroisse acadienne de Havre-Saint-Pierre célèbre*, p. 136.
7. Anonyme, «Shediac, quelques dates historiques», *L'Évangéline*, 8 juillet 1952, p. 6.
8. *Description géographique et historique des Costes de l'Amérique septentrionale*, tome I, 1672.
9. Désiré-F. Léger, «Historique de Shediac», *L'Évangéline*, 17 octobre 1935, p. 5.
10. Comité du Centenaire, *Bicentenaire de Bonaventure*, p. 37.
11. Placide Gaudet, *Histoire de Barachois*, CEA, Univ. de Moncton, juin 1930, man. p. 3.

tou, Bouctouche, Cocagne, Gédaïque (Grande-Digue), et Ba-rachois. Le voisinage d'une rivière importait puisque les cours d'eau constituaient d'excellentes voies de communication vers l'intérieur des *terres*[12]. Non seulement l'embouchure d'une rivière fournissait-elle un excellent moyen de communication, mais elle était parfois un port naturel offrant une favorable possibilité de transport. On s'établit donc près des rivières de Scoudouc et de Grande-Digue. Ces postes sur les rivières allaient se révéler très utiles quand on en fit des points centres de transport[13]. Le voisinage des rivières était également tout désigné pour la construction des moulins à scie[14].

Au défrichement de la forêt pour des fins agricoles, les Acadiens préféraient construire des levées, c'est-à-dire endiguer la mer[15]. Il fallait donc, en choisissant un lieu d'habitation, penser aux marais à cultiver. Annapolis, Grand-Pré, Prée Ronde, Petitcodiac, la Baie Verte, La Prée des Bourgs, Memramcook, Caraquet, sont autant d'endroits où il fut facile d'endiguer la mer pour y constituer des pâturages. Certains historiens anglais, de même que des officiels français, ont accusé de paresse les Acadiens plus intéressés à la culture des marais qu'à celle des *terres hautes*. L'obstacle à surmonter n'était pas d'abattre une forêt dense, mais de faire reculer la mer. Des Acadiens de Port-Royal, se cherchant un endroit pour émigrer, envoyèrent en secret une mission d'éclaireurs à la recherche de terres moins inhospitalières où ils pourraient se retirer, et leurs éclaireurs parcoururent tout le littoral depuis le détroit de France (aujourd'hui le Gut de Canso) jusqu'à Percé, cherchant des marais, des *prés*, des *plairies naturelles*[16].

Voilà quelques raisons justifiant chez les Acadiens ce besoin de recherche des régions littorales pour y établir un lieu d'habitation.

---

12. F.M. Camille, *À l'Ombre de Petit-Rocher*, pp. 3-4.
13. Pascal Poirier, *Shediac, précis historique*, CEA, Univ. de Moncton, s.d., man. pp. 3-4.
14. Alexandre Savoie, *Kedgwick a cinquante ans*, p. 12.
15. Jean-Claude Dupont, «Les défricheurs d'eau», *Culture Vivante*, décembre 1972, pp. 6-10; — S. Arsenault et Jean Daigle, «Les défricheurs d'eau», *Atlas de l'Acadie*, 1976, planche 15.
16. Pascal Poirier, *op. cit.*, p. 3; — Désiré-F. Léger, *Historique de la paroisse Saint-Louis-de-France*, p. 3.

2. Présence d'éléments riverains dans l'habitation

L'apport de l'environnement maritime et la vie de pêcheur ne sont pas sans influencer l'aspect extérieur de l'habitation. Parfois cette influence se fait sentir dans les régions limitrophes à la mer et se traduit surtout dans les formes de la maison, mais souvent aussi dans les aspects de certaines dépendances, comme l'abri du puits, la toilette extérieure, la *boucanière*, ou dans les éléments d'architecture plus élaborée, comme le clocher d'une église. On peut alors dénicher, dans la cour d'une maison par exemple, un type quelconque de construction ayant la forme d'un phare. L'environnement de l'habitation et des dépendances est aussi marqué par le voisinage de l'eau et les travaux qui lui sont associés, de même que par des éléments écologiques. C'est ainsi que des *brise-vent* ou *coupe-vent*, consistant en des rangées de longs pieux d'une douzaine de pieds (3,6 m) de hauteur, sont plantés en terre le long de la mer, vis-à-vis de la maison surtout, mais parfois le long de terrains en culture, pour protéger des fortes brises venant du large. Aux îles de la Madeleine, monsieur Avila LeBlanc, âgé de 68 ans en 1968, de Fatima, nous a décrit comment des clôtures faites d'*arrachis* et de branches entremêlés empêchent le vent et la mer d'entraîner le sable. Parfois, c'est un vieux filet de pêche qui enclôt un jardin.

Clocher d'église prenant la forme d'un phare à Kouchibougouac, Kent, N.-B. (*Photo* AFUL, J.-C.D. 1812.)

Abri de puits ayant l'aspect d'un phare à Memramcook, West., N.-B. (*Photo* AFUL, J.-C.D. 2029.)

31

Kiosque de jardin construit à la façon d'un phare à Irishtown, Kent, N.-B. (*Photo* AFUL, J.-C.D. 2351.)

Cabane d'oiseaux en forme de phare à Barachois, West., N.-B. (*Photo* AFUL, J.-C.D. 2333.)

Brise-vent à Caraquet, Gloucester, N.-B. (*Photo* AFUL, J.-C.D. 940.)

Vieux filet de pêche servant de clôture de jardin à Cap Lumière, Kent, N.-B. (*Photo* AFUL, J.-C.D. 1910.)

Jardin protégé par un filet de pêche chez Lazime Babineau et Luc Richard, Petit Chocpiche, Kent, N.-B. (*Photo* AFUL, J.-C.D. 2298.)

Les formes architecturales des constructions doivent être pensées en fonction du vent qui souffle avec plus de force à certains endroits de la *côte*. La maison acadienne, en général, cherche une légère élévation, mais elle évite autant que possible l'emplacement venteux. Elle est abritée du vent sur un côté au moins. Si le vent s'exerce avec plus de vigueur à tel endroit, il n'est pas rare de constater l'absence de construction dans ces lieux. Entre Natashquan et Blanc-Sablon, au Québec, au début du XXe siècle, parfois, l'on habitait en été, pendant la saison de pêche, une maison rudimentaire dans les îles côtières ; la *maison de toutes saisons* était bâtie un peu en arrière de la *côte*, à l'abri des intempéries. La maison des rives existait aussi dans le nord du Nouveau-Brunswick :

> Les premières maisons acadiennes de la région de Caraquet, simples cabanes construites de cèdre équarri, pièce sur pièce, étaient calfeutrées de mousse et de glaise et percées de deux ou trois fenêtres. Leur rôle consistait surtout à protéger de l'hiver ; car il n'était pas rare de voir, l'été, la famille entière se transporter sur les grèves de Miscou ou de Shippagan pour y passer, touristes forcés, la saison de pêche. Pendant que les hommes tiraient la morue sur les bancs de Miscou, la femme et les jeunes enfants s'affairaient autour des *vignaux (sic)*, achevaient au rivage un couteau à la main, l'ouvrage commencé au large par les infatigables pêcheurs[17].

Parfois, afin que la maison ou l'étable résistent aux vents, se développent des éléments particuliers de formes ou de structures architecturales, ou les deux à la fois. Nous en avons un exemple dans la construction des maisons à Chéticamp, en Nouvelle-Écosse, où le *suète*, vent du sud-est, est reconnu pour ses méfaits. À cet endroit, le plein comble et le comble trois quarts, parce qu'ils offrent trop de prise au vent, ne conviennent pas et il en est de même à certains lieux des îles de la Madeleine. Le demi-comble allongé, descendant plus bas du côté de la mer, est tout indiqué. À Chéticamp, c'est le côté de la maison exposé au sud-est (d'où vient le *suète*) qui se fait protecteur contre les vents marins. Très souvent, la charpente de la maison et celle de la grange sont renforcées de guettes du côté de la mer[18]. Par exemple, la maison de monsieur Gaston Aucoin, de Chéticamp, cons-

---

17. Antoine Bernard, *Histoire de la survivance acadienne, 1725-1935,* p. 99.
18. Anselme Chiasson, *Chéticamp, Histoire et traditions acadiennes,* p. 25.

truite vers 1850, possède toutes les caractéristiques de l'habitation s'opposant au *suète*:

> Le côté de la toiture demi-comble exposé à ce vent descend plus bas du côté du *suète*, et le larmier est très court pour ne pas donner prise au vent. De plus, alors que la maison est en bois, le mur de ce même côté est rempli de roches pour renforcer contre le vent. Les fenêtres exposées au *suète* sont munies de volets de planches qui peuvent être fermés lorsque la pluie et le vent s'annoncent[19].

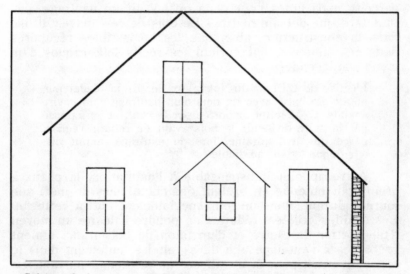

Schéma de la maison de Gaston Aucoin, de Chéticamp, Inverness, N.-É. Le mur du côté exposé au vent est renforcé par une muraille de pierres intégrée à la charpente et la toiture descend plus bas que sur le côté opposé.

Quant à l'architecture domestique, des témoignages de la culture matérielle révèlent les influences de la situation géographique et les fonctions des habitants-pêcheurs sur le choix des matériaux de construction. Le bois récupéré des naufrages, un peu partout sur les côtes atlantiques, contribua largement à la construction, tant au XVIIIe qu'au XIXe siècle. Voici ce qu'en dit Paul Hubert, en ce qui concerne les îles de la Madeleine au XIXe siècle:

---

19. M. Gaston Aucoin, 65 ans en 1973, Chéticamp, Inverness, Nouvelle-Écosse.

Avant cette époque, les naufrages de vaisseaux chargés de bois étaient assez fréquents pour suffire aux besoins des habitants, excepté pour le bardeau qu'on importait de Québec ou de la Gaspésie. Vers 1870, Monsieur Hippolyte Thériault vit en une seule nuit trois navires chargés de bois à la *côte* entre le Cap de l'Hôpital et la Pointe-aux-Loups. Et tout cela fut dépensé par les insulaires pour construire leurs maisons[20].

La littérature orale a d'ailleurs transmis une prière appelant les naufrages: « Mon Dieu, je serai bonne fille (ou bon garçon), mais faites pour papa qu'il y ait un naufrage, pas plus tard que demain matin. » Le bois de ces épaves utilisé dans la construction, ainsi que les comestibles récupérés dans ces sinistres, ont enrichi les récits folkloriques d'un monde de légendes:

L'église de L'Étang-du-Nord, aux îles de la Madeleine, aurait été bâtie avec du bois d'un naufrage d'un navire anglais. L'église fut emportée par le vent, et on a pensé par la suite de bénir le bois avant de rebâtir l'église, parce que le capitaine, lors du naufrage, aurait dit: « Je donne le bois au diable[21]. »

Autre appoint indispensable à l'habitation, la chaux à crépi était obtenue en brûlant des coquillages de mer, une journée durant, dans un four spécialement bâti à cette fin. Les écailles grillées, réduites en poudre calcaire au moyen d'un mortier de pierre et d'un pilon de bois franc, étaient préparées à l'automne afin de s'éteindre lentement dans le repos hivernal, pour être utilisées au printemps suivant. La chaux est alors prête à servir, voyons comment elle devient mortier. Il faut d'abord préparer le contenant pour mélanger les parties constituantes. La matière mélangée peut prendre trois formes particulières selon les étapes de préparation. On creuse d'abord une fosse de deux pieds (0,6 m) de profondeur dans le sol, à proximité de l'habitation à recouvrir. Cette fosse, d'une largeur de quatre pieds (1,2 m) et d'une longueur de six pieds (1,8 m), est emmurée avec de la planche. On procède ensuite à la mise en place d'une boîte identique, de dimensions inférieures à la première, soit trois pieds (0,9 m) de largeur par quatre (1,2 m) de longueur.

La première couche protectrice des lattes de bois souvent posées sur des murs à coulisse ou pièce sur pièce

---

20. *Op. cit.*, p. 164.
21. Coll. J.-Claude Dupont, doc. ms. 8810, Inf. Marie-Thérèse April, 21 ans en 1968, îles de la Madeleine, Qué.

consiste en un mélange d'eau, de sable et de chaux, dans les proportions de quatre parties de sable fin de grève contre deux parties de chaux. Ces proportions varient avec les traditions locales, mais on reconnaît partout la qualité de cette première étape de préparation à la densité de la pâte obtenue; si elle est excellente, elle adhère à la main qui la presse. Pour obtenir ce résultat, le sable a d'abord été étendu dans le fond de la grande boîte et la chaux saupoudrée sur le sable; l'eau est ajoutée, peu à peu, en agitant le mélange et l'on y jette des poignées de poils d'animaux, à titre d'éléments de liage. En repos cinq jours durant, la préparation consistante est prête à recouvrir les lattes ou autres pièces de bois. On transporte alors le mélange dans la plus petite des deux boîtes et l'on y ajoute un peu d'eau et de sable fin de grève. Un maçon muni d'un oiseau transporte ensuite des portions de ce matériau sur le lieu d'utilisation. Tenant la truelle dans la main droite, l'artisan badigeonne les lattes ou les madriers avec cette pâte qu'il racle en même temps de la main gauche, au moyen d'une brosse de sa confection.

Une deuxième couche contenant plus de sable recouvre la première; elle s'obtient de la même façon.

La troisième couche, différente des deux premières, ne contient pas de sable mais uniquement de la chaux de coquillages. Placée dans un baril, la chaux est détrempée avec de l'eau; lorsqu'elle a suffisamment bouilli et qu'elle a été brassée, on filtre le mélange à travers une moustiquaire rigide. Un repos dans un deuxième baril, pendant au moins deux jours, s'impose avant l'utilisation. Alors, on remplit aux trois quarts une chaudière, on distribue ce matériau en couronne, avec la main, le long de la paroi du récipient, pour pratiquer une fosse allant du dessus jusqu'au fond de la chaudière; on y jette des poignées de poils d'animaux et un peu de vert de paris. Quand tout a été mélangé à nouveau, on procède au recouvrement des couches déjà posées et séchées. Afin de mieux polir, l'artisan tient dans sa main gauche une brosse qu'il trempe constamment dans l'eau et avec laquelle il lisse le mur. Monsieur Pierre Pineau, âgé de 77 ans en 1973, maçon de métier dans la région de Summerside, île du Prince-Édouard, mentionne qu'il est le troisième de sa génération à utiliser ces procédés enseignés à son grand-père. Il affirme qu'une technique plus ancienne et d'origine française, consistait plutôt à mélanger en une seule opération de la chaux de coquillages brûlés à de la boue de rivage.

37

Outre le lambrissage intérieur, sous forme de crépi et de plâtre-mortier, comme nous venons d'en faire la description, la chaux de coquillages a aussi chaulé les lambris extérieurs de bois. La préparation de la chaux à blanchir les murs consistait en un mélange de sel, d'eau et de poudre de coquillages brûlés[22]. Cette chaux de fabrication domestique entra aussi dans les murs tantôt comme liant du mortier utilisé pour calfeutrer les murs en bois rond ou carré, à charpente, à pièces empilées ou placées en palissade, tantôt comme simple isolant.

La terre grise des grèves[23] délayée avec de l'huile de *loup-marin* était utilisée pour peinturer en gris l'intérieur des maisons, tandis que la terre rouge, diluée dans la même huile, donnait la peinture rouge d'extérieur:

> Leurs maisons de bois, couvertes de bardeaux, blanchies
> à la chaux, ont un air propret. Les toits et les châssis
> sont peints avec de l'ocre rouge qu'ils trouvent dans les
> caps et détrempent à l'huile de *loup-marin* ou de *pour-
> cil*[24].

Outre les contributions de la mer, épaves et coquillages, celles de la terre grise et rouge, mentionnons l'usage du foin de marais, *herbe rouche*, dont les anciennes habitations se couvraient comme de chapeaux de paille[25]. Les matériaux des couvertures, avant l'utilisation généralisée du bardeau de cèdre, furent surtout, jusqu'à la fin du XIXe siècle: la paille, le jonc, le *foin de prés*, la *couenne herbée*, l'écorce de bouleau employée seule ou comme isolant, l'écorce de sapin levée en temps de sève, les troncs d'arbres fendus en deux[26].

Les mêmes procédés valaient pour la paille, le jonc de marais et le *foin de prés*, dans la couverture des bâtiments. Dans un premier temps, on rassemblait les tiges en bottes de grosseurs variables selon la grandeur à recouvrir, mais aussi d'après la tradition technique du couvreur. En général, la gerbe attachée au toit par de l'*herbe à lien* ou des *harts de coutre* était constituée de trois paquets de tiges, dont cha-

---

22. Félicien Gautreau, 98 ans en 1973, Pré-d'en-Haut, West., N.-B.
23. Anselme Chiasson, *La vie populaire des Madelinots*, CEA, Univ. de Moncton, 1966, man., p. 5.
24. Paul Hubert, *op. cit.*, p. 173.
25. Papiers Placide Gaudet, *Vieille maison à Memramcook, 1846,* CEA, Univ. de Moncton, man., (PL.G. 81-19).
26. Émile Lauvrière, *La tragédie d'un peuple,* tome 1, p. 160. Notons que la technique du recouvrement à la *couenne herbée* était encore en usage au début du XXe siècle chez les Acadiens terreneuviens.

cun mesurait environ la grosseur du poignet. Une première rangée était fixée sur le bord inférieur de la toiture; on montait ensuite les rangs vers le faîte du toit; au préalable, de longues perches de bois étaient solidement attachées aux chevrons, et c'est sur ces perches que s'étalaient les gerbes de foin ou de paille, fixées au moyen de branchettes de bois de coudrier. Chacune de ces rangées était ensuite retenue par une autre perche de bois, le *plion*, que l'on plaçait sur l'extrémité supérieure des tiges. Les gerbes de la deuxième rangée étaient couchées sur le joint de la première, pour empêcher l'eau de s'infiltrer à l'intérieur de la construction.

Lorsque l'écorce de bouleau était utilisée seule, on choisissait de grandes écorces que l'on assemblait comme on le fait avec du bardeau de cèdre: le joint de la rangée inférieure étant toujours recouvert par l'écorce du rang suivant. Ce type de recouvrement appelé *couverture d'écorce à étanche d'eau* était retenu au moyen d'épines de bois[27].

Camp sur un lot en défrichement. La toiture est constituée de troncs d'arbres fendus, légèrement évidés, et assemblés à la façon des tuiles. (Extrait de «New Clearing», *Ketchum Album*, Fredericton, Provincial Archives, doc. P4-1-0042.)

27. J.-Rodolphe Bourque, «Gros Jean du Ruisseau des Renards», *La Société historique acadienne*, 2e cahier, 1962, pp. 38-39.

Le tronc d'arbre fendu en deux parties, l'une et l'autre légèrement évidées, fournissait aussi un matériau de toiture. Le procédé de couverture à l'écorce de bois mou valait encore: on recouvrait toute la surface en posant, côte à côte, une rangée de *pièces face en l'air*, puis, sur les joints laissés par la première rangée, on disposait des *pièces face en bas*, à la façon des tuiles.

Le bardeau de cèdre, déjà utilisé au XVIIe siècle comme revêtement de couverture, était fixé au moyen de chevilles de bois d'érable[28] et, la plupart du temps, tout comme on le faisait avant de lambrisser les murs extérieurs, on plaçait de l'écorce de bouleau sous le bardeau[29]. Les habitants adroits fabriquaient eux-mêmes les bardeaux de cèdre qu'ils utilisaient.

Le foin des marais entassé dans les interstices des murs servait aussi d'isolant contre le froid. Selon Pothier, le long de la baie Sainte-Marie, en Nouvelle-Écosse, les habitants, quand arrivait l'automne, avaient l'habitude d'enchausser leur maison avec du foin de marais, et de remplir leur cave d'*eel grass* afin de se garantir du froid[30]. Ailleurs en Acadie, on *renchaussait* plutôt la maison soit avec de la *mousse de grève* soit avec du varech foulé aux pieds, au bas des murs extérieurs des maisons[31].

L'herbe des *prés* endigués devenait torchis et consolidait le hourdis d'une construction en colombage. Cette tradition, observée en Louisiane acadienne, nous livre la description suivante d'une *tâche à torchis*:

> Lorsqu'on a désigné l'endroit où l'on veut faire une *tâche*, on commence par enlever à la pelle la terre végétale qui le recouvre. Ensuite, à l'aide de pioche et de pelle ferrée, on creuse la fosse jusqu'à une profondeur jugée suffisante. La terre provenant de la fouille est jetée sur les bords; puis on établit une couche verte au fond sur laquelle on met une couche de terre; ensuite une autre couche de mousse, ainsi de suite, jusqu'à suffisance. On arrose

28. J.-Henri Blanchard, *Acadiens de l'Île du Prince-Édouard,* p. 11. Mentionnons que c'est plutôt avec des chevilles de bois de mélèze que l'on assemblait les pièces de charpente équarries à la hache, selon Vital Gaudet, «Notes sur les origines de Memramcook», *La Société historique acadienne,* 2e cahier, 1962, p. 51.
29. Arthur Babineau, 60 ans en 1973, Shediac, West., N.-B.
30. J.-Frank Pothier, «Acadian at Home, 1765», *Canadian Cancer Society,* 1957, p. 12.
31. Coll. J.-Claude Dupont, doc. ms. 334, Inf. Irène Barthe, 20 ans en 1966, Petit-Rocher, Gloucester, N.-B.

fortement le tout pour détremper la terre. Ainsi préparée, des hommes appelés tâcherons, pieds nus et jambières retroussées descendent dans la *tâche*, piétinent et foulent la matière jusqu'à ce qu'elle est *(sic)* devenue à la consistance de mortier. Celui-ci est enlevé par torchis et porté au bâtiment. Dans les sections du pays où il n'y a pas de mousse on emploie de l'herbe des prairies ou du foin[32].

Les communications des informateurs sur le terrain et les relevés de spécimens anciens attestent la construction de maisons avec du bois et du torchis un peu partout sur les rives atlantiques. D'ailleurs, les sources écrites révèlent leur existence déjà au XVIIe siècle, car Menneval, en 1688, rapporte que Port-Royal compte alors environ vingt méchantes maisons de boue et de bois[33], et Dièreville, en 1699, a également vu à Port-Royal des chaumières fort mal *bousillées*, avec des cheminées d'argile[34]. À la Pointe-de-l'Église, en Nouvelle-Écosse, Pothier dit qu'on «bâtissait avec ce ciment fait de *clay* et d'eau[35]». Au Canada, des constructions à murs calfeutrés avec de la boue mêlée de foin ont existé un peu partout; il s'en trouvait encore, vers 1950, le long de l'ancien Chemin-du-Lac dans le comté de Rivière-du-Loup, de même que chez les Anglais de Terre-Neuve, en 1965. Les habitants des rives du Nil, en Égypte, qui endiguent le fleuve et cultivent aussi des terrains semblables aux terrains endigués ont l'habitude de bâtir des maisons uniquement de terre[36].

Les Acadiens de l'État du Maine, É.-U., remplaçaient souvent le foin par des fibres de lin dans le torchis; la Maison Morneau du Village acadien de Van Buren, Maine, en fournit un exemple.

En Acadie, ce sont surtout les murs constitués par une structure à claire-voie (genre de claie horizontale) que l'on recouvrait de torchis de *foin de prés* et de *terre grasse*. Dans les murs à pièces, c'était plutôt le *guémon*, la *terre grasse* ou le mortier qu'on utilisait. Vers le début du XXe siècle, on isolait aussi à la sciure de bois les murs en charpente claire.

---

32. Jay K. Ditchy, *Les Acadiens louisianais et leur parler*, p. 198.
33. *Mémoire de Menneval 1688*, ANC (CIID. V2, f. 98).
34. *Relation du voyage du Port-Royal de l'Acadie 1699-1700*, pp. 250-251.
35. *Op. cit.*, p. 12.
36. Jacques Besançon, *L'Homme et le Nil*, p. 202.

Utilisation de *mousse de grè-ve* et de glaise dans un assemblage à clef de pièces de bois équarri.

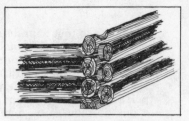

Dans les structures de billes de bois ou de troncs d'arbres, on pouvait aussi calfeutrer au moyen d'herbe de marais (assemblage par encochements concaves).

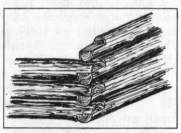

Le calfeutrage avec de la boue de rivière ou de grève enrichie de sable de grève fut aussi pratiqué dans les assemblages de troncs d'arbres (assemblage par encochements ouverts).

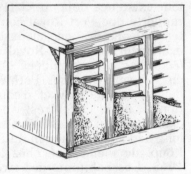

Un mélange de glaise et de foin de grève appelé torchis s'est allié solidement à des claies de bois fixées à des colombages pour constituer des murs de maison.

Après avoir calfeutré les interstices d'une structure pièce sur pièce à colombages dans un corps de logis des XVIIIe et XIXe siècles, il arrivait qu'on recouvre les murs de crépi (sable, eau et chaux) pour le chauler ensuite avec une préparation à base de coquillages brûlés.

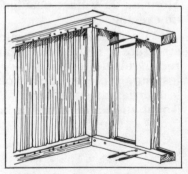

Murs de pièces (ou de madriers) verticales assemblées à coulisse et pouvant être calfeutrées ou revêtues avec du mortier consistant en un mélange de sable de grève et de chaux de coquillages.

À l'île du Prince-Édouard, une autre façon d'utiliser la *terre grasse* des rivages fut d'en fabriquer des briques cuites au four; elles devenaient par la suite des feux et des cheminées[37].

Au milieu du XIXe siècle, les clous se substituent peu à peu aux pointes de l'aubépine pour fixer l'écorce des couvertures[38], aux chevilles de bois d'érable pour clouer les bardeaux de cèdre et à celles de bois de mélèze pour rassembler les pièces de charpente:

> Dans les commencements de la paroisse il n'y avait pas de clous sur le marché. Les clous indispensables étaient faits à la forge, jusque vers l'année 1840, et ils coûtaient par conséquent très cher. On les remplaçait par des chevilles en bois. Lorsque le moulin de DesBrisay, le plus gros moulin jamais construit dans le comté de Kent, fut érigé à Richibouctou, toutes les pièces de la charpente étaient liées ensemble avec des chevilles de bois. On les payait trois cents pour les grosses et un cent et demi pour les petites (...)
> Le 7 juillet 1851, un moulin à tailler les clous de fer fut emporté d'Écosse, et l'on put ensuite s'en procurer à des prix raisonnables. Vers 1880 les clous modernes firent leur apparition et les anciens clous taillés disparurent peu à peu[39].

B. Quelques maisons et bâtiments

1. Aspects extérieurs

Le XVIIe siècle, avec l'«habitation de Port-Royal», et le XVIIIe, avec la «forteresse de Louisbourg», ont transmis à l'Acadie des ensembles de construction d'esprit français. Cependant, au XXe siècle, outre les reconstitutions historiques de ces ensembles, le type de maisonnette à toit aigu à quatre versants n'a pas survécu en Acadie. De ces époques, l'architecture dite «d'esprit français» n'eut de continuité que dans la petite maison à toit aigu à deux versants. Lauvrière traite sans doute de ce dernier type de maison lorsqu'il dit

37. J.-Henri Blanchard, «Petite histoire de l'Île du Prince-Édouard», *L'Évangéline,* 4 avril et 2 mai 1958, pp. 2 et 5.
38. J.-Rodolphe Bourque, «Gros Jean du Ruisseau des Renards», *La Société historique acadienne,* 2e cahier, 1962, p. 39.
39. Louis-Cyriaque Daigle, *op. cit.,* pp. 26-27.

Constructions «d'esprit français» telles que
reconstituées dans le complexe de l'habitation de
Port-Royal, dans le comté d'Annapolis, N.-É.
(*Photo* AFUL, J.-C.D. 2619.)

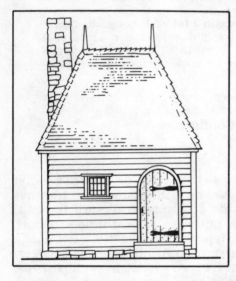

La maisonnette du Sieur Bou-
lay reconstituée dans l'habitation de Port-Royal, dans le
comté d'Annapolis, N.-É., possède un toit à quatre pentes.

que les Acadiens du XVIIIe siècle «se bâtissaient, en des
sites bien choisis, de petites maisons de bois, à hauts toits de
bouleau, qui, pour être de chétive apparence, n'en étaient pas
moins de l'avis de certains Anglais, chaudes et confor-
tables[40]».

40.   Émile Lauvrière, *op. cit.*, p. 163.

Usages d'éléments riverains dans la construction

Éléments	Addition	Transformation	Utilisation
Coquillages	eau	chaux	chaulage du bois et du mortier (intérieur et extérieur).
	eau et sable	mortier	recouvrement du bois et autres matériaux (int. et ext.); calfeutrage.
	boue, poils d'animaux	mortier	recouvrement du bois et autres matériaux (int. et ext.); calfeutrage.
Huile de *loup-marin*	terre grise	peinture	peinture du bois (int.)
	terre rouge ocre rouge	peinture	peinture du bois (ext.).
Herbe de marais			recouvrement du toit (ext.); enchaussage des murs (ext.).
Jonc de rivage			recouvrement du toit (ext.); enchaussage des murs (ext.).
Foin de prés endigués			recouvrement du toit (ext.); enchaussage des murs (ext.); calfeutrage des murs.
	boue et eau	hourdis de torchis	hourdage des murs sur claie de bois (int.); maçonnage de cheminées sur claie de bois (int. et ext.).
Mousse de grève			enchaussage des murs (ext.).
Varech			enchaussage des murs (ext.).
Boue de rivage	eau	brique cuite au four	briquetage de cheminées et de feux (int. et ext.).

En 1795, John MacDonald, dans la description qu'il fit des maisons acadiennes à Desbarres, dit que, dans l'ensemble, il s'agit de maisonnettes mesurant approximativement dix-huit à vingt-cinq pieds (5,4 à 7,5 m) de longueur, et autant de largeur. Ces maisons, ajoute-t-il, n'avaient pas de porche, et l'intérieur consistait en une seule pièce[41]. Il semble que la tradition de cette minuscule construction transmise jusqu'aux années 1920, et dont nous pouvons encore retrouver quelques spécimens de nos jours sous forme de granges, de hangars ou de cuisines, ait connu une diffusion assez large. En effet, tant sur la côte sud de la Gaspésie qu'au Nouveau-Brunswick et en Nouvelle-Écosse, on découvre des exemples de ces bâtiments parfois dissimulés derrière une construction plus récente, parfois aussi transformés mais encore identifiables. Cet abri de tradition ancienne ne semble pas avoir survécu à l'île du Prince-Édouard, mais J.-Henri Blanchard rapporte qu'à Rustico, au tournant du siècle, les Acadiens habitaient encore ces «maisons d'un seul étage, bas et percé d'un petit nombre de fenêtres, avec ces toitures raides si bien adaptées au climat, granges, étables et autres dépendances, la plupart couvertes en chaume[42]».

Type de construction ancienne servant de maison, d'étable ou de hangar de pêcheur, et parfois même d'école.

---

41. Anselme Chiasson, «Les vieilles maisons acadiennes», *La Société historique acadienne,* 25e cahier, 1969, p. 185.
42. *Rustico, une paroisse acadienne de l'Île du Prince-Édouard,* p. 14.

Parallèlement à ce type de construction, image du XVIIe siècle, le XIXe siècle présente des modèles architecturaux différents. Une aquarelle de Vidal, datée de 1817, montre, en bordure de la rivière Saint-Jean, deux autres genres de construction: soit des hangars de forme rectangulaire à toit en pente très douce, et une maison à toit galbé. Il existe aussi en Acadie des toits galbés, au niveau des sablières, à la façon des magasins et entrepôts des marchands anglais (XIXe et XXe siècles) des côtes atlantiques.

Déjà, aux XVIIe et XVIIIe siècles, à côté d'abris à toit aigu, Dièreville précise que certains pêcheurs utilisaient aussi des toits à pente légère pour sécher la morue verte au soleil[43]. Pascal Poirier, à la fin du XIXe siècle, prétend que c'est davantage selon cette manière gallo-romaine, toit bas, de faible inclinaison, que les Acadiens construisaient leurs maisons[44].

Extrait d'une aquarelle de 1815 de Vidal représentant une maison à toit galbé. La cheminée se complète d'un four à pain extérieur. (*Coll.* Webster Watercolor 6798, *Travelling on the River St John.* February 1815, St. John, New Brunswick Museum.)

43. *Relation du voyage du Port-Royal de l'Acadie ou de la Nouvelle-France,* p. 115.
44. *Le parler franco-acadien et ses origines,* p. 226.

Vue du village de Havre-Aubert, îles de la Madeleine, Qué., vers 1930. On y aperçoit aussi bien des toits à pente aiguë qu'à pente douce. (Edwin Smith, «The Magdalen Island» *Canadian Geographical Journal*, vol. IV, n° 6, juin 1932, p. 338.)

Des gravures et des photographies du XIXe siècle présentent aussi des maisons semblables à celles construites par des colons québécois à la fin du XIXe siècle et au début du XXe sur les *terres* en défrichement. Ces «maisons anciennes d'établissement» taillées dans des troncs d'arbres ou des pièces de bois équarries offrent des proportions plus importantes que la maisonnette à toit aigu dont il fut d'abord question ici. Cette forme architecturale s'est continuée dans les lignes du hangar de pêche et des boutiques, un peu partout en Acadie. Un type de maison semblable mais de dimensions plus imposantes s'élevait aussi dans les régions habitées depuis longtemps; celle-ci, quoique plus simple, se rapprochait par son plan d'ensemble de la maison genre «temple gréco-romain» qui se répandit aussi en Acadie. Le peuple, au début du XIXe siècle, tout en construisant selon l'aspect formel de la «maison temple», n'ajoutait pas les accessoires décoratifs propres à ce dernier style. Cependant, la mode gréco-romaine fut aussi représentée par de rares exemplaires

Maisons d'établissement au XIXe siècle le long de la rivière Saint-Jean. À l'arrière de la maison de droite, on peut apercevoir une étable à toit aigu. («Madawaska 1866», *Ketchum Album*, Fredericton, Provincial Archives, doc. T-94.)

49

Vieille maison acadienne à Falmouth, Hants, N.-É. Les murs sont en pièces assemblées à clef. On la date généralement d'avant la Déportation, selon J.-Alphonse Deveau. (*Photo* fournie par le Centre acadien, Univ. Sainte-Anne, Pointe-de-l'Église, N.-É.)

Boutique de forge de François LeBlanc, de Wedgeport, Yarmouth, N.-É., décédé en 1956 à l'âge de 96 ans. Cette construction qui daterait du XIXe siècle a été transportée au Parc historique national de Grand-Pré. (*Photo* AFUL, J.-C.D. 2611.)

50

Probablement construite en deux temps,
cette maison à toit en pente douce a
certaines caractéristiques de la maison
Greek Revival de la fin du XIXᵉ siècle
en Acadie. («Care-taker's Cottage»,
Early Acadian Rockwood, Fredericton,
Provincial Archives, doc. P4-2-0018.)

réunissant tous les ajouts décoratifs rattachés à ce genre architectural. Il arrivait parfois que, lors d'une réparation faite
à la fin du XIXᵉ siècle, l'on complète l'aspect *Greek Revival*
de l'ancienne construction en la revêtant d'un lambris de
planches à clins, en la décorant de pilastres et corniches[45]
identifiés à ce style si souvent reproduit sur la côte est des
États-Unis.

45.   En collaboration, *Maison Célestin Bourque, Memramcook-Ouest,* pp. 6-7.

Maison *Greek Revival* à décor simple située à Barachois, West., N.-B. (*Photo* AFUL, J.-C.D. 2335.)

Une des plus anciennes maisons acadiennes conservées, propriété de M. Adolphe Robichaud; on l'appelle « La vieille maison Robichaud » à Meteghan, Digby, N.-É. Construction de type Nouvelle-Angleterre. (*Photo* AFUL, J.-C.D. 2634.)

Ancien presbytère de la Baie-Egmont, Prince, Î. P.-É. Type *Greek Revival* à décor élaboré. (*Photo* fournie par Elva Arsenault, Baie-Egmont.)

Un autre type d'architecture américaine, répandu en Acadie à partir de la fin du XIXe siècle, est la maison d'esprit « néo-gothique », généralement identifiée, dans les spécimens simplifiés, par la construction à toiture à lucarne en croupe, la plupart du temps vis-à-vis de l'entrée principale. Dans les constructions plus élaborées de ce modèle, ces lucarnes, dont la face est constituée par la continuation du mur de façade de

Exemple de maison à deux façades principales; l'une orientée vers la route ou la mer, et l'autre faisant face aux dépendances ou au lieu de travail.

Traditionnellement chez les Canadiens français, la porte d'entrée de la maison des « côtes atlantiques » est placée sur un des murs de long pan, tandis que chez les Canadiens anglais, elle est plutôt percée dans un des murs pignons. Cette maison, en Acadie, tient de ces deux traditions; on retrouve aussi bien l'ouverture d'entrée sur le mur façade que sur celui du pignon. Il arrive même que ces deux caractéristiques soient présentes dans une seule construction.

La lucarne née du prolongement d'un mur en long pan ne se place pas toujours au centre de la toiture, vis-à-vis de l'entrée principale; il arrive aussi, dans les constructions plus élaborées, que deux lucarnes de ce type se situent au-dessus des fenêtres du mur d'entrée.

Maison d'esprit néo-gothique ou des côtes atlantiques, à Saint-Majorique, près de Gaspé, Qué. (*Photo* AFUL, J.-C.D. 2201.)

Maison du début du XXe siècle à Richmond, Prince, Î. P.-É.

Maison acadienne de Shediac, West., N.-B., empruntant des éléments décoratifs aux riches demeures anglaises.

la maison, peuvent exister en paire, et se placer alors vis-à-vis des fenêtres de la façade de la maison. La lucarne sur la maison devient parfois, chez le peuple, un signe d'aisance matérielle et les sujets décoratifs ornant les riches demeures, souvent anglaises, ont leur contrepartie réduite sur la maison acadienne. À Shippagan, au nord du Nouveau-Brunswick, avec l'arrivée de familles anglaises ou jersiaises plus fortunées, on commence à construire des maisons acadiennes «avec des carrés de verre de couleurs, encadrant la porte d'entrée à la façon des maisons bourgeoises[46]».

---

46. Donat Robichaud, *Le grand Chipagan* (Histoire de Shippagan), p. 44.

Dans certaines régions, surtout le long de la baie Sainte-Marie, en Nouvelle-Écosse, et dans les environs de Bathurst, au Nouveau-Brunswick, s'élèvent des constructions qui pourraient être désignées sous les noms « d'habitation-en-suite » ou « d'habitation-continue ». Dans cette organisation, la maison, sans égard à son modèle architectural, est rattachée aux dépendances, soit le hangar, la laiterie, l'étable, ou autres bâtiments, permettant ainsi de passer d'une construction à l'autre sans sortir.

Maison Saulnier (en 1959), type « d'habitation-continue », rue principale, Pointe-de-l'Église, Digby, N.-É. (*Photo* AFUL, J.-C.D. 1a.)

Avant 1755, et même par la suite, l'Acadie construisait en bois; rares furent les maisons de pierre ou de brique[47]. En 1704, on remarque cependant la présence, à Port-Royal, d'une « maison en brique et en bois »; mais il s'agit de la maison des missionnaires récollets et elle ne reproduit pas les caractéristiques de la maison traditionnelle, puisqu'elle se compose « d'une cuisine, d'un parloir, et de cinq cabinets[48] ».

47. J.-Rodolphe Bourque, *Social and Architectural Aspects of Acadians in New Brunswick, passim.*
48. Papiers Placide Gaudet, *Vente faite par Claude Sébastien de Villieu, 18 nov. 1704,* CEA, Univ. de Moncton, man., (n° 1, 19-1). En Louisiane acadienne, de la brique placée entre des pièces verticales de bois entrait dans la charpente de certaines maisons; cette technique était identifiée par l'expression: *« briqueter entre poteaux ».* Anonyme, « A Salute to the Alleman Center », *Supplement of The Morning Star,* March 31 st, 1977, p. 2.

Outre les formes déjà mentionnées, les Acadiens au-raient jadis utilisé aussi les procédés d'assemblage dits *murs à pieux* et *murs à auges* pour ériger des abris rudimentaires. Dans le premier cas, il s'agit de superposer des troncs d'arbres retenus par des piquets plantés en terre; tandis que dans l'autre, des troncs d'arbres plantés à la verticale sont immobilisés au moyen de pièces de bois creusées à la façon des auges.

Aux îles de la Madeleine, Qué. et à Saint-Antoine de Kent, N.-B., entre autres endroits, on aurait élevé des abris au moyen d'un assemblage de billes de bois rete-nues à la base et au sommet par des pièces de bois évidées à la façon des auges. (Reconstitution d'après les études d'Anselme Chiasson, *La Vie populaire des Madelinots*, CEA, 1966, man. p. 1, et de Évariste-L. Léger, *Histoire de la paroisse de Saint-Antoine*, p. 8.)

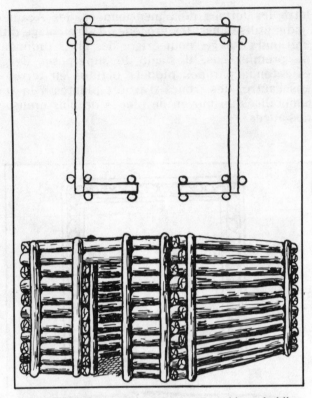

Autre manière de consolider un assemblage de billes de bois selon la tradition acadienne. (Reconstitution d'après Anselme Chiasson, *La Vie populaire des Madelinots*, CEA, 1966, man. p. 1 et de Évariste-L. Léger, *Histoire de la paroisse de Saint-Antoine*, p. 8.)

Au nombre des spécimens particuliers à l'habitation acadienne, citons la *baraque,* la maison acadienne louisianaise, le camp à façade couverte et le hangar à toiture de terre. On rencontre les derniers vestiges de la *baraque* chez les Acadiens des îles de la Madeleine, mais elle existait encore, vers 1925, chez ceux des rives terreneuviennes de Cap-Saint-Georges et de Port-au-Port. Ce type d'abri, en usage aussi dans certaines régions européennes, par exemple en Roumanie, sert encore présentement chez les Anglais terreneuviens dans la péninsule d'Avalon[49]. Monsieur Luc Lacour-

---

49. Jean-Claude Dupont, *Contribution à l'ethnographie des côtes de Terre-Neuve*, CEN, Univ. Laval, n° 22, 1968, pp. 100-101.

cière, lors d'enquêtes ethnographiques sur le terrain dans Charlevoix, au Québec, vers 1945, a signalé les derniers spécimens propres à cette région.

Le carré de cette construction lambrissée ou non, pour abriter la récolte de foin, est assujetti à quatre poteaux de coin qui soutiennent un toit à quatre faces. L'extrémité supérieure de chacun de ces poteaux est munie d'une poulie actionnée par des câbles, et le toit qui y est suspendu peut être abaissé à volonté, selon la quantité de foin à conserver. Les quatre poteaux corniers sont solidement ancrés en terre.

La *baraque* est recouverte d'un toit mobile qu'on lève ou abaisse au moyen de quatre poulies fixées aux poteaux corniers. Celle-ci est située à Cap-aux-Meules, îles de la Madeleine, Qué. Dim.: haut. 20 pieds (6 m), larg. 10 pieds (3 m), long. 10 pieds. (*Photo* AFUL, J.-C.D. 6.)

Baraque terreneuvienne près de Saint John's.
(*Photo* AFUL, J.-C.D. 2002.)

Quant à la maison acadienne louisianaise, elle est de
deux types particuliers, soit la « maison créole-acadienne »
et la « maison acadienne » proprement dite. La maison créole-
acadienne du colon serait une adaptation du style français
en Louisiane. Selon Milton B. Newton[50] à qui nous devons la
description suivante, cette maison serait la réplique d'habitations françaises aux Caraïbes. La maison créole-acadienne
de la Louisiane possédait généralement, au XIXᵉ siècle,
deux salles de séjour desservies par une cheminée centrale
faite de glaise et de bois s'ouvrant sur les deux pièces. La
plupart du temps, chacune des salles communiquait avec
l'extérieur par sa propre porte et deux ou trois chambrettes
s'alignaient face à la porte d'entrée. Il existe aussi un type
semblable de maison, moins répandu cependant, n'ayant
qu'une seule pièce de séjour et dont la cheminée s'adossait
à l'un des murs de pignons.

---

50. *Louisiana House Types a Field Guide*, p. 18.

Maison bourgeoise créole-acadienne au The LSU Rural
Life Museum, Baton Rouge. (*Photo* AFUL, J.-C.D. 2532.)

Ancienne maison créole-acadienne située à Saint-Martin,
en Louisiane.

Maison populaire créole-acadienne vue de côté et de
face. Elle n'a plus l'appentis qui la caractérise généralement, mais elle possède une annexe arrière reprenant
la forme du principal corps du logis. Au The LSU Rural
Life Museum, Baton Rouge. (*Photo* AFUL, J.-C.D. 2535-
2536.)

La maison créole-acadienne devenait-elle trop exiguë pour le nombre de ses habitants, on construisait alors une annexe à l'arrière ou sur l'un de ses côtés. Cet ajout d'une ou deux pièces prenait la forme soit d'un appentis constitué par la prolongation du toit arrière de la maison, soit celle que représentait le corps principal de la maison. Lorsque l'annexe était un appentis, le toit de la maison se galbait au-dessus de cette rallonge, tout en conservant une pente droite sur le côté opposé, soit sur la façade. Une galerie couverte, courant sur toute la façade, était pratiquée dans le corps même du logis, la partie inférieure du toit de la maison constituant de ce fait la *véranda*. Les bardeaux de bois de cèdre utilisés comme revêtement sur la toiture étaient imprégnés de brai. Les portes d'entrée, à la façon des maisons françaises, n'avaient pas de seuil, et le plancher excédait à l'extérieur pour constituer celui du perron. On accédait au grenier, la *garçonnière*, au moyen d'un escalier extérieur situé sous la *véranda*. La façade de la maison, recouverte de planches à la verticale, était blanchie, tandis que les murs de pignons et le mur arrière lambrissés de planches horizontales à clins demeuraient naturels.

D'après Milton B. Newton[51], la maison acadienne louisianaise, sise surtout à Upper Tèche, ressemblait à la maison créole-acadienne, mais l'absence de porche la distinguait de la tradition française des Caraïbes. Cependant, elle tient de la précédente par ses chambrettes en rangée, et ses deux portes d'entrée ouvrant chacune sur une salle adossée à une cheminée centrale. Une *garçonnière* complète cette construction dite «acadienne» et on y accède par un escalier intérieur. Ce serait là le seul type de maison louisianaise susceptible de porter le vocable de «maison acadienne».

---

51. *Louisiana House Types a Field Guide,* p. 14.

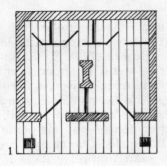

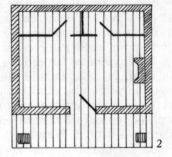

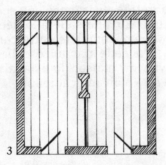

Divisions de maisons acadiennes de la Louisiane:
1. Maison créole-acadienne possédant deux salles de séjour, trois chambres à coucher et une cheminée centrale.
2. Maison créole-acadienne d'une seule pièce principale desservie par une cheminée pignon et n'ayant que deux chambres à coucher.
3. Maison acadienne. Ses divisions sont semblables aux modèles précédents, mais elle ne possède pas de porche.

La maison acadienne bourgeoise de la Louisiane telle que représentée à l'Acadian House Museum au Longfellow Evangeline State Park, à Saint-Martinville. (Aimablement fournie par Grant L. Robertson, GLR-544.)

Foyer de brique de la maison créole-acadienne au The LSU Rural Life Museum, Baton Rouge. (*Photo* AFUL, J.-C.D. 2518.)

Cheminée de torchis sur claie de bois des maisons créoles-acadiennes de la Louisiane au The LSU Rural Life Museum, Baton Rouge. (*Photo* AFUL, J.-C.D. 2538.)

65

Petite maison acadienne située près de la côte à Bas Cap-
Pelé, West., au N.-B., et qui n'est pas sans rappeler la
maison louisianaise.

Une autre forme architecturale, fort simple, comparable
au chalet suisse, réside en ce camp minuscule à façade
abritée, répandu jadis aussi bien chez les Acadiens des provinces Maritimes que chez ceux du Québec et de la Louisiane. La façade de cette construction s'ouvre dans un mur à
pignon. La *véranda* résulte alors du prolongement des fermes
sur les pièces de bois rond ou équarries des murs, servant de
sablières. Cette construction acadienne favorisait, en Louisiane, l'entreposage du *blé d'Inde*; à Saint-Théophile de
Beauce, au Québec, l'abri des animaux dans les champs; au
Nouveau-Brunswick, de même que dans les régions de Matapédia (à Sayabec en particulier) et de Bonaventure, au
Québec, elle devenait un camp forestier.

Monsieur Cyril Belley, âgé de 65 ans en 1965, de
Saint John's, affirme qu'au début du siècle, les granges et les
hangars de pêche, recouverts de *couennes herbées,* n'étaient
pas rares chez les Acadiens de Terre-Neuve; d'ailleurs ils
existaient encore dans la péninsule d'Avalon, en 1965. Ces
abris peu élevés possèdent une forte charpente dont les colombages visibles de l'extérieur, quand il s'agit d'un hangar,
ne sont distancés les uns des autres que d'environ quinze

Camp à façade abritée s'élevant jadis dans un champ, à Saint-Théophile de Beauce, Qué. (*Photo* AFUL, J.-C.D. 1927.)

Camp de chasse de Bonaventure, Qué. À cause du toit qui se prolonge sur la façade, on désigne généralement cette construction sous le nom de *casque à palette*. La dernière pièce de bois posée au sommet du carré, le *grand côté* sera assez longue pour servir de support à la charpente constituant l'abri de façade. Ce camp est souvent calfaté avec de la *paille de cèdre*, résidus ramassés sous les machines servant à fabriquer le bardeau de cèdre. (*Photo* MN, Richard Gauthier D-2568.)

pouces (38 cm). La toiture est soutenue par des chevrons, également très rapprochés, s'appuyant sur des fermes intermédiaires placées entre le faîtage et les sablières. De plus, des poinçons et des traverses s'arc-boutent sur des rangées d'entraits superposés. Cette couverture se confond avec le paysage; les *couennes herbées,* vertes durant l'été, jaunissent avec l'automne.

Hangar à toiture en *couennes herbées* à Terre-Neuve. (*Photo* AFUL, J.-C.D. 2a.)

2.   Aspects intérieurs et dépendances complémentaires

Quatre descriptions nous ouvrent la maison acadienne des XVIIIe et XIXe siècles; pénétrons-y à la suite de Robert Hale, du père Anselme Chiasson, de Robert Desbarres et d'un membre de la famille d'Armand Landry, de Memram-cook:

Reconstitution d'un lit emmuré *(Sailor's Cabin)* de la maison acadienne des XVIIe, XVIIIe et XIXe siècles. Un lit semblable existe en France, dans les Alpes, et on le désigne sous le nom de «lit de berger».

Robert Hale, pour 1731:

Leurs maisons n'ont généralement qu'une pièce principale qui se complète d'un grenier, d'une cave, et quelquefois d'un placard. Leurs chambres à coucher ressemblent aux cabines de marins consistant en un lit entouré de planches, le mur de ce lit n'étant percé que d'une ouverture assez grande pour s'y glisser et y dormir, et on y accède en montant sur un coffre. Un rideau voile cette ouverture[52].

---

52. «Journal of a Voyage to Nova Scotia Made in 1731, by Robert Hale of Beverly», *Observations of an Educated Man of New England upon some of the Acadian Settlements,* vol. XLII, juill. 1806, p. 233 (Traduction).

D'après les informateurs, reconstitution de l'échelle remplaçant l'escalier pour monter à l'étage.

Père Anselme Chiasson, pour la fin du XVIIIe siècle:

Les premières demeures furent bâties en bois équarri à la hache (...) Entrons dans une de ces demeures primitives. La maison n'est pas finie à l'intérieur. Le plancher lui-même est en bois équarri, parfois même en petit bois rond ou *rollons* (...) Il n'y avait ni chambres ni cloisons. Les lits en faisaient fonction. Aussi, aux lits mêmes étaient clouées des planches, pour en faire comme une armoire fermée, une boîte du plafond au plancher, appelée *sac à housse* (...) Sur le *banc d'un châssis* le soleil marquait les heures (...) Au plafond, au bord du mur, une ouverture et au mur une échelle fixe pour y monter[53].

53. *Chéticamp, Histoire et traditions acadiennes,* pp. 46-47, (d'après des documents cités).

Robert Desbarres, pour 1795:

La cheminée, dont la partie basse est de pierre et de terre glaise, et la partie supérieure de terre glaise, intégrée à un bâti de bois à claire-voie, se situe à l'endroit le plus éloigné de la porte d'entrée (...) Derrière la cheminée, à l'extérieur de la maison, se trouve un four de terre glaise. Ce dernier s'ouvre à l'intérieur de la cheminée dans la maison, et c'est par cette ouverture au fond du foyer qu'on y fait le feu et qu'on y place le pain. Le four repose sur un bâti de bois et de pierre et il est caché sous un abri de trois à quatre pieds (0,9 à 1,2 m) de longueur de chaque côté, où quelques porcs entrent par le dehors pour s'y mettre à la chaleur de la cheminée et du four (...) Leurs maisons ont une cave sous le plancher pour y conserver les légumes et ils y descendent au moyen d'une trappe[54].

Un parent de la famille Landry, de Memramcook, pour 1846:

Armand Landry et son épouse (...) avaient alors quatre enfants (...) Avec eux vivaient Alain Landry (...) et Natalie Landry (...) Au *mitan* de la maison se trouvait une immense cheminée en grosses pierres mal taillées et mal ajustées; la maison était divisée en deux parties par une cloison de planches. L'hiver on n'occupait que la partie sud de la maison qui n'avait que deux fenêtres, une au sud, l'autre à l'ouest. Près de la cheminée, était la porte de la cave où on descendait au moyen d'une petite échelle. Cette cave n'était qu'un trou où la lumière ne parvenait pas (...) car il n'y avait pas de fenêtre, et la maison n'ayant pas de solage la cave était très froide en hiver. Ce bord de la maison formait un seul appartement qui servait de cuisine, de salle à manger, de chambre et de dortoir. Autour de l'appartement il y avait trois petites pièces que l'on appelait chambres à lit; elles pouvaient avoir sept pieds par dix (2,1 par 3 m) chacune et manquaient de fenêtres pour les éclairer (...) Le patrimoine de la famille se composait de cent arpents (5 750 m ou 5,75 km) de *pré*, d'une grange couverte en *rouche*, de quatre ou cinq vaches, des poules, des oies, des dindes, des canards et des cochons[55].

---

54. Capt. John MacDonald, *A Report of Captain John MacDonald to Desbarres in 1795*, Arch. Prov. N.-É. (Halifax). Miscellaneous files on Desbarres.
55. Papiers Placide Gaudet, *Vieille maison à Memramcook, 1846*, CEA, Univ. de Moncton, man., (PL. G. 81-19).

Nos enquêtes sur le terrain, auprès d'informateurs acadiens, nous permettent de compléter, pour le XIXe siècle et le début du XXe, les descriptions des documents écrits cités précédemment. Les personnes interviewées ont connu les habitations du début et du présent siècle, certaines se souviennent même des dires de leur père, et parfois de ceux de leur grand-père, ce qui nous permet un retour assez profond dans le passé, voire même jusqu'au dernier quart du XIXe siècle. Voici leurs témoignages: «La levée de la charpente d'une construction se faisait en corvée, disent-ils, et l'on avait fait aussi des corvées pour couper et transporter le bois nécessaire[56]». Dans la région de Madawaska, selon les recherches menées sur le terrain par Julie D. Albert, lorsque le dernier chevron d'une charpente avait été cloué, on «plantait le mai» de la même façon qu'on le fait parfois encore au Québec. On fixe alors un sapin sur l'aiguillette du toit et, après l'avoir tiré au fusil, on jette le sapin en bas, au milieu des membres de la corvée. En Acadie, pour terminer la journée, la maîtresse du logis, qui avait cuit du pain et des pâtisseries au four, préparait un repas se prolongeant tard dans la nuit, et complété par une danse au son du violon. La construction terminée, un prêtre devait la bénir[57].

«Les anciennes constructions n'avaient pas de fondations, elles reposaient sur des cages de pierres ou sur des rangées de blocs de bois; plus tard, elles étaient assises sur une muraille de pierres liées au mortier[58].»

Reconstitution du poteau encoché servant jadis d'escalier en N.-É.

56. Alonzo Babineau, 51 ans en 1973, Robichaud, West., N.-B.
57. *Centennial Madawaska*, p. 106.
58. Louise Thibodeau, 68 ans en 1973, Shediac, West., N.-B.

Une échelle, un poteau encoché ou un escalier (non foncé) donnaient accès à l'étage sous le comble. Les maisons acadiennes étaient chaudes. «En hiver, on fermait l'*attique* ou la *garitte,* et quelquefois aussi la chambre du bas exposée aux vents[59].»

«La cheminée s'élevait soit en pierres de champ, soit de bois et de torchis. Il exista aussi des cheminées faites de pierres plates rectangulaires trouées dans le milieu et qu'on liait avec du mortier[60].»

Pierre trouée extraite d'une entrée de cheminée et conservée au Musée acadien de l'Univ. de Moncton. (*Photo* AFUL, J.-C.D. 994.)

«Pour cuire le pain, on avait une *maçoune*[61].»

«Les fenêtres plutôt basses étaient à guillotine. Vers les années 1930, dans certaines maisons, il y avait encore des

59. Coll. J.-Claude Dupont, doc. non classé, Inf. Jean Thibodeau, 90 ans en 1960, Pointe-de-l'Église, N.-É.
60. Le Musée acadien de l'Université de Moncton, au N.-B., conserve dans ses collections une pierre trouée ayant probablement servi pour isoler un tuyau (de poêle) passant à travers un mur. Félicien Gautreau, 98 ans en 1973, Pré-d'en-Haut, West., N.-B.
61. Coll. J.-Claude Dupont, doc. ms. 579, Inf. Mme Phyllis Turbide, 34 ans en 1966, Baie-Sainte-Anne, North., N.-B.

rideaux faits de vieux journaux, dont le bas était découpé comme pour imiter une frange[62]. »

« À l'île du Prince-Édouard, vers 1935, on tapissait encore parfois les murs intérieurs avec des vieux journaux[63]. »

« La colle à tapisserie était un mélange d'eau et de farine[64]. »

Pour les fenêtres simples, à l'intérieur, on creusait au couteau un petit *chenal* dans le cadre inférieur du châssis pour récupérer l'eau. On pouvait aussi utiliser des tringles de bois et l'eau était recueillie dans un récipient suspendu; cette coutume était connue aussi au Québec. Généralement, une fenêtre comportait douze petits carreaux vitrés, mesurant chacun six pouces de côté (15 cm).

« Il y avait une marque sur le *sillon de la porte* et quand le soleil reflétait dessus, il était midi[65]. »

« C'est dans le grenier que l'on conservait les citrouilles étendues sur le plancher; les carottes enterrées dans des boîtes de sable de grève; les *bleuets éparés* par terre en une mince couche entre deux feuilles de journal; le *blé d'Inde éparé* sur une couverture de lit; des pommes séchées encore enfilées comme dans l'attitude du séchage près de la *maçoune*; le *cent de fleur* (...)[66]. »

« L'hiver, on retirait les conserves de la laiterie; et on les descendait dans la cave avec les *patates,* les légumes, le baril de lard et la jarre de beurre. On y conservait aussi du hareng salé et de la sardine[67]. »

« Aux îles de la Madeleine, des laiteries ancrées dans le sol à une profondeur de trois pieds (0,9 m) conservaient la fraîcheur. Leurs murs intérieurs étaient blanchis à l'eau de chaux et garnis de tablettes; l'été on y plaçait du beurre, des herbes salées, du lait à cailler[68]. »

« On tirait l'eau d'un puits avec une *brimbale*. On avait un caveau à légumes enfoui sous terre; aussi une petite cabane pour fumer la viande et le poisson[69]. » Autour des *bâtisses,* là où l'on faisait la pêche, on rassemblait aussi bien les agrès pour le travail en mer que les *gréements de ferme.*

62. Louise Thibodeau, 68 ans en 1973, Shediac, West., N.-B.
63. Joseph-J. Arsenault, 78 ans en 1973, Saint-Chrysostome, Prince, Î.P.-É.
64. Arthur Babineau, 60 ans en 1973, Shediac, West., N.-B.
65. Félicien Gautreau, 98 ans en 1973, Pré-d'en-Haut, West., N.-B.
66. Raymond Cormier, 60 ans en 1973, Notre-Dame de Kent, N.-B.
67. *Idem.*
68. Coll. J.-Claude Dupont, doc. ms. 3607, Inf. Mme Blanche Bourgeois-Schofield, 55 ans en 1966, Cocagne, Kent, N.-B.
69. Coll. J.-Claude Dupont, doc. ms. 579, Inf. Mme Phyllis Turbide, 34 ans en 1966, Baie-Sainte-Anne, North., N.-B.

Puits extérieur à *brimbale*.

Puits extérieur abrité et muni d'un treuil.

Pompe à eau creusée dans un tronc d'arbre. Ce spécimen provenant de Cap-Pelé, West., N.-B., fait partie des collections du Musée acadien de l'Univ. de Moncton. Dim.: haut. 46 pouces (1,3 m), diam. 11 pouces (28 cm).

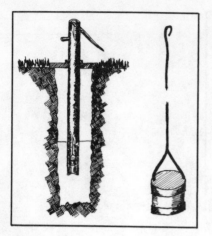

Détails de fonctionnement de la pompe de bois.

« Chez nous, on avait deux lilas qui décoraient l'entrée, un rosier blanc et un grand chêne aussi[70]. » Selon Louis-Philippe Côté, la maison typique de l'Acadien de la Côte Nord comporte, à l'entrée, une allée de rosiers sauvages[71]. Les gens, influencés par le voisinage de la mer, plaçaient près de la maison un mât garni de figurines taillées dans le bois; y paradaient oiseaux, petits bateaux, poissons. Le saule pleureur est, par excellence en Acadie, tant en Nouvelle-Écosse qu'au Nouveau-Brunswick, l'arbre décoratif des maisons. La Louisiane, au climat plus favorable, préfère, outre le cyprès luxuriant, le somptueux magnolia parfumé.

Vers la fin de septembre, les gens *terrassaient* leur maison pour l'hiver. Ils construisaient un mur de planche distant d'un pied (30 cm) de la base de la maison (environ un pied de hauteur) et ils remplissaient de sciure de bois, de paille, de *sapinage,* de lais de grève l'espace compris entre la maison et le mur élevé. L'automne, la neige s'y accumulait lors des premières *bordées,* et elle empêchait le froid de s'infiltrer par la base de la maison[72]. Celle-ci était-elle munie d'un conduit extérieur pour l'eau, on le cachait avec les mêmes matériaux

70. Coll. J.-Claude Dupont, doc. non classé, Inf. Jean Thibodeau, 90 ans en 1960, Pointe-de-l'Église, N.-É.
71. *Visions du Labrador,* p. 77.
72. Coll. J.-Claude Dupont, doc. ms. 337, Inf. Nora Saint-Pierre, 23 ans en 1966, Cap-Pelé, West., N.-B.

utilisés pour enchausser le tour de la maison[73]. Aux premiers sourires du printemps, lorsque le froid était passé, la terrasse protectrice était enlevée[74].

3. Construction du culte

Aux XVIIIe et XIXe siècles, les premières chapelles acadiennes avaient l'aspect des maisons de l'époque; tantôt «coiffées d'un toit bas à faible inclinaison, formant un angle ouvert à caractère gallo-romain[75]», tantôt d'une *couverture à pic*:

> (...) la plupart couvertes en chaume (...) ornées de leurs
> petits clochers, et, à côté, cimetières reconnaissables à
> la grande croix qui en dominait l'enclos, presbytère ressemblant aux maisons des habitants[76].

La charpente était aussi assemblée à la façon de celle des maisons des habitants. On parle de chapelle «bâtie en madriers de pin placés verticalement dans une *encanure* à la base et au haut du mur[77]» ou «d'une bâtisse pièce sur pièce, (...) dont le toit était couvert en bardeaux liés avec des chevilles de bois d'érable[78]», ou encore d'une chapelle «petite, faite de torchis environné de pierres, avec une couverture de paille[79]», soit des techniques également relevées dans les constructions domestiques.

Pour ces premières chapelles, comme pour celles qui leur succédèrent et qui prirent parfois le nom d'églises, le terrain était concédé gratuitement et avec plaisir par un habitant qui s'estimait déjà assez chanceux de voir s'élever la construction tout près de sa maison. À la famille, la fabrique, en retour, léguait un banc dans la chapelle. À Caraquet, au Nouveau-Brunswick, en 1793, on relève, par exemple, dans les livres de la fabrique, la minute suivante signée par monsieur Bourg:

---

73. Coll. J.-Claude Dupont, doc. ms. 339, Inf. Colette Ouellette, 29 ans en 1966, Baker Brook, Madawaska, N.-B.
74. Coll. J.-Claude Dupont, doc. ms. 334, Inf. Irène Barthe, 20 ans en 1966, Petit-Rocher, Gloucester, N.-B.
75. Adrien Arsenault, «La chapelle acadienne de Moncton», *La Société historique acadienne*, 2e cahier, 1962, pp. 76-77.
76. J.-Henri Blanchard, *Rustico, une paroisse acadienne de l'Île du Prince-Édouard*, p. 14.
77. Évariste-L. Léger, *L'Histoire de la paroisse de Saint-Antoine*, p. 8.
78. J.-Henri Blanchard, *Acadiens de l'Île du Prince-Édouard*, p. 11.
79. Antoine Bernard, *Histoire de la survivance acadienne, 1725-1935*, p. 161.

Alexis Landry et son héritier, son fils Joseph et Joseph Dugas, lesquels ont déclaré et déclarent en ma présence et celle de Messieurs les Marguilliers qu'ils donnent pour jamais à l'église de l'Anse, un certain terrain situé où est le cimetière, le presbytère et la bâtisse de la nouvelle église contenant 6 arpents (345 m ou 0,345 km) (...) et en conséquence de ce dont ils ont accordé, au sus dit Alexis Landry et à ses héritiers, un banc de 4 places renfermées, et après son décès d'être inhumé en la dite église avec un *service* et enterrement au dépend *(sic)*

Lorsque la charpente était montée, on plaçait le bouquet sur le faîte. (*Photo* AFUL, J.-C.D. 2652.)

L'Église accorde encore, au donateur de l'emplacement, le privilège d'une messe basse à perpétuité, «tous les ans dans la première semaine du carême[81]». Parfois, le voisin du donateur, voulant faire sa part, remettait au bienfaiteur un morceau de terrain équivalant à la moitié de celui qui avait été octroyé à la fabrique.

---

80.   Arthur Gallien, «Caraquet», *L'Évangéline,* 1er février 1955, p. 4.
81.   Comité du centenaire, *Bicentenaire de Bonaventure,* p. 60.

Au moment de construire l'édifice religieux, chacun des habitants fournissait un certain nombre de journées d'ouvrage et de matériaux de construction tels des barriques de chaux, du sable, de la pierre, des pièces de bois de construction. Les autres, incapables de participer sur-le-champ, avaient la possibilité de remettre, par exemple, chaque année, pendant une durée de trois ans, un demi-quintal de morue[82].

Ces corvées de construction de chapelle ou d'église donnaient lieu à des fêtes populaires. Voici un extrait du compte rendu d'une corvée de construction qui eut lieu en 1804, à Sainte-Anne-du-Ruisseau, en Nouvelle-Écosse:

> Le jour de l'érection de la charpente de l'église (...) ainsi que le lendemain ont été des jours de fête et de joie. Français, Anglais, catholiques et protestants de toutes sortes semblaient tous ne faire qu'un, n'avoir qu'un dessein. Tous s'empressaient unanimement et se réjouissaient également en s'entraidant. Vingt moutons ont été tués pour faire le régal et donner à manger aux étrangers qui étaient venus en assez grand nombre (...) Pour finir, j'ai fait placer une croix couronnée de fleurs et de feuillage, au-dessus de la charpente et les Anglais avec moi aussi bien que les Français en mettant le bouquet ont souhaité succès à l'église de Sainte-Anne, en buvant un coup et à leur ordinaire faisant tourner leurs chapeaux au-dessus de leurs têtes en donnant trois fois le cri de joie[83].

Mentionnons cependant que le site de la future église n'était pas toujours fixé sans embarras; à Sainte-Marie de Kent, en 1806, une mésentente s'élevait entre les paroissiens, les uns voulaient l'église construite au nord, les autres, au sud de la rivière; le curé sortit de l'impasse en déposant, dans une boîte, une fève blanche désignant un côté de la rivière et une fève noire l'autre côté; il choisit ensuite un enfant de six ans pour tirer au sort[84]. Vers 1831, lorsque Cocagne et Grande-Digue se transformèrent en deux paroisses, les gens de Cocagne tirèrent, chez eux, la chapelle, en empruntant un pont de glace. À Memramcook, après l'incendie de l'église en 1795, «certains paroissiens avaient

---

82. E.-P. Chouinard, *Histoire de la paroisse de Saint-Joseph de Carleton*, p. 40; — Guy Courteau et François Lanoue, *Une nouvelle Acadie Saint-Jacques de l'Achigan*, p. 114.

83. Anonyme, *Centenaire de la mort du Père Jean-Mande Sigogne*, p. 34.

84. Clément-G. Cormier, «Sainte-Marie de Kent», *La Société historique acadienne*, 12e cahier, 1966, pp. 69 à 77.

conservé les objets du culte et ne voulaient pas les remettre au nouveau curé Powers, parce que le site de la nouvelle église ne leur convenait pas[85] ».

Au XVIIIe siècle surtout, le confort des chapelles laissait à désirer. Les monographies paroissiales rappellent les difficiles conditions de vie des prêtres et des habitants. Les premiers missionnaires, religieux et religieuses, ont aussi laissé des descriptions vivantes de ces temps difficiles. En 1701, Sœur de Chausson, de la Congrégation des Filles de la Croix, à Port-Royal, écrit que la petite chapelle est très pauvre. Le papier y tient lieu de vitres, le prêtre couche dans une chambre, en arrière de l'autel, le saint sacrement est placé dans une boîte de bois formée de quatre planches et l'on appelle les gens à la messe au son d'un tambour[86].

À Saint-Louis de Kent, au XIXe siècle, on utilisait un *borgo* pour appeler le peuple à l'église. Le premier *borgo* fait en coquille, exigeait un souffle puissant afin d'obtenir un son sourd, se répercutant très loin[87].

Les premiers habitants de Saint-Antoine ornèrent, sans qu'il en coûte, leur nouvelle église. Évariste-L. Léger raconte de quelle façon les femmes procédèrent :

> C'était la mode alors de porter des mouchoirs de soie. Les dames préparèrent une sorte de reposoir dans le sanctuaire et ornèrent les murs de tous ces mouchoirs de soie qu'il y avait à Saint-Antoine. Ces mouchoirs artistiquement pliés et de diverses couleurs formaient un coup d'œil charmant dont les *vieux* se plaisaient à raconter l'effet[88].

La pauvreté est parfois mère de « l'invention », ou du moins de la débrouillardise. La démolition des églises de Barachois et de Cap-Pelé nous démontrait l'ingéniosité des anciens : pour ajouter à la sonorité de l'enceinte, ils avaient enfoncé dans la muraille une grande quantité de bouteilles au col cassé[89].

Deux coutumes expliquent pourquoi des objets sont enfoncés dans les fondations des chapelles ou des églises : l'une relève de la superstition, l'autre, de la chronologie. En 1906, lorsque les paroissiens de Saint-Joseph d'Adamsville jetaient

85. Vital Gaudet, *op. cit.*, p. 55.
86. Émile Lauvrière, *op. cit.*, p. 159.
87. D. Allain, *La Paroisse de Saint-Antoine de Kent*, p. 20.
88. *Op. cit.*, p. 18.
89. Placide Gaudet, *Histoire de la paroisse de Cap-Pelé*, CEA, Univ. de Moncton, s.d., man., p. 76.

les fondations de leur église, dans la pierre angulaire, ils déposaient cinq pièces de monnaie: deux de un sou (l'une de 1871 et l'autre de 1895), une de cinq sous (de 1903) et deux de dix sous (l'une de 1902 et l'autre de 1905). Ils y introduisaient, également, trois feuilles de journaux; le *Royal Gazette* du 20 juin 1906, *L'Évangéline* du 15 février 1906, et *Le Moniteur Acadien* du 4 janvier 1906. On saurait ainsi, lors de la destruction, la date d'érection de l'église. D'ailleurs, dix-sept personnes devaient assister à la mise en place de ces fondations; au nombre de celles-ci, on signale Gérard Arsenault âgé de quatre ans et quelques mois. Voilà un geste de l'ancien droit populaire. En fait, cet enfant, devenu vieux, transmettrait ses souvenirs à la communauté[90]. D'ailleurs, une coutume semblable aurait existé au Québec; le père de famille posait-il une borne, délimitant sa *terre,* un enfant en bas âge (cinq à sept ans) assistait, témoin de l'endroit, du pourquoi de la présence de la borne (morceaux de vitre, morceaux de vaisselle cassée, pièces de monnaie placées dans le sol à la base de la borne). Afin de mieux graver les souvenirs dans la mémoire de l'enfant, devant la borne, le père lui administrait une bonne *volée.* Ces coutumes relèvent et de la chronologie et de la superstition; une croyance populaire veut qu'une église, dont le seuil de la porte cèlerait quelques pièces d'argent, ne connaisse jamais de problèmes financiers[91].

Chapelle acadienne louisianaise des années 1850. Restaurée, elle fait partie du Village acadien, à Alleman Center, Lafayette.

90. Roméo Gaudet, *Notes historiques sur Adamsville, N.-B.* CEA, Univ. de Moncton, 1952, man., pp. 2-3.
91. Alain Doucet, *Littérature orale de la baie Sainte-Marie,* p. 88.

Chapelle acadienne de Corberrie (église Saint-Jean-Baptiste), en N.-É., construite vers 1840. (*Photo* fournie par le Centre acadien de l'Univ. Sainte-Anne à Pointe-de-l'Église.)

Église de Sainte-Marie, à Pointe-de-l'Église, Digby, N.-É. Elle serait «la plus grande église de bois en Amérique du Nord». On dit de l'église Saint-Pierre-de-la-Vernière aux îles de la Madeleine «(...) qu'elle est la plus grande église de bois au Québec». (D'après Marie Yguay, «De bois et toute blanche», *Perspectives,* 23 octobre 1976, pp. 12-13.)

DEUXIÈME PARTIE

Mobilier

A. Des meubles liés à la situation économique

L'ameublement, totalement lié aux activités de l'alimentation, du repos et de l'habillement, ne saurait en être dissocié. La rareté d'un meuble en particulier s'explique par l'absence de fonction; pourquoi posséder plus d'une armoire rudimentaire si l'on n'y range qu'une demi-douzaine d'ustensiles de cuisson, de conservation et de consommation de la nourriture? De même, lorsque le vêtement se résume au strict nécessaire et qu'il est surtout destiné à préserver le corps et non pas à l'orner, les garde-robes ou les commodes peuvent se limiter à quelques coffres grossiers.

Si une pièce du mobilier répond d'abord à un besoin, elle n'est pas moins dépendante de son environnement, qui, lui, est en rapport direct avec la fortune familiale. Lorsque l'aire intérieure de la maison s'étend sur une seule pièce où l'on cuisine, mange et se repose, les pièces du mobilier apparaissent moins nombreuses, peu encombrantes et rangeables à certains moments du jour. Des conditions semblables de logement exigent la suppression du lit au profit du beaudet démontable pendant le jour. D'ailleurs, la science populaire prétend que pour dormir au chaud dans une maison froide, il faut se coucher par terre sur une paillasse (qu'on retire pendant le jour)! Le lit ne fait pas problème; il est fort probable que ces conditions de pauvreté aient été le lot de plus d'une famille acadienne et que le seul élément indispensable ait été le feu, autant par besoin de cuire les aliments, que pour s'éclairer, se chauffer et transformer certaines matières comme les fibres textiles nécessaires au bien-être de chacun.

Les documents écrits montrent, à l'évidence, une maison acadienne dénudée, même avant la Déportation. Robert Hale, dans un récit daté de 1731 sur la culture matérielle acadienne, décrivait les lits construits à la façon des cabines de bateau; il ajoutait aussi d'autres remarques intéressantes:

> Nous arrivâmes au Gut (Digby) et aussitôt après notre entrée dans le port, deux Acadiens montèrent à bord de notre bateau. Un de ceux-ci portait des sabots de bois (...)
> Je n'ai vu que deux tasses sur la table des Acadiens, et l'une de ces tasses avait une *coche* de deux pouces (5,1 cm). Quand ils nous servent de la boisson forte, ils apportent ce breuvage dans un grand bassin et nous donnent une large cuillère pour nous tremper le liquide

nous-mêmes. La gaieté de ces gens est bien différente de celle des Anglais. En effet, les femmes trottinent plutôt que de marcher, ce que les hommes ne font pas. Les costumes des femmes sont assez bons, mais ils ont l'air d'avoir été lancés sur le dos des femmes avec des fourches, et très souvent leurs bas sont ravalés sur leurs talons (...)
Ils n'ont que deux ou trois chaises dans la maison, et celles-ci sont toutes de bois, y compris le fond[1].

Les administrateurs français au pays, à la même période, remarquent eux aussi que les maisons acadiennes sont simples, sans commodités ou ornements et qu'elles n'ont presque pas de meubles[2].

À la fin du XVIIIe siècle, l'officier John MacDonald, dans un rapport qu'il fit à Desbarres décrit ainsi un intérieur du temps:

The beds are on both sides of the house from chimney, the posts and water vessel be on the floor and the milk vessels are disposed of on shelves, together with their bowls, mugs, etc.: As they all sleep, eat, cook, smoke, wash, etc., in this house or room, I need not say it must look black and dirty enough particularly as the houses are now old[3].

Outre le lit de marin ou *sac à housse* dont on a parlé dans la partie traitant de l'architecture, à la même période, on relève aussi la présence d'un *châlit* «fait à la main (...), arrangé de manière à pouvoir le cacher pendant le jour sous le lit des parents et le sortir le soir[4]». Ce petit lit, que l'on glisse pendant le jour sous un lit ordinaire, est une pièce du mobilier de tradition française devenue pièce de musée, en Louisiane acadienne et au Québec. Une couverture descendant jusqu'à terre ou une large dentelle fixée sur les côtés du grand lit dissimulait le *châlit* d'enfant. Dans le sud du Nouveau-Brunswick et à l'île du Prince-Édouard, on a relevé des lits foncés d'un treillis de câble à la façon des couchettes de navires. Des lits semblables ont été conservés en Louisiane acadienne.

---

1. *Op. cit.*, p. 233 (traduction).
2. J.-Rodolphe Bourque, *Social and Architectural Aspects of Acadians in New Brunswick*, p. 137.
3. Capt. John MacDonald, *op. cit.*
4. Papiers Placide Gaudet, *Vieille maison à Memramcook, 1846*, CEA, Univ. de Moncton, man., (PL. G. 81-91).

Lit de parents sous lequel deux petits *châlits*
d'enfants sont insérés en position divergente
par rapport au grand lit. (*Dessin* d'après les renseignements fournis sur le terrain, dans le sud
du N.-B.)

Châlit d'adolescent chez les
Acadiens louisianais; il est
placé parallèlement au
grand lit qui le dissimule
Coll. The LSU Rural Life
Museum, Baton Rouge.
(*Photo* AFUL, J.-C.D.
2522.)

Lit à sommier de câble lacé. Ce sommier enroulé sur une
ensouple peut être tendu au besoin au moyen d'une clef.
(*Dessin* d'après un lit de la collection Angèle Arsenault,
Abrams Village, Prince, Î. P.-É.)

Lit à sommier de câble lacé chez les Acadiens louisianais,
au The LSU Rural Life Museum, Baton Rouge. (*Photo*
AFUL, J.-C.D. 2514.)

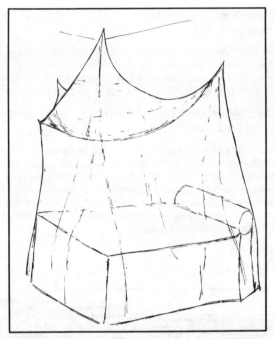

En Louisiane, pour se prémunir contre les
moustiques, on fixe au-dessus du lit une moustiquaire de mousseline de coton.

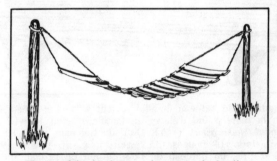

Hamac fait de douves de corps de baril.
« On prenait des planches de baril, on perçait des trous à chaque bout et on les en-
filait avec du câble. À chaque bout on
plaçait un anneau de fer. Les hamacs
étaient de longueurs diverses. Ils en fabriquaient pour les enfants et pour les adultes. »
(Information de S. Marie-Claudette, 60 ans
en 1973, Cocagne, Kent, N.-B.)

Le document manuscrit de 1846 et dont il vient d'être question rapporte encore:

> Un berceau de rudes planches, trois ou quatre modestes chaises, trois ou quatre coffres et une table à manger composaient tout le mobilier (...) Un gros poêle carré complétait le luxe de cet humble et frugal logement[5].

Pascal Poirier, décrivant l'intérieur de la maison au XIXe siècle, mentionne que:

> L'ameublement consistait en quelques chaises, dont une *à roulette*, une table à manger, un *dressouer*, un coffre ou une *manne*, laquelle servait de siège, dans un coin, un *châlit* haut monté, pour le père et la mère; un petit lit en coulisse en dessous pour les plus petits, avec au beau milieu du *grand bord*, la *maçoune* qui réchauffait et souvent éclairait toute la maison[6].

«De tradition, le berceau familial revient à la plus âgée des filles lorsque la mère a fini d'élever sa famille», selon Julie-D. Albert, *(Centennial Madawaska)*, p. 62. Dim. du berceau: haut. 10 pouces (25 cm); larg. 14 pouces (35,2 cm); long. 36 pouces (92 cm). *(Dessin* d'après un berceau de bois de pin de la coll. du Musée acadien de Caraquet, N.-B.)

5. Papiers Placide Gaudet, *Vieille maison à Memramcook, 1846*, CEA, Univ. de Moncton, man., (PL.G. 81-91).
6. *Le parler franco-acadien et ses origines*, p. 228.

Berceau en bois de pin de la coll. du Musée acadien
de l'Univ. de Moncton. Dim.: haut. 11 pouces (28 cm);
larg. 12 pouces (31 cm); long. 35 pouces (90 cm). (*Photo* AFUL, J.-C.D. 966.)

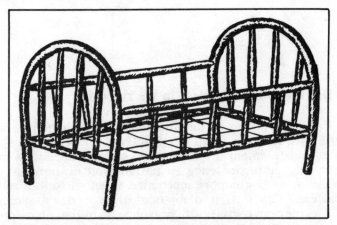

Couchette d'enfant ayant appartenu à Donat Lacroix,
auteur-compositeur et interprète acadien. Elle est de
fabrication domestique. Dim.: haut. 25 pouces (64 cm);
larg. 20 pouces (50 cm); long. 38 pouces (96 cm); prof.
19 pouces (49 cm). (D'après la coll. du Musée acadien
de Caraquet, N.-B.)

Berceau en bois de cyprès des *bayous* louisianais; il servit à la famille de madame Laure Hébert-Thibodaux, de Nouvelle-Orléans. Une moustiquaire était étendue sur les longs poteaux de coin. (*Photo* et Coll. Musée acadien de l'Univ. de Moncton, 69.89.604.)

B. Des meubles associés à la vie riveraine

Certaines pièces du mobilier associées à la vie riveraine, comme des témoins inanimés d'activités maritimes, s'attachaient constamment à l'homme, de sa naissance à sa mort. On constate cette présence en parlant soit du berceau, soit du mobilier de la chambre mortuaire. C'est surtout la réutilisation, dans l'habitation, d'objets et de procédés associés au travail en mer qui recrée cette présence du milieu physique; et bien plus l'indigence que le sentiment explique le transfert d'activités extérieures dans la vie domestique. En fait, si le demi-baril à poisson peut constituer occasionnellement un berceau d'enfant, il arrive aussi qu'un panier à *patates* accomplisse la même fonction.

94

Des personnes âgées rencontrées lors de missions ethno-graphiques ont mentionné que, vers 1900, on utilisait différem-ment des barils comme pièces de mobilier. D'un vieux baril à saler le poisson, on fabriquait une chaise berçante servant de coffre à ranger les *drapeaux*; même les *roulettes* de cette chaise étaient tirées des douves de corps de baril à saler le poisson. V.-A. Huard, qui visita les Acadiens de la Côte Nord en 1895, dit: «Et pendant que des grandes personnes se pré-lassent dans leurs vieux barils à *patates*, les enfants se bercent dans des tinettes[7]!» Au Nouveau-Brunswick, dans le sud-est, la berçante est une *chaise à roulettes*, tandis que dans le nord-est, c'est un fauteuil. R. W. Symonds note que des chaises semblables provenaient des tonnelleries pendant la période médiévale[8].

Berçante servant de *manne* à remiser la lingerie d'en-fants. (*Dessin* d'après des renseignements fournis sur le terrain, à Baie-Egmont, Prince, Î.P.-É., et à Shediac, West., N.-B.)

---

7. *Labrador et Anticosti*, p. 477.
8. «Furniture: Post-Roman», *A History of Technology*, p. 255.

Une informatrice décrit ainsi un berceau rudimentaire utilisé par les femmes lorsqu'elles allaient *métiver* ou rassembler des *stouques* au champ:

Voici comment Phémie Maillet *soignait* son bébé les jours de récolte, vers 1900. Elle allait *métiver* la graine de foin avec Égille, son mari. Pour bercer son bébé dans le champ, elle se servait d'un baril coupé en deux sur la longueur. Elle mettait du foin dedans et y couchait le petit[9].

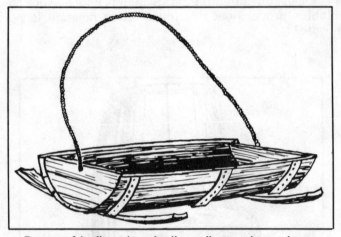

Berceau fait d'un vieux baril, on l'apportait au champ. (*Dessin* d'après des renseignements fournis dans le sud du N.-B.)

À Saint-Louis de Kent, dans le nord du Nouveau-Brunswick, madame Ludivine Daigle-Richard, raconte:

Quand madame Charles Doiron (Gould) devait aller aux *bleuets* il y a quatre-vingt-dix ans passés elle n'avait pas de gardienne et elle mettait son bébé dans un panier à *patates* pour l'amener au *bois*. Cette dame mourut à l'âge de cent deux ans, et à quatre-vingt-dix ans, elle dansait encore les quadrilles[10].

9. Coll. J.-Claude Dupont, doc. ms. 8799, Inf. Yolande Savoie, 23 ans en 1966, Sainte-Anne de Kent, N.-B.
10. Coll. J.-Claude Dupont, doc. ms. 5044, inf. cité.

Madame Julienne Comeau, âgée de 80 ans en 1973, de Saint-Louis de Kent, au Nouveau-Brunswick, donne encore une manière d'utiliser un cercle de corps de baril: «Vers 1900, il y avait un berceau de bois très simple; la têtière était faite d'un demi-cercle de baril sur lequel on fixait une toile.» Ce sont deux barils debout qui servaient de tréteaux pour soutenir les planches sur lesquelles on exposait la dépouille d'un parent dans la chambre mortuaire[11].

Une douve de corps de baril, à cause de sa forme courbe et concave, servait aussi bien jadis à façonner une palette pour le jeu de paume, un *battoué* à laver le linge, qu'un cintre pour suspendre les habits. Plusieurs de ces douves réunies aux extrémités par des câbles constituaient parfois un lit.

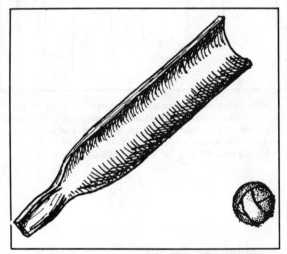

Palette de jeu de paume; elle est faite d'une douve de corps de baril. La balle est constituée par l'enroulement très serré de lanières d'une vieille voile de barque. Madame Exelda LeBlanc, âgée de 84 ans en 1973, de Memramcook, West., N.-B., dit: «Un *battoué* à laver le linge ayant pratiquement la forme de la palette du jeu de paume était utilisé avec la *baille*.»

---

11. Coll. J.-Claude Dupont, doc. ms. 8745 et 1158, inf. Angèle Arsenault, 20 ans en 1966, Abrams Village, Prince, Î.P.-É. et Guy-Aurèle LeBlanc, 20 ans en 1966, Memramcook, West., N.-B.

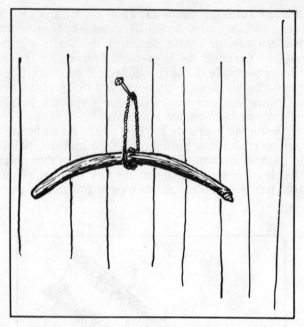

«Ils prenaient des cercles de corps de baril et les coupaient pour en fabriquer des supports. Ils passaient une corde là-dessus et ils y suspendaient des manteaux.» (Information de S. Marie-Claudette, 60 ans en 1973, Cocagne, Kent, N.-B.)

C. Des meubles polyvalents

Plus que partout ailleurs au Canada français, le mot mobilier est chargé de valeur sémantique; il s'agit de pièces mobiles presque conçues pour des voyageurs. L'armoire encastrée, en fait, demeure rare tout comme le trumeau construit à même le mur. Sont mobiles, même des meubles qui d'ordinaire seraient fixés au mur, comme l'armoire de coin; d'ailleurs, ces pièces mobiles sont fermées à l'arrière, et complètement indépendantes des structures de la maison. S'il arrive qu'un vaisselier ou un dressoir soit cloué au mur, il est ouvert à l'avant, comme pour permettre d'y retirer, d'un geste, tout le contenu.

Les pièces du mobilier le plus apparemment conçues pour le voyage seraient les coffres et les tables démontables. De ces dernières, en cas de nécessité, on peut ne conserver que les pattes, souvent tournées, car ce sont de loin les parties les plus difficiles à fabriquer, le procédé exigeant des instruments plus perfectionnés. Le coffre non seulement est construit en fonction d'un contenu à transporter mais encore il préserve de la vermine. De plus, il arrive presque toujours que chaque type de coffre exerce une fonction secondaire : ainsi le coffre à lingerie placé dans la chambre à coucher devient une table de toilette; le coffre à avoine, en hiver, conserve la viande; le coffre du métier à tisser lui, constitue le siège de la tisseuse; le coffre à pain, placé derrière la table, offre un siège aux convives. De même, sur le couvercle du coffre à farine, la ménagère prépare ses pâtisseries. Et l'on pourrait continuer d'énumérer des usages secondaires aux différents coffres à sel, à chandelles, à *sucre d'érable*, à harnais, à agrès de pêche, à bois de chauffage, à papiers de famille, à bijoux, à chapelets, à aiguilles à tricoter, à cartes à jouer.

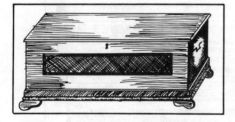

Coffre à lingerie fait vers 1905 par monsieur Alphonse Bernard, de Saint-Paul de Kent, N.-B. (*Dessin* d'après le meuble original.)

Coffre à couvertures de lit fait vers 1905 par monsieur Alphonse Bernard, de Saint-Paul de Kent, N.-B. (*Dessin* d'après le meuble original.)

Coffre à pain. Celui-ci est en bois de pin, mais il pourrait aussi être en tôle forte. Il mesurait, d'ordinaire, 18 pouces (46 cm) de haut., et il servait aussi de banc pour s'asseoir à table. (*Dessin* d'après les renseignements fournis par S. Alphonse-Marie, 67 ans en 1973, Cocagne, Kent, N.-B.)

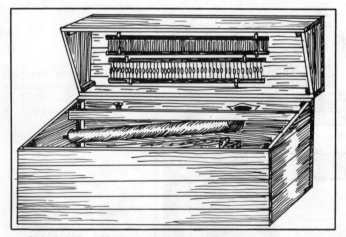

Grand coffre affecté au remisage du métier à tisser. Pour faciliter l'accès aux lourdes pièces qu'on y déposait, le couvercle est taillé en biais. L'*équipette* sert à placer les petits objets, la navette, la main à ourdir. Le ros étant fait de bois de roseau, et les lames en fil de lin, les souris s'y attaquaient facilement. Ce long coffre a été retrouvé chez les Acadiens d'Alma, comté d'Albert, au N.-B.; et chez ceux de la Beauce, Qué., qui étaient venus de la Côte Nord.

Mette à pain ou *plat à pétrir* la pâte à pain. Cette huche de bois d'épinette mesure approximativement 18 pouces (46 cm) de hauteur, et à l'occasion servait de siège. (*Dessin* d'après les renseignements fournis par S. Alphonse-Marie, 67 ans en 1973, Cocagne, Kent, N.-B.)

Coffret de bois franc décoré de fleurs de lys en tôle (seules les parties ombragées ont été retrouvées sur le meuble original). Il a pu servir à conserver les chandelles ou le thé. Dim.: haut. 4½ pouces (11,5 cm); larg. 4½ pouces; long. 6 pouces (15,5 cm). (*Dessin* d'après le modèle conservé au Musée acadien de l'Univ. de Moncton.)

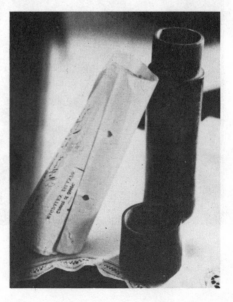

Coffret à papiers de famille fait dans une tige de bois et signé Chatel. Dim.: haut. 9¼ pouces (23 cm). (Il fait partie de la coll. de l'abbé Esdras Nadeau, Cap-aux-Meules, îles de la Madeleine, Qué. *Photo* AFUL, J.-C.D. 496.)

Coffret servant à conserver des aiguilles à tricoter. Cet objet retrouvé en Gaspésie, Qué, mesure approximativement 10 pouces de long (25 cm). (*Photo* AFUL, J.-C.D. 419.)

Les plus anciens, d'une grande simplicité de ligne et de fabrication, offrent un aspect semblable aux coffres de marins, sans pieds ni poteaux de coins, assemblés à queue d'aronde et complétés par des poignées en câble. D'ailleurs, la description que font les vieux informateurs du *coffre*, cercueil de bois construit par les anciens Acadiens, ne diffère en rien du coffre à grain ou à farine dont il vient d'être question. Mais ce dernier, contrairement aux autres coffres souvent en bois de pin, est presque toujours fabriqué avec de la planche d'épinette.

Une autre pièce du mobilier traditionnel offrant un intérêt particulier est la table-chevalet constituée d'un plateau mobile posé sur des tréteaux ou sur un support. Cette table, remisée lorsqu'elle n'est pas utile, présente plusieurs autres caractéristiques du mobilier acadien; car en plus d'être mobile, elle est légère, simple, polyvalente et de dimensions restreintes.

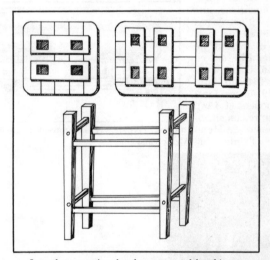

Le plateau simple de cette table démontable ne requiert qu'un chevalet, tandis que le plateau double en nécessite deux. Un spécimen de table simple de ce type est conservé dans les collections du Musée acadien de l'Univ. de Moncton, mais le plateau original a été remplacé (elle est en bois de pin et fut façonnée à Memramcook, West., N.-B., vers 1800). Dim. app. du support: haut. 23 pouces (58 cm); larg. et long. du plateau simple: 30 pouces (76 cm).

103

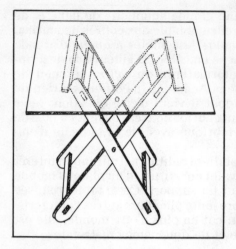

Table-chevalet pouvant être démontée au besoin. Un chevalet semblable, mais de plus grandes dimensions, pouvait constituer un lit; il s'agissait de fixer le bout d'une toile lâche à une barre transversale supérieure, et l'autre bout à la barre transversale inférieure du même côté. Dim. app. du chevalet une fois mis en place: 24 pouces (62 cm); larg. et long. du plateau: 32 pouces (82 cm).

Table et banc de cuisine. Les *bataillons* une fois relevés et barrés par des glissières de bois doublent la largeur de cette table. Elle est en bois de pin. Dim.: haut. 25 pouces (64 cm); larg. ouverte: 39 pouces (1 m); long. 54 pouces (1,3 m). (*Dessin* d'après un spécimen provenant de Memramcook, West., N.-B., conservé au Musée acadien de l'Univ. de Moncton.)

Table à jardinière. Plateau supérieur et structure en bois de pin. Plateau inférieur en lanières de bois de frêne tressées. Dim.: haut. 20½ pouces (52 cm); larg. 12 pouces (31 cm); long. 13½ pouces (34,5 cm). Fait partie de la coll. du Musée acadien de l'Univ. de Moncton. (*Photo* AFUL, J.-C.D. 1010.)

Un peu partout en Acadie, la table-chaise se convertit en siège lorsqu'on fait basculer le plateau pour obtenir un dossier de chaise. Une table identique, transformable à volonté a existé chez les Acadiens louisianais, c'est la table-banc à la fois table et long banc si l'on bascule le plateau.

Table-chaise parfois dite *banc-huche* dans la province de Québec. Le dossier relevé permet de déposer la huche à pain sur les bras de cette chaise qu'on approchait devant le poêle au moment de faire lever la pâte du pain. Dim. app.: haut. 29 pouces (74 cm); larg. du siège 15 pouces (38 cm). En bois d'épinette et de frêne.

Table-chaise. Le dossier une fois glissé sur les bras du banc transforme ce siège en table. Dim. app.: haut. 28 pouces (70 cm); larg. du plateau: 36 pouces (92 cm). (*Dessin* d'après un spécimen acadien retrouvé chez un antiquaire de Hopewell, comté d'Albert, N.-B.)

Table-banc. Le plateau de cette table se glisse vers l'arrière lorsqu'il s'agit de transformer cette table en banc. Fait partie de la coll. The LSU Rural Life Museum, Baton Rouge. (*Photo* AFUL, J.-C.D. 2520.)

Quelques exemplaires de la table à pieds droits et à entretoises en H se retrouvent encore sur le terrain, comme toutes celles dont il vient d'être question d'ailleurs, mais les tables à piètement tourné ont passablement remplacé celles à piètement carré vers le début du XXe siècle.

Une entretoise en H fixe l'écartement des pieds de cette table familiale. Dans les provinces Maritimes, elle est généralement en bois de pin, tandis qu'en Louisiane elle sera en bois de cyprès. (*Dessin* d'après les coll. de l'Acadian Home Museum, Longfellow, Evangeline State Park, Saint-Martinville, Louisiane.)

106

Petite table renforcée d'une entretoise. Les planches du plateau sont assemblées au moyen de deux glissières ou clefs. (*Dessin* d'après des spécimens retrouvés à la baie Sainte-Marie, Digby, N.-É.)

Un Acadien de 86 ans, interviewé en 1965, monsieur André Poirier, de Armstrong, Beauce, dont la famille était originaire de Natashquan sur la Côte Nord, mentionne, en racontant ses souvenirs et les dires de ses parents, les avantages qu'offraient les tables démontables et les coffres quand les gens déménageaient. Le témoignage de monsieur Poirier est intéressant à bien des points de vue, je le cite donc au complet:

C'est un curé Boutin qui leur proposa, vers 1890, de laisser la pêche sur la Côte Nord pour émigrer dans la Beauce. Ma mère aimait s'en venir par ici, parce qu'elle savait qu'il y avait un curé résident. La famille de Vilébon Poirier était d'abord partie des îles de la Madeleine pour s'en venir sur la Côte Nord. Une cinquantaine de personnes, soit quatre familles, s'embarquèrent sur la goélette de Vilébon, pour s'en venir jusqu'à Lévis. Ils emmenèrent un boeuf, mais le chien qui était aussi sur le pont fit peur au boeuf durant le voyage et le boeuf sauta par-dessus bord. *Ils apportaient seulement que les pattes de tables, de lits, des coffres, et le strict nécessaire.* Le père Vilébon retourna le printemps suivant dans son pays en y ramenant une charge de marchandises pour le monde de la place. Lors de ce voyage, il vendit son bateau qui avait hiverné à Lévis. Il se nommait *L'Étoile de la Mer* et dans son pays ils l'appelaient *La Grande*, parce que c'était le plus gros bateau des alentours.

107

Édouard Boudreau, un autre propriétaire de barque, était aussi venu de Natashquan; il garda son bateau à Québec, et à chaque année il retournait faire la pêche au saumon et à la morue à Métobie. Il finit par reprendre sa famille et retourner mourir dans son pays.

Quand les cinquante Acadiens sont montés dans la Beauce, ils restèrent pendant quelque temps dans les cabanes de chercheurs d'or le long de la rivière du Loup. J'avais appris à *parler en indien* avec des jeunes Indiens quand j'étais jeune; je me rappelle que *masqui* veut dire bouleau, *néko*, cendre, et *monikac*, œuf d'oiseau[12].

Le banc-lit, lui, peut servir de banc pendant le jour, et se transformer en lit pour la nuit. Également, il devenait coffre pour l'entreposage des vêtements et de la lingerie. Bien que des informateurs aient fait mention du banc-lit, ils ont davantage décrit un type de banc semblable, le *beacon*, un banc qui ne peut être transformé en lit, mais dont le siège était mobile pour y ranger des couvertures ou des vêtements.

Banc d'école provenant de Petit Chocpiche, Kent, N.-B., et fait de bois de pin. Dim.: haut. du dossier 26 pouces (66 cm); haut. du siège: 14 pouces (32 cm); long. 42½ pouces (1,1 m).

---

12. Coll. J.-Claude Dupont, doc. ms. 8934, inf. cité. L'abbé V.-A. Huard, dans *Labrador et Anticosti* (pp. 369 à 375), relate l'émigration d'une cinquantaine de familles acadiennes de Natashquan à Saint-Théophile de Beauce en 1886, et les faits rapportés par notre informateur, monsieur André Poirier, concordent bien avec ceux que décrit l'abbé V.-A. Huard.

Et, complétant le lit, la paillasse, souvent confectionnée dans une pièce de tissu de lin ou de jute, et rembourrée soit de paille d'avoine[13], soit de plume ou d'aiguille de pin. Ce dernier matériau, selon la tradition, répandait une bonne odeur et guérissait, dit-on, les troubles respiratoires[14]. « Les *vieux* élevaient des *pirounes* et l'été, époque de la mue, les enfants ramassaient les plumes. On conservait aussi les plumes de *pirounes* quand on les tuait[15]. » En Louisiane acadienne, souvent la mousse de cyprès ou les enveloppes d'épis de *blé d'Inde* remplissaient les paillasses :

> Il n'y avait qu'à la cueillir (mousse de cyprès) sur les arbres et la mettre en tas jusqu'à ce qu'elle devînt noire, ensuite on l'étendait sur les clôtures et les barrières pour qu'elle soit lavée par la pluie. Après avoir ôté les feuilles et les petites branches, on la mettait dans une couette de coutil et le matelas était fait[16].

Chaque printemps, on vidait les paillasses ; après avoir lavé les enveloppes, on les remplissait de paille fraîche : « Sur le dessus de la paillasse, deux *mégaillères*, ouvertures, permettaient d'y introduire les bras et de brasser la paille de temps en temps[17]. » Dans certaines familles, un matelas de plume posé sur la paillasse de paille ajoutait au confort du lit ; aussi l'utilisait-on surtout pour les parents et les grands-parents. Outre le repos de la nuit, la paillasse connaissait d'autres affectations ; l'automne, au temps des *boucheries*, l'enveloppe de la paillasse transportait la panse des animaux tués vers la table de la cuisine, où l'on *déraillait* les *tripes* pour en récupérer la graisse. Le printemps, la même paillasse remplie de tonte de mouton transportait la laine de la bergerie à la maison ou au moulin à écarder. À part le lit, la maison acadienne ignorait l'abondance dans le mobilier. Lisons plutôt les témoins :

> Il n'y avait pas beaucoup de chaises dans les maisons quand j'étais jeune. On en avait deux ou trois et elles étaient très simples. On plantait un clou sur les poteaux de la maison et on y suspendait les chaises par le dossier

13. Coll. J.-Claude Dupont, doc. ms. 5277, Inf. Mme E. S., 65 ans en 1966, Memramcook, West., N.-B.
14. Julie-D. Albert, *op. cit.*, p. 82.
15. Coll. J.-Claude Dupont, doc. ms. 3605, Inf. Mme Frank Landry, 61 ans en 1966, Pré-d'en-Haut, West., N.-B.
16. Corinne-Lelia Saucier, *Traditions de la paroisse des Avoyelles en Louisiane*, p. 117.
17. Coll. J.-Claude Dupont, doc. ms. 5813, Inf. Jeannita Léger, 29 ans en 1967, Barachois, West., N.-B.

pour ne pas que les enfants les brisent. Lorsque quelqu'un venait se promener on décrochait les chaises[18].

Anselme Chiasson, parlant du genre de vie des anciens Acadiens de la Nouvelle-Écosse tel que décrit par les vieillards qu'il a interviewés dit que:

> Le mobilier est très rustique, bien entendu, une table à manger en madriers, pas de chaises, mais des bancs comme sièges. Au mur le *dorsoué* pour la vaisselle[19].

Les écrits du XIXᵉ siècle concernant des régions acadiennes du Nouveau-Brunswick témoignent de la même pauvreté; au sujet du village de Petit-Rocher, le père Camille relate qu'en 1830:

> Une seule, parmi les cent vingt maisons, portait une teinte de peinture: celle de Charles Comeau. Les autres, conservant leur aspect primitif, n'avaient pour tout ameublement que quelques ustensiles de cuisine et un poêle, autour duquel étaient rangés des berceaux[20].

Dressoir de la salle acadienne, Musée du fort Anne, Annapolis Royal, N.-É. Dim. app.: haut. 50 pouces (1,2 m); larg. 24 pouces (62 cm).

18. Joseph-J. Arsenault, 78 ans en 1973, Saint-Chrysostome, Prince, Î.P.-É.
19. *Chéticamp, Histoire et traditions acadiennes*, pp. 46-47.
20. *Op. cit.*, p. 17.

Le vaisselier ouvert, désigné sous le nom de *dorsoué*, existe principalement en deux variantes: l'une consiste en un dressoir simple prenant l'aspect d'une étagère fixée au mur, tandis que l'autre réside en un buffet bas supportant une étagère peu élevée sur laquelle on dresse les ustensiles de cuisine. Le garde-manger fermé se présente lui aussi sous deux types différents; d'abord le meuble à corps très simple muni de deux longs panneaux, ensuite le buffet à deux corps dont la partie supérieure est vitrée ou fermée. Ces garde-manger à un ou deux corps, parfois transformés en encoignure, sont alors placés dans un coin de la cuisine.

Buffet bas surmonté d'un dressoir dit *dressoué*. Fait partie de la coll. de la vieille maison Robichaud, à Meteghan, Digby, N.-É. Dim. app. sans le dressoir: haut. 58 pouces (1,5 m).

111

Buffet bas complété d'un dressoir. Un spécimen semblable a été relevé dans les collections de The Black
Cabin, à Alma, baie de Fundy, N.-B., et un autre figure
dans l'étude de Jack Holden, « The Early Furniture
French Louisiana », *Louisiana French Furnishings
1700-1830*, p. 35.

Armoire simple pouvant servir à garder la nourriture ou à conserver la lingerie. Bien qu'ayant existé en Acadie, on la retrouve plutôt chez les Acadiens louisianais.

Armoire à nourriture et à ustensiles. Les tablettes sont complétées d'un tiroir. (D'après un spécimen de la coll. The LSU Rural Life Museum, Baton Rouge.)

113

Armoire ouverte rustique
pouvant servir de panetière.
Elle fait partie de la coll.
The LSU Rural Life Mu-
seum, Baton Rouge. (*Photo*
AFUL, J.-C.D. 2519.)

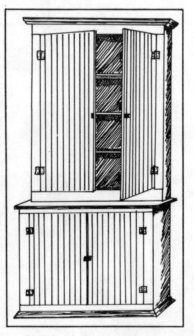

Armoire à deux corps con-
servée au Musée acadien
de l'Univ. de Moncton,
N.-B.

Armoire à deux corps. Monsieur Albert Thibodeau, 73 ans en 1973, de Richibouctou Village,
Kent, N.-B., a fait ce meuble de coin dans sa propre cuisine en 1920.

Armoire de coin, datant possiblement de 1775, ayant appartenu à la famille Fidèle Bourgeois, de Grande-Digue, N.-B. Fait partie de la coll. du Musée acadien de l'Univ. de Moncton. Dim. app. de la partie basse: haut. 31 pouces (80 cm); haut. de la partie haute: 44 pouces (1,3 m). (*Photo* AFUL, J.-C.D. 998.)

L'armoire haute à lingerie présente sensiblement la forme simple et dépouillée du garde-manger; il arrive qu'aucun dormant ne sépare ses panneaux et, à la façon des coffres, elle n'a pas non plus de montants; les parties du bâti sont liées les unes aux autres sans le secours de pièces de charpenterie. Il existe aussi un buffet à lingerie dans les lignes très simples de l'armoire ici décrite. Vers les années 1900, les familles aisées ont substitué au buffet ancien la commode à tiroirs dont les lignes s'inspirent des meubles manufacturés.

Meuble de coin façonné dans du cyprès datant de la première moitié du XIXe siècle et conservé à The LSU Rural Life Museum, Baton Rouge.

Commode de fabrication domestique d'après la pièce originale apportée de Natashquan à Saint-Théophile de Beauce, Qué., à la fin du XIXe siècle. (Coll. de monsieur Roméo Vigneault, de Saint-Théophile de Beauce.)

Chiffonnier en pin de fabrication artisanale de la fin du XIXe siècle et conservé chez monsieur Filmon Goguen, de Notre-Dame de Kent, N.-B.

117

La chaise acadienne prend une allure monastique. Simple et peu décorée, son siège est bas, soit de dix à dix-huit pouces de hauteur (25,4 à 46 cm). Elle est assemblée au moyen de tenons et de mortaises barrées par une cheville, et plusieurs essences différentes de bois entrent dans sa composition. Elle se caractérise aussi par ses montants de dossier légèrement inclinés vers l'arrière et qui dépassent d'environ quatre ou cinq pouces (10 à 13 cm) la traverse supérieure du dossier. Selon le Dr Ivan H. Crowell, de qui je tiens les caractéristiques de la chaise acadienne, ces pièces du mobilier traditionnel étaient surtout peintes en vert et en rouge[21].

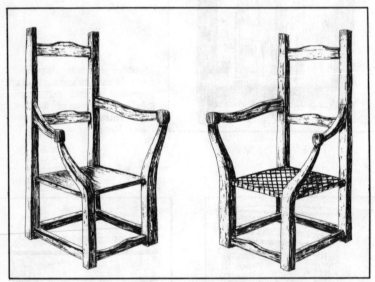

Fauteuils du père et de la mère provenant de Grosse-Coque, Nouveau-Brunswick, et datant possiblement du XIXe siècle. Conservés au Provincial Archives of Nova Scotia, Halifax, N.-É.

21. «Caractéristiques propres des meubles acadiens», *L'Évangéline*, 2 février 1966, p. 3.

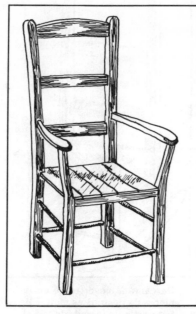

Chaise-fauteuil conservée au The New Brunswick Museum, à Saint-Jean.

Chaise droite conservée au Musée acadien de l'Univ. de Moncton, N.-B.

Chaise en cèdre et en bois franc. Elle fait partie du Musée du fort Beauséjour, Aulac, N.-B. Dim.: haut. du dossier: 36 pouces (90 cm); haut. du siège: 13 pouces (33 cm). (*Photo* AFUL, J.-C.D. 985.)

119

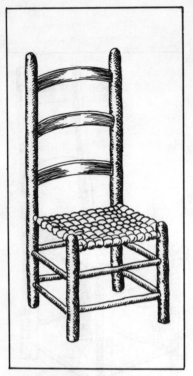

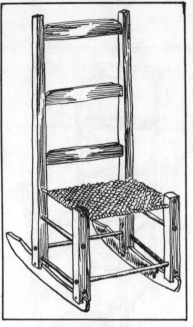

Berçante à siège tressé en lanières de peau. Bois mou. Elle fait partie de la coll. de la Salle acadienne au Musée du fort Anne, Annapolis Royal, N.-É. Dim. app. du siège: haut. 14 pouces (36 cm).

Chaise à fond tressé en lanières végétales faisant partie des coll. de La Vieille Maison Robichaud, à Meteghan, Digby, N.-É.

Chaise à fond taillé dans une pièce de cuir. Coll. The LSU Rural Life Museum, Baton Rouge. (*Photo* AFUL, J.-C. D. 2515.)

Chaise berçante datant des années 1900. (*Dessin* d'après un spécimen de la coll. de monsieur Filmon Goguen, Notre-Dame de Kent, N.-B.)

Parfois le fond des chaises consistait en un treillis de peau d'anguille ou de corde à filet[22]. À la place du papier de verre, la peau de chien de mer[23] polissait le bois. En général, les meubles les plus simples, comme les bancs et les coffres, étaient en bois de pin, tandis que les meubles complexes et plus récents, comme les commodes, sont façonnés avec du bois de bouleau ou de plaine, et les tiroirs sont tirés du bois de pin[24]. Antérieurement aux années 1875, les pièces mobilières acadiennes sont rares si ce n'est peut-être quelques chaises.

Tourniquet pour amuser l'enfant et lui apprendre à marcher. Un tourniquet identique se retrouve encore au centre de la France et on le nomme un *virou*. Voir P.-L. Menon et R. Lecotté, *Au village de France*, p. 116. (*Dessin* d'après un spécimen conservé à l'église de Grand-Pré au Parc historique national, N.-É.)

22. Ivan H. Crowell, « The Maritime Acadian Style Furniture », *La Société historique acadienne*, 11e cahier, mars 1966, p. 25.
23. Francis Savoie, *L'Île de Shippagan* (anecdotes, tours et légendes), p. 21.
24. Honoré Cormier, 72 ans en 1966, Memramcook, West., N.-B.

Les meubles de fabrication artisanale, relevant du travail d'un homme de métier, sont à peu près inexistants: ce sont plutôt des meubles d'industrie domestique, construits par les chefs de famille. Seuls quelques meubles, à partir des années 1900, ont été façonnés par des menuisiers ou des artisans de métier. Les meubles ne portent pas la trace de motifs peints ou sculptés [25]. Ils ne relèvent ni d'un style, ni d'une école: dans le cercle des activités traditionnelles, on passa de la famille à la manufacture, sans arrêt chez l'artisan régional. Il n'y a pas non plus de meubles bourgeois conservés dans des communautés religieuses ou les familles bourgeoises, comme ce fut le cas au Québec. Pour désigner certains meubles traditionnels, on entend souvent des expressions propres à l'Acadie, telles la *chaise à roulettes* ou *chaise à rouloires* ou *chaise bascule* pour la berçante, la *chaise d'amoureux* pour la causeuse droite, le *dorsoué* pour le dressoir.

Dudley J. LeBlanc, en 1932, parlant du mobilier acadien des États-Unis, disait:

> Le mobilier est d'excellent dessin; certains articles datent de plus de cent ans. Il y a des lits à montants, avec rideaux de dentelle et couvre-pied tissé à la main. Au lieu de garde-robes, de massives armoires en noyer. Les «bureaux» que nous appelons plutôt *dressers*, sont dénués des articles ordinaires de la parure et de la vanité féminines, mais chacun supporte un crucifix, quelquefois une image de la sainte Vierge, toujours un chapelet. Cette absence d'orne-mentation, dans toutes les pièces, crée une ambiance de couvent, de cloître [26].

Les Acadiens louisianais conservent des meubles plus anciens, les pièces de mobilier y existent en deux traditions. La première, assez sophistiquée, témoigne d'une certaine aisance matérielle; ce sont des meubles d'influence française reflétant le style Louis XV, et surtout fabriqués dans du bois de noyer ou de chêne. Ces meubles à serrurerie de cuivre et de laiton furent davantage répandus chez les Français louisianais que chez les Acadiens louisianais. Les chaises «à la capucine» par exemple, quoique d'esprit français, présentent des montants et un siège d'influence espagnole.

La deuxième tradition, celle d'une classe plus pauvre, est représentée par des pièces simples aux lignes droites dé-

25. Huia G. Ryder, «Furniture of the Acadian», *Antique Furniture by New Brunswick Craftsmen*, p. 8.
26. *The True Story of the Acadians*, p. 142 (traduction).

pouillées et le bois employé est surtout du cyprès et de l'érable du sud; les pièces de serrurerie y sont de fer martelé[27].

D'ailleurs, d'après les spécialistes du mobilier du sud louisianais, il est parfois difficile d'identifier une pièce de mobilier acadien; elle pourrait tout aussi bien appartenir au groupe créole. Les accessoires du mobilier étaient également simples et ils témoignent aussi de la débrouillardise des gens qui les utilisaient.

Lors des enquêtes chez les Acadiens des provinces Maritimes, on a souvent entendu la phrase suivante: «Au temps de mes parents, ils se suffisaient à eux-mêmes; tout ce qu'il y avait dans la maison avait été fabriqué par eux ou par leurs vieux parents.» Cet avancé est vérifiable, puisqu'ils peuvent encore décrire les procédés de fabrication de la plupart de ces objets, comme le porte-poussière, le tire-botte, le gratte-pied. À titre d'exemple, voyons deux types de balais confectionnés par un membre de la famille, généralement le grand-père ou le père.

On connaît deux techniques pour faire un balai: la première consiste à fixer des lanières de frêne au bout d'un bâton, et la deuxième à fendre une extrémité d'un petit arbre de cèdre en éclisses. Le balai de frêne, que l'on désignait sous le nom de *balai de grange*, se façonnait ainsi: battre avec un maillet une bille de bois de frêne d'une quinzaine de pouces (38 cm) de longueur afin que les couches de bois se détachent les unes des autres; fendre ces minces couches en lamelles et les fixer à un bâton à l'aide de fil de laiton[28].

Le *balai tillé* ou *balai de pont* (de bateaux) était tiré d'un petit tronc d'arbre de cèdre de la longueur d'un balai et d'environ deux pouces et demi (6,2 cm) de diamètre. Au moyen d'une tille, en partant d'une quinzaine de pouces (38 cm) d'un bout du tronc, découper la tige en éclisses jusqu'à deux pouces (5 cm) du bout, ensuite amollir dans l'eau ces lamelles pour les courber plus facilement en direction opposée et les attacher ensemble au moyen d'un fil de laiton[29].

On aiguisait les couteaux en les plantant à plusieurs reprises dans le contenu d'une boîte de sable de grève fixée en arrière du poêle[30].

27. H. Parrot Bacot, *Louisiana Folk Art*, 44 p.; — Jack Holden, « The Early Furniture of French Louisiana», *Louisiana French Furnishings 1700-1830*, pp. 4 à 42.
28. Madame Ida Myers, 83 ans en 1973, Moncton, West., N.-B.
29. Madame X. Lanteigne, 68 ans en 1973, de Lamèque, Gloucester, N.-B.
30. Édith Butler, *Les connaissances d'un vieillard*, AFUL, 1969, man., p. 34.

Technique de fabrication du balai de frêne (en 1) désigné sous le nom de *balai de grange*; et du balai de cèdre (en 2) dit *balai tillé* ou *balai de pont*. (D'après les renseignements donnés par madame Ida Myers, âgée de 83 ans en 1973, Moncton, West., N.-B.; et de madame X. Lanteigne, 68 ans en 1973, de Lamèque, Gloucester, N.-B.)

D. L'éclairage rudimentaire

Au-dehors, pour travailler à la préparation du poisson, par exemple, un navet évidé et percé à la base était rempli d'huile de foie de morue et suspendu au-dessus d'un feu. L'huile qui s'en échappait goutte à goutte tombait sur le feu qu'elle activait et il s'y produisait une lumière suffisante pour éclairer les travailleurs. Rempli d'huile, un sabot dont le bout était percé remplaçait parfois le navet. Si l'huile de foie de morue faisait défaut, l'huile de sureau bouilli servait également au même usage.

Un cornet d'écorce de bouleau fermement enroulée tenait lieu aussi de torche. L'écorce entassée dans un panier en fil de fer produisait le même résultat. Le Musée du saumon à Salmon River, près de Chéticamp, en Nouvelle-Écosse, en conserve un spécimen dans sa collection. Des informateurs se souviennent encore d'avoir vu une lampe constituée d'un support de fer muni d'une pince retenant en position verticale la tige d'une quenouille de marais. Après avoir séjourné dans l'eau chaude, la tige pelée était imbibée d'huile ou de suif, ainsi

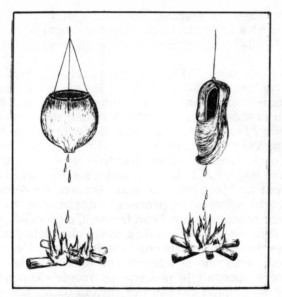

Navet évidé et sabot percé que l'on remplissait d'huile pour s'éclairer lorsqu'on nettoyait le poisson le soir.

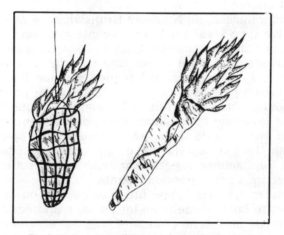

Panier et cornet d'écorce de bouleau que l'on enflammait et plaçait devant une barque de pêche pour attirer le poisson pendant la nuit. (*Dessin* d'après la coll. du Salmon River Museum, à Margaree, Inverness, N.-É.)

brûlait-elle assez longtemps[31]. Le Musée du fort Beauséjour, à Aulac, situé à la frontière du Nouveau-Brunswick et de la Nouvelle-Écosse, conserve ce type de support ayant servi à l'éclairage.

Vers les années 1812, seulement, selon Louis-Cyriaque Daigle[32], on commençait à employer les moules à chandelles de suif, mais auparavant, et longtemps encore par la suite, on utilisait la *chandelle à baguette*, désignée aussi sous le nom de *chandelle à l'eau*. C'était une chandelle de suif de bœuf ou de mouton. Voici comment elle se fabriquait au moyen d'un récipient d'eau froide et d'un chaudron de suif chaud. Attachées à une baguette de bois, quatre ou cinq cordes tordues supportaient un léger poids, soit un bouton, un écrou ou un clou. Les cordes étaient en premier lieu trempées dans le suif puis ensuite plongées dans l'eau froide. Ce procédé, répété à plusieurs reprises, produisait de grosses chandelles bosselées constituées d'une dizaine de couches de graisse. Ces chandelles fumaient beaucoup et jetaient une lumière rougeâtre. Un peu différent apparaît le procédé du moule : il consistait à remplir de suif chaud chacun des tuyaux de fer-blanc contenant une corde et à plonger ensuite le moule dans l'eau froide. Pour démouler les chandelles il suffisait de tremper le moule dans de l'eau chaude, pendant quelques secondes[33]. Vers 1920, au nord du Nouveau-Brunswick, l'éclairage à la chandelle était encore commun.

À Memramcook, au Nouveau-Brunswick, monsieur Vital Landry, âgé de 85 ans en 1973, raconte comment les gens s'éclairaient dans sa jeunesse. L'un de ces modes d'éclairage primitif consistait à faire brûler une tranche de lard (¾ de pouce, ou 1,9 cm, d'épaisseur) piquée sur une baguette ou quatre couennes de lard (lanières de peau de porc) fixées dans le goulot d'une bouteille. À l'automne, époque des *boucheries*, on levait de fines lanières de peau de porc et on les séchait en prévision de l'éclairage. Permettant la préparation du poisson, le soir, sur la grève, un autre procédé simple consistait à enflammer de petites branches de noisetier et à les faire agiter sans cesse par des enfants.

Un autre type de lampe fut le *becquillon* ou la *transpigouche*, petite lampe-écuelle en fer munie d'un bec (d'où pendait une corde ou mèche circulaire tressée) et d'un *organeau* ou fourreau pour la transporter en y introduisant un doigt. Ce

---

31. Loris S. Russell, *A Heritage of Light, passim.*
32. *Op. cit.*, p. 156.
33. S. Alphonse-Marie, 67 ans en 1973, Cocagne, Kent, N.-B.

126

bec de corbeau d'environ sept pouces (18 cm) de longueur par quatre pouces (10 cm) de largeur et de un pouce et demi (3,8 cm) de hauteur pouvait ou bien se fixer au mur ou bien être déposé sur un récipient plat comme une assiette. Dans sa collection acadienne, le Musée du Nouveau-Brunswick à Saint-Jean, possède quelques-unes de ces lampes, dont certaines sont doubles, étant constituées de *becquillons* superposés et fixés à un même support.

Monsieur Édouard Savoie, âgé de 85 ans en 1973, et demeurant à Néguac, au Nouveau-Brunswick, mentionne que le *becquillon* était souvent remplacé par une petite boîte de fer-blanc qu'on clouait au mur. Le Musée de Richibouctou, au Nouveau-Brunswick, rassemble, dans ses collections, différentes lampes de la fin du XIXe siècle et du début du XXe.

Lorsque se répandit l'usage de la lampe à l'huile de charbon, comme la mèche coûtait cher, on lui substituait souvent une lanière de denim *(overall)* et il était courant d'échanger, chez le marchand, un ou deux œufs contre une mèche manufacturée.

Tous les types d'éclairage intérieur pouvaient être remplacés par l'éclairage produit par les lueurs du feu qui s'échappaient des fentes du poêle; l'expression populaire pour désigner cette forme d'éclairage se disait: *Veiller à la craque.*

Bec de corbeau pour éclairer à l'intérieur de la maison. Le long manche sert à transporter la lampe de même qu'à la faire chauffer sur le poêle lorsque l'huile ne veut pas prendre feu. (*Dessin* d'après les coll. du The New Brunswick Museum, à Saint-Jean.)

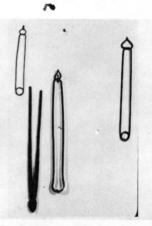

Pincettes à saisir les tisons pour les transporter. (*Photo* AFUL, J.-C.D. 625.)

127

TROISIÈME PARTIE

Art populaire

Dans une étude intitulée *L'Art populaire au Canada français* [1], nous avons déjà résumé ainsi les caractéristiques de l'art populaire:

> (...) art à l'usage du peuple et produit par le peuple, il décore les outils, les vêtements et l'habitation. Art naïf et spontané qui ne recherche ni l'harmonie ni les proportions, et qui ignore les normes académiques. Son créateur n'a pas étudié pour ce faire, ne fait pas métier de son art et il ne signe pas ses œuvres. Ces créations sont traditionnelles dans leur forme et les symboles qui s'y retrouvent sont eux aussi traditionnels. Le milieu physique et les occupations de l'homme peuvent influencer ces formes et motifs, et le fait esthétique vient presque toujours se surajouter à un objet ayant une fonction utilitaire. Cet art lié aux techniques a été plus répandu et plus authentique lors de la période pré-industrielle.

Complétons ici cette définition en énumérant, pour l'Acadie, les différents groupes d'appartenance de l'art populaire et certaines fonctions de ces formes esthétiques. Nous traitons d'abord de la forme d'art populaire comme document figuré, nous disons, enfin, quelques mots de l'imagerie populaire et de l'art de parterre.

A. Formes et documents figurés

L'outil, l'instrument ou l'objet fabriqué, que l'on désigne communément sous différents génériques (objet matériel, objet d'art populaire, folklore matériel, artefact, spécimen, pièce de la civilisation ou de la culture matérielle, objet quotidien, antiquité), devient pour l'ethnographe un document figuré, considéré par lui au double point de vue de la technologie et de l'art populaire. Ce document, placé au centre d'un environnement à découvrir, fournit des données scientifiques au moyen de ses différents témoignages.

---

1. J.-Claude Dupont, «L'Art populaire au Canada français»», *Ethnologie québécoise I,* 1972, pp. 13 à 20.

Tout comme le document écrit ou oral, le document figuré offre un éclairage momentané sur les agirs de l'homme. Aux questions que se pose l'ethnographe à son égard: quand a-t-il été fabriqué? utilisé? transformé? ou abandonné? la réponse, lumière sur une époque, permet une étude plus poussée de l'évolution d'un phénomène. Si le moment de la fabrication ou de l'utilisation est cyclique, le témoignage reconstitue les étapes de la vie ou le rituel des travaux saisonniers. Le retrouve-t-on dans telle aire culturelle, ou dans telle région en particulier, son usage est-il généralisé? Il renseigne alors sur les outils et les gestes de fabrication. Le pourquoi de telle création ou fabrication renseigne sur la fonction ou magico-religieuse, ou esthétique, ou matérielle. Par qui fut-il façonné et utilisé? Par les femmes ou les enfants? L'objet, questionné par l'ethnographe, répond à la place des générations dont il demeure parfois le seul survivant.

Le document figuré ethnographique est différent du document figuré historique. Le document est dit historique s'il se rattache à un fait précis ou s'il est relié à un personnage en particulier; il reconstitue l'histoire d'un fait ou d'un homme. Ce même document historique n'est utilisable en ethnographie que dans une étude quantitative, en établissant des moyennes mathématiques. Le document ethnographique (figuré) qui sert à reconstituer l'histoire de l'homme ou d'un genre de vie, est un objet ayant appartenu (ou appartenant) à la collectivité par l'utilisation passée ou présente.

Dans une étude ethnographique, il peut y avoir association des documents oraux, écrits et figurés; l'interrogation du document figuré sera d'autant plus valable si elle a été complétée par des renseignements fournis par les informateurs sur le terrain.

Ces témoignages de la technologie traditionnelle et de l'art populaire sont en étroite relation avec les connaissances véhiculées par la science populaire et la littérature orale, y compris les croyances et les pratiques populaires.

B. Formes et genre de vie

La culture matérielle et partant l'art populaire sont liés aux activités de l'homme. Les différents gestes de fabrication ou d'utilisation qui assurent la survie sont faits de conduites ordonnées selon certains rapports entre les individus; ils révèlent des éléments de cohésion sociale et de rituel.

132

Selon les raisons qui justifient sa fabrication, une pièce peut avoir plusieurs significations. Par exemple, la courtepointe, vendue au profit de l'église ou d'un organisme communautaire, constitue, pour son auteur, un moyen de participation à la vie sociale. La même couverture confectionnée en corvée favorise les réunions amicales; un groupe de personnes s'est réuni à plusieurs reprises pour façonner une pièce, objet d'admiration par son originalité. Dans ces exemples, l'apport économique est sous-jacent; mais ce dernier phénomène est parfois beaucoup plus évident si l'on considère que des femmes consacrent certains loisirs à la confection des couvertures décorées qu'elles vendent ou échangent contre un léger revenu. Dépendant de besoins matériels ou d'un désir de participation sociale, la fonction économique peut aussi être subordonnée à des traditions relatives à la cellule familiale comme celle, pour la mère, de préparer le trousseau de ses filles. Ici, tout en pourvoyant sa descendance, la mère transmet des techniques traditionnelles de fabrication. Un geste identique se produit quand la femme conserve dans des coffres les objets sortis de ses mains habiles; la

Croix de fer forgé ajourée recréant les motifs du cœur, de la lance et du soleil. Coll. du Village acadien de Mont-Carmel, Î.P.-É. (*Photo* de Georges Arsenault, Î.P.-É.)

Croix de fer forgé dans le cimetière de Memramcook, West., N.-B. (*Photo* AFUL, H. Harbec 175.)

133

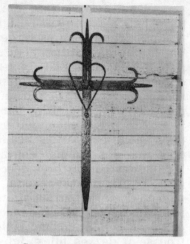

Motifs végétaux ornant une croix en fer forgé dans le cimetière de Memramcook, West., N.-B. (*Photo* AFUL, H. Harbec 167.)

Cœur et motifs de fleur de lys sur une croix de fer forgé dans la chapelle à The LSU Rural Life Museum, Baton Rouge. (*Photo* AFUL, J.-C. D. 2509.)

Soleil rectangulaire et motifs végétaux sur une croix de fer forgé dans la chapelle à The LSU Rural Life Museum, Baton Rouge. (*Photo* AFUL, J.-C.D. 2506.)

Croix ancrée en fer forgé dans le cimetière à The LSU Rural Life Museum, Baton Rouge. (*Photo* AFUL, J.-C. D. 2503.)

Croix tréflée, motifs de soleil et de la lance. Croix en fonte au Parc historique national de Grand-Pré, N.-É., marquant l'endroit d'embarquement des Acadiens exilés en 1755. (*Photo* AFUL, Jean Simard 18.)

Le cœur peint en rouge au centre de la hampe verticale transforme cette croix de bois en un corps humain. Cimetière de Notre-Dame de Kent, N.-B. (*Photo* AFUL, J.-C.D. 2361.)

135

Soleil radieux sur une croix de bois dans le cimetière de Memramcook, West., N.-B. (*Photo* AFUL, H. Harbec 176.)

Croix sculptée sur une pierre de champ dans le cimetière de Pointe-de-l'Église, Digby, N.-É. Inscription: «Par ce signe vous deviendrez victorieux. Rosalie Thibodeau, 86 ans, 23 avril 1851». Une croix surmonte le monument. (*Photo* AFUL, J.-C.D. 2628.)

Croix et cadre roman sur une pierre de champ dans le cimetière de Pointe-de-l'Église, Digby, en N.-É. Inscription: «Assem LeBlanc DXC, âgée de 75 ans, L 1843». (*Photo* AFUL, J.-C. D. 2629.)

136

famille fabrique des couvertures pourvoyant ainsi aux besoins éventuels, mais elle constitue en même temps un héritage transmettant à ses descendants des témoignages de connaissances de traditions du geste, d'amour et d'attachement.

La fabrication d'un objet ou son utilisation peuvent être rattachées aux coutumes sociales, c'est-à-dire faire corps avec les services dictés par la tradition. Ces services sont ceux du culte filial, du droit populaire, de la parenté, de la dot.

Le fils héritier doit procurer à ses vieux parents certains objets, tels les rameaux bénits, de leur vivant et le monument funéraire à leur mort. La fille religieuse brode l'arbre généalogique de sa famille, presque toujours en se servant de cheveux humains prélevés chez les siens.

Motifs floraux sur des cadres de cordes tressées. Coll. du Musée historique acadien de Miscouche, Î. P.-É. (*Photo* AFUL, J.-C. D. 26.)

Cœurs radiés datés de 1710 et ornés de motifs divers: navire à voile (*Le Rengeur*), fleurs. Moule à sucre de la collection Édith Butler de Paquetville, Gloucester, N.-B. (*Photo* AFUL, J.-C. D. 1257.)

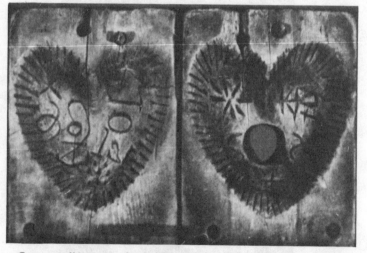

Cœurs radiés ornés de motifs marins. Moule à sucre de la collection Édith Butler, Paquetville, Gloucester, N.-B. (*Photo* AFUL, J.-C. D. 1255.)

Les voisins ont droit à certains services selon les régions. Le voisin de terre qui donne un emplacement pour y ériger une croix de chemin, s'attend à ce que le *voisin de ligne* y construise lui-même le monument. Les frères et les sœurs éloignés ont droit à des produits de la terre où ils furent élevés; au printemps ils reçoivent, par exemple, du *sucre du pays*, moulé en forme de cœur, de coq ou de bateau. Le fils qui se marie hérite de certaines pièces de costume, de mobilier; la fille qui convole apporte avec elle un trousseau de baptême brodé par sa mère, des courtepointes, des tapis crochetés.

Les éléments de rituels, qui s'insèrent à n'importe quel moment de la vie, ont aussi leur importance quant à l'existence de certaines formes d'art populaire. Ce sont surtout ces éléments qui permettent d'isoler des symboles moins apparents, mais non moins significatifs. Ces rites appartiennent à des ordres différents: religieux, sentimentaux, magiques.

La sculpture, par un bûcheron, d'un chapelet ou d'un livre de messe est le signe d'une appartenance socio-religieuse. De même, la canne à marcher décorée de motifs rappelant les sept jours de la création, le péché d'Adam et Ève, témoigne de la place de l'histoire sainte dans la mentalité de l'époque.

Il y a une vingtaine d'années, sur l'île de Miscou, au Nouveau-Brunswick, on décernait encore à l'automne, à titre honorifique, un *coq de pêche* en bois sculpté au pêcheur émérite de l'année. Ce coq, planté en vue sur la maison du pêcheur, marquait le sentiment d'orgueil de l'homme vainqueur d'une compétition. Une forme d'art populaire traduit par ailleurs un sentiment malheureux: le jeune amoureux qui, au retour d'une soirée auprès de son amie, trouve dans sa poche une petite pelle de bois doit comprendre que la jeune fille ne veut plus le revoir. L'art exprime l'homme en interprétant aussi ses sentiments les plus tristes; ainsi, la croix fixée à un arbre rappelle l'accident mortel qui s'y est produit. La croix de cimetière évoque également un sentiment de tristesse à l'égard d'un disparu.

Afin de mieux disposer la nature envers lui et sa famille, l'homme de la civilisation traditionnelle pose des gestes relevant de pratiques superstitieuses; l'art populaire les saisit sur le vif et fixe leur souvenir en objets symboliques. La coutume de tresser les rameaux bénits en forme décoratives se rattache à la préservation de la foudre, de la maladie. Des formes d'art populaire, par ailleurs, sans aucun lien avec les rites de l'église, relèvent exclusivement de la magie. Mentionnons la représentation, dans le bois, des organes sexuels mâles et femelles, sculptés en esprit de vengeance afin d'empêcher un ennemi de consommer physiquement son mariage[2].

L'art populaire trahit encore d'autres formes magiques: posé sur le linteau d'une porte, à l'extérieur, le *croc* à morue attire la chance dans le logis; de même l'étoile ou le fer à

2.   J.-Claude Dupont, *Le Légendaire de la Beauce*, pp. 19 à 21.

Motifs végétaux constitués par différentes formes de tressage de petits rameaux bénits. Coll. de l'auteur. *(Photo*
AFUL, J.-C. D. 1337.)

cheval fixé sur le linteau de la porte de l'étable préserve
les animaux de la maladie; un minuscule cheval, sur le faîte ou
sur la porte de l'écurie, empêche les lutins d'y venir *maganer*
les chevaux.

Traditionnellement, les activités créatrices réservées à
l'homme se distinguent de celles qui appartiennent à la femme
et correspondent pour l'un et l'autre à l'étape des rites de
passage de la vie. En général, cette créativité de formes et de
motifs artistiques atteint un sommet chez la femme lorsqu'elle
en est à « l'étape de la jeunesse et des gens mariés »; elle est
alors dans sa période d'activité sociale procréatrice...; ses
créations, tournées vers la vie, tendent à protéger ses enfants
encore au rite de passage de l'initiation à la vie.

De son côté, la jeunesse de l'homme réalise quelques
objets décoratifs; mais la maturité déploie son œuvre artistique quand il appartient au rite de passage de la vieillesse,
étape de la sagesse et de l'expérience.

Tandis que l'homme travaille surtout le bois, le fer, la
tôle, l'os, la pierre et la corne, la femme tire des formes et des
motifs d'art populaire du tissu, du papier, de la fibre, de la
cire, des cheveux, de l'écorce, du feuillage, du sel, du sucre,
de la pâte, de la palme, des coquillages, de la paille, de la
plume et des pierreries.

Les travaux d'art féminins, surtout, dépendent étroitement des besoins familiaux; les matériaux utilisés pour constituer la trame de fond de ces pièces et les formes décoratives
ajoutées correspondent à leur destination. Ainsi, le tissu
demeure au premier rang des matériaux transformés par les
femmes, puisque celles-ci confectionnent des *conforteurs,* des

140

Certains motifs décoratifs (le plus souvent découpés et
appliqués) ornent les contrevents fixés de chaque côté des
fenêtres.

Ces formes sont souvent tirées de la mer ou de son voisinage; on y retrouve surtout le poisson, le goéland, le voilier, l'ancre. D'autres motifs décoratifs en vogue sont le
jeu de cartes représenté par le cœur, le carreau, le trèfle
et plus rarement le pique; le quartier de lune, le soleil,
l'étoile, le sapin, la feuille d'érable, la fleur de lys, la tuli-
pe, la marguerite, le drapeau, le fer à cheval, le papillon,
le castor, le lapin, le chien, souvent la première lettre du
nom de famille comme « L » pour Léger.

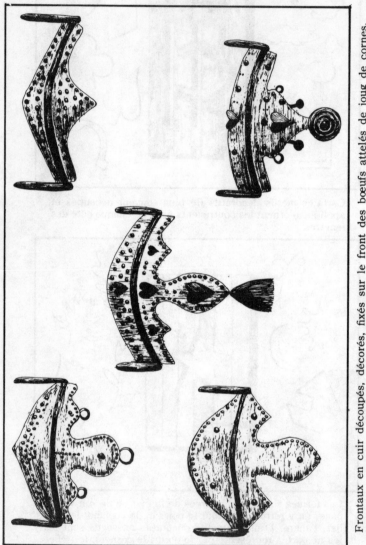

Frontaux en cuir découpés, décorés, fixés sur le front des boeufs attelés de joug de cornes. Provenance du Nouveau-Brunswick et de la Nouvelle-Écosse.

Cœurs, anneaux et festons multicolores, décorant des harnais d'attelage double lors du défilé du «Festival de chez nous» à Saint-Antoine de Kent, N.-B. durant l'été 1973. (*Photo* AFUL, J.-C. D. 2304.)

Patène façonnée dans une écaille de fruit de mer. Inscription: «*Procibis quos sumus accepturi gratos nos faceat Deus*». Don de l'auteur au Musée acadien de l'Univ. de Moncton.

couvre-pieds (courtepointes et *couvertes piquées*), des tapis lacés, tressés, crochetés et à appliqués.

Le *conforteur,* aussi désigné *patchwork,* est constitué de pièces de tissus laineux que l'on coud les unes aux autres pour créer une large surface. Ces morceaux de toutes formes, couleurs et dimensions (pointes folles), ou bien assemblage de pièces de même forme, souvent rectangulaire, s'agencent toujours de façon à plaire à l'œil. Parfois, ces lainages décou-

Petit sac à main tiré d'une écaille de mer.
Région de Moncton, N.-B. Propriété de l'auteur. *(Photos* AFUL, J.-C. D. 2481.)

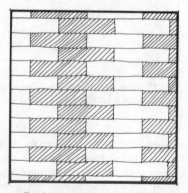

Conforteur: motif du *moulin à vent*. Provenance: île du Prince-Édouard.

Conforteur assemblé comme des briques de cheminée. Provenance: Nouvelle-Écosse.

144

pés et assemblés de manière à produire des motifs simples adoptent différents noms: *Log cabin, neuf blocs, sablier*. Divers points de couture, en gros fil coloré, rehaussent l'aspect décoratif de ces pièces. L'envers de la surface ainsi fabriquée se double ensuite d'une couverture unie, généralement de lainage; après avoir étendu entre les deux parties de vieux lainages (couvertures, parties de manteaux) ou de la ouate, on pique l'ensemble pour assujettir toutes les épaisseurs. Une large bordure de couleur vive complète l'effet de chaleur et de beauté à la fois. Cette couverture naît d'un souci d'utilisation de tissu usagé et d'un désir de procurer du bienêtre à la maisonnée.

Le couvre-pied piqué ou *couverte de pointes* se veut avant tout décoratif; il couvre le lit le jour et on le dépose sur une chaise durant la nuit. Ce genre de couverture est parfois piqué et rembourré de ouate, mais d'ordinaire il est simplement doublé de tissu de coton. Alors que le *confortable* est lourd, la courtepointe est très légère et taillée dans le tissu neuf en coton, la plupart du temps des retailles. Tout simplement, une grande pièce de tissu de la largeur d'un drap de lit est décorée d'appliqués; ces derniers sont nés de l'assemblage symétrique de pièces de formes diverses qui se répètent à intervalles réguliers. Si la courtepointe est divisée en parties au moyen de bandes colorées, on dit qu'elle est *strappée* ou chaînée. On sépare aussi la surface au moyen de lignes brodées avec du fil coloré. Certains motifs peuvent aussi être travaillés à l'aiguille seulement, on parle alors de motifs piqués ou brodés.

Conforteur: motif des *neuf blocs* ou des *neuf pièces*. Provenance: Nouveau-Brunswick.

Conforteur assemblé à carreaux piqués avec du fil. Motif: *patchwork* ou *bijouetté*. Provenance: Gaspésie au Québec.

Courtepointe ou couverture piquée assemblée en chaîne. Motif des *neuf blocs*. Provenance: Nouveau-Brunswick et île du Prince-Édouard.

La tradition populaire présente des couvre-pieds aussi nombreux dans leurs motifs que variés dans leurs noms: tels les *neufs carrés*, le *voilier*, l'*étoile pointée*, le *soleil*, la *feuille de laurier*, la *roche roulante* [3]. Certains empruntent même des formes humaines (la bouquetière, la bergère, la fileuse), animales (des oiseaux, des papillons, des lapins) ou des objets (paniers à fleurs, moulins à vent).

---

3. Adelaïde Hechtlinger, *American Quilts, Quilting & Patchwork*, 358 p.

Courtepointe avec motif de l'étoile à 8 pointes dite «Étoile Le Moyne». «L'organisation de cette courtepointe en damier est accusée par l'opposition de losanges colorés et de losanges sur un côté, en une bordure piquée. Les motifs d'étoile à huit pointes sont inscrits dans les losanges les plus colorés. «L'Étoile Le Moyne» tient son nom des frères Le Moyne, fondateurs en 1718 de la ville de Nouvelle-Orléans. Elle est constituée de huit losanges de tissus imprimés, auxquels s'ajoutent quatre carrés et quatre triangles qui confèrent une dimension cubique au motif». D'après Pierre-W. Desjardins et collaborateurs, *Courtepointes anciennes de la famille Merkey*, p. 11. Ce motif se retrouve surtout en Louisiane.

Courtepointe: motif de *tournesol*. Provenance: Nouveau-Brunswick.

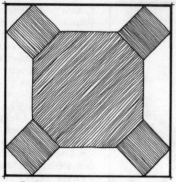

Courtepointe: motif de la *roche roulante*. Provenance: Nouveau-Brunswick.

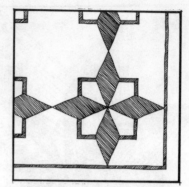

Courtepointe: motif de *pointed star*. Provenance: Nouveau-Brunswick.

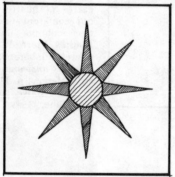

Courtepointe: motif d'une *étoile à huit pointes* ou *Sunburst*. Provenance: Nouvelle-Écosse.

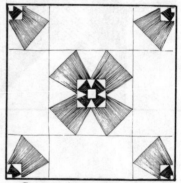

Courtepointe: motif du *moulin à vent*. Provenance: Causapscal, Matapédia, Qué.

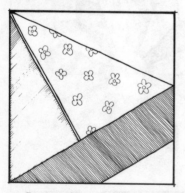

Courtepointe: motif du *voilier*. Provenance: Nouveau-Brunswick.

Courtepointe: motif du *voilier*. Provenance: Pré-d'en-Haut, West., N.-B.

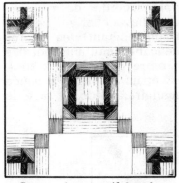

Courtepointe: motif *dans le coin*. Provenance: Meteghan, Digby, N.-É.

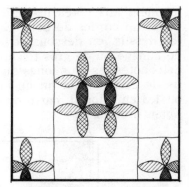

Courtepointe: motif de la *feuille de laurier* ou *bay leaf*. Provenance: Nouveau-Brunswick.

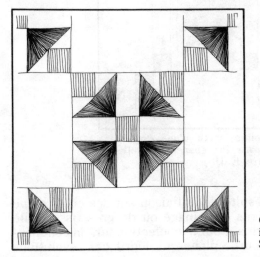

Courtepointe: motif non identifié. Provenance: Cap Saint-Georges, T.-N.

Quant aux tapis, chez les pauvres, où les maisons demeurent froides et les enfants nombreux, on remarquait les tapis les plus simples, les plus grossiers, les moins esthétiques.

Si nous énumérons, par ordre d'importance, les types de tapis relevés sur le terrain, et si nous donnons pour chacun des types sa technique de fabrication, d'abord nous nommons le tapis lacé, puis le tapis tressé, finalement le tapis crocheté et le tapis à appliqués. Voici comment se fabrique le tapis lacé: sur un cadre de bois sont d'abord tendues parallèlement aux côtés les plus courts des cordes de moisson-neuse ou cordes de bois. En faisant chevaucher sur ces fils (en dessus, en dessous et toujours en répétant) des lisières de lainage ou de gros tissu, commençant simultanément des deux côtés les plus longs du cadre, on recouvre ainsi le treillis de corde. À la fin ce tapis est épais (environ ½ pouce ou 1,3 cm), lourd, carré ou rectangulaire, solide, et rayé de lignes droites.

Courtepointe: motif d'une *étoile à huit branches*. Provenance: Nouvelle-Angleterre, É.-U.

Le tapis tressé résulte de la liaison sur ses côtés d'une longue tresse de lanières de lainage ou de gros tissu taillé large, à trois ou cinq brins. Pour le confectionner, on commence par produire une courbe plane qui décrit des révolutions autour d'un point fixe en s'en écartant de plus en plus et l'on fixe cet assemblage par une couture en surjet. Ce tapis est épais (environ ½ ou 1,3 cm) lourd, ovale, rond, passablement solide et décoré de cercles concentriques.

Le tapis crocheté se travaille sur un canevas (tissu découpé dans une *poche* de jute) tendu sur un cadre de bois, au moyen d'un crochet, ou d'un *houque* (on dit aussi *tapis houqué*), généralement un clou encoché à la lime, le crochet tire en boucles, sur le dessus du canevas, une lisière (environ 1/3 pouce ou 0,84 cm) de guenilles de coton que l'on tient au-dessous du canevas. Sur le fond de jute, on a d'abord tracé un dessin à la sanguine ou au moyen d'un charbon de bois.

Chacun des 24 motifs de cette courtepointe chaînée et piquée a été assemblé par une personne différente lors d'une corvée, selon Mme Margaret Martin-Harding, 53 ans en 1975 de Lafayette. On y reconnaît: l'arbre de cyprès, le magnolia (arbre symbolique de la Louisiane), le pélican (tiré du drapeau louisianais), Évangéline au rouet, l'armoire sur un tapis, l'étoile du bicentenaire des États-Unis, la maison acadienne, l'iris, (fleur symbolique de la Louisiane). Exposée au Lafayette Natural History Museum and Planetarium, à l'occasion du festival de l'artisanat en octobre 1975. *(Photo AFUL, J.-C. D. 2560.)*

Une lisière de canevas n'ayant pas été crochetée le long du cadre, on peut en tirer des fils qui créent une frange tout autour du tapis; ou bien, en retournant le tapis, on ourle les lisières non crochetées. Parfois, lorsque l'on a décidé de franger le tapis, on a teint le canevas avant le crochetage. Selon la forme initialement choisie, le tapis présente la forme ronde, carrée, ovale ou en losange. Cette pièce est mince (environ 1/5 pouce ou 0,5 cm), légère, pas très solide et décorée de toutes les manières possibles (paysages champêtres, humains, animaux, dont des bêtes de feu, ou à sept têtes, poissons, formes géométriques).

Madame Élisabeth Lefort-Hansford, de Margaree Harbour, localité voisine de Chéticamp en Nouvelle-Écosse, a perfectionné l'art traditionnel du crochetage sur canevas. En se servant de la laine qu'elle teint elle-même, elle reproduit avec

151

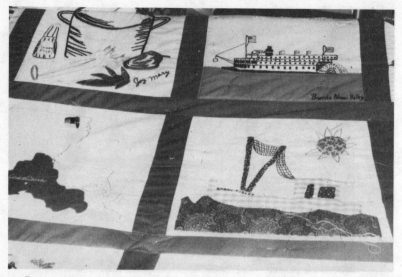

Courtepointe chaînée et piquée travaillée en corvée par le Friendship Quilters Circle exposée au Lafayette Natural History Museum and Planetarium, à l'occasion du festival de l'artisanat en octobre 1975. On peut y voir: un chaudron pour le *gombo*, un bateau à aubes sur le Mississippi, une barque de pêche, une carte géographique acadienne de la Louisiane. Elle compte 24 motifs différents. (*Photo* AFUL, J.-C. D. 2561.)

un réalisme surprenant les figures des grands personnages du XXe siècle; au nombre desquels nous mentionnons les trente-quatre présidents des États-Unis. Ses créations sillonnent le monde, on en trouve chez les Kennedy aux États-Unis, il y a un Jean XXIII au Vatican à Rome.

Pour fabriquer le tapis à appliqués, on procède de la même façon que pour la courtepointe; sur un tissu de base (toile de jute, de lin, ou de lainage), on coud des appliqués ornementaux. Ces derniers sont en fins lainages que l'on teint auparavant, ou en feutrine. Parfois, ces pièces rapportées se superposent en trois ou cinq épaisseurs; chacune des pièces étant de moins en moins grande et de couleurs différentes pour créer des anneaux ou des triangles multicolores. Il arrive aussi que l'on découpe des formes animales. Les techniques d'application sont variées; allant d'un unique point (un nœud) à une broderie concentrique de formes multiples. En général, ces tapis sont bordés de langues ou de frange, ils sont très minces à certains endroits (environ 1 ligne), très légers, peu solides et très décoratifs.

Tapis crocheté fait à l'occasion du passage du premier avion au-dessus de l'Î.P.-É. On y voit des avions sous un arc-en-ciel, de la végétation, des fers à cheval, une maison, des animaux, un enclos. Collection privée. (*Photo* CEA, Univ. de Moncton, Georges Arsenault 115.)

La beauté artistique des pièces utilitaires exécutées, soit par des hommes, soit par des femmes, est fonction directe de la disponibilité des agents; or sont disponibles les gens à qui l'aisance matérielle permet certaines dépenses, en plus du temps consacré à la réalisation de leurs œuvres.

Dans les foyers pauvres et industrieux, la présence utilitaire supplante presque toujours l'aspect esthétique; on ne peut se procurer l'accessoire, indispensable loi du beau. Dans le corpus des traditions populaires, la loi du strict nécessaire s'applique à la fois dans l'alimentation, dans l'abri et le costume. Les crêpes de la Chandeleur se mangeaient le jour de la

Motif relevé sur des tapis crochetés de la Gaspésie, Qué. et du N.-B. représentant une *sirène de mer*.

Tapis crocheté: motif de la *feuille d'érable*. Provenance: île du Prince-Édouard.

Tapis crocheté: motif de «S». Provenance: île du Prince-Édouard.

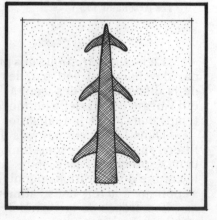

Tapis crocheté: motif de l'*herring bone*. Provenance: Nouveau-Brunswick.

Tapis crocheté: motif de l'*escalier*. Provenance: Nouveau-Brunswick.

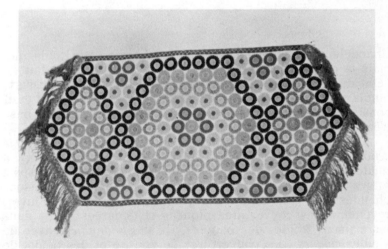

Tapis à appliqués: motif géométrique. Coll. de l'auteur. (*Photo* AFUL,
J.-C. D. 2650.)

Madame Élisabeth Lefort-Hansford de Margaree au Cap-Breton dans son atelier, le *Paul Six Shop* à Margaree Harbour, et une de ses murales crochetées. (*Photo* fournie par le Centre acadien de l'Univ. Sainte-Anne, Pointe-de-l'Église N.-É.)

Chandeleur aussi bien en Abitibi qu'en Acadie ou en Louisiane, mais la préparation de la pâte à base d'œufs dépendait de l'état de fortune: les crêpes des riches servaient de dessert; tandis que dans les familles pauvres, le repas au complet était constitué de *crêpes blêmes* nommées *merry-go-round,* à base d'eau, de lait, de graisse, de farine et parfois d'un œuf.

La femme de la campagne, qui *fait le train,* qui *fait le dehors,* qui *fait le dedans* et qui élève sa famille de sept à quatorze enfants, n'aura guère le loisir de perdre son temps à «faire des petits ouvrages». Par exemple, dans les maisons chaudes des «gens en moyens», les lits des enfants, en hiver, revêtaient des couvertures piquées et décorées; mais dans les maisons froides des pauvres, ils se *gavionnaient* avec de vieilles *cloques,* des couvertures de voiture et des peaux de carriole. Lorsque le père travaillait en forêt, il n'était pas à la maison pour chauffer, durant la nuit, l'unique poêle de la cui-

156

Différents tapis crochetés de la baie Sainte-Marie, Digby, N.-É. (*Photo* fournie par le Centre acadien de l'Univ. Sainte-Anne, Pointe-de-l'Église.)

sine; et la mère qui le remplaçait sur la ferme avait tout juste le temps de s'acquitter du nécessaire à la survie. Craignant de ne pouvoir les renouveler, la pauvre femme enferme les beaux objets dans une commode. Ainsi, selon des informatrices, les beaux couvre-pieds façonnés au temps des amours et cachés pendant des années ensuite, ne réapparaissaient qu'une fois la « misère passée ».

Connaissant les caractéristiques techniques et esthétiques des tapis, examinons l'usage que l'on faisait jadis de ces pièces. Le tapis lacé, le plus répandu, placé à la porte d'entrée, essuyait les pieds. Dans les maisons froides, le soir et parfois pendant le jour, il interceptait les courants d'air, au bas de la porte. Il était aussi étendu devant la porte intérieure de communication entre la cuisine d'hiver et la cuisine d'été. C'est encore sur ce tapis que, souvent, on déposait le *seau à lavure* servant à récupérer l'eau de vaisselle pour détremper le brouet des porcs. L'automne, le soir venu, ces tapis, apportés au jardin, préservaient les légumes de la gelée. Voyageait-on en carriole, on en plaçait un dans le fond de la voiture afin de garder les pieds au chaud.

Le tapis tressé se plaçait aux endroits où la ménagère passait fréquemment, devant l'évier, devant la table; la forme ovale de cette pièce empêchait de s'y accrocher. On le voyait

157

plus rarement en avant du poêle, des tisons, en tombant, auraient pu l'enflammer. Souvent, un ou deux tapis tressés étaient étendus sur le contour de la trappe de cave pour couper l'air. Et tous ces tapis étaient prestement tournés du côté propre lorsqu'un étranger allait pénétrer dans la maison. D'ailleurs, on secouait violemment les tapis quand arrivait le temps du balayage, le matin. Les *laizes* de *catalognes* tissées au métier couvraient le plancher fraîchement lavé, le samedi, afin de le garder propre pour le dimanche.

Lorsqu'ils servaient, les tapis crochetés étaient étendus auprès des lits, surtout dans la *chambre propre* où les enfants n'entraient pas. En été, on les sortait des coffres pour recouvrir le plancher de la *grande maison* alors qu'on vivait dans la cuisine d'été. Lorsqu'on faisait le *grand ménage*, au printemps, on les étendait sur les bras de la galerie et sur la corde à linge; on voulait les désinfecter mais aussi montrer aux passants qu'on avait du «bel ouvrage». En fait, c'était des tapis pour la visite, surtout celle du curé. Les pièces murales crochetées, elles, n'existaient alors qu'au presbytère ou chez des gens plus fortunés.

Les tapis à appliqués, les plus rares, conservés dans les coffres, étaient convoités par les héritiers d'un parent et s'ils avaient le bonheur d'en recevoir, ils les conservaient comme souvenirs.

En résumé, les pièces décoratives, en raison de leur absence de caractéristiques utilitaires, étaient conservées; tandis que les tapis solides, de tissu grossier (voiles de barque), à peine décorés de lignes droites, couvraient les planchers. Les tapis crochetés, représentant des formes animales, humaines ou des paysages, de même que les tapis à appliqués (à couleurs chatoyantes), ne servaient pratiquement pas.

C. Formes et catégories

Les thèmes favoris des motifs et des formes d'art populaire sont multiples, mais ils appartiennent à cinq groupes principaux: le folklore international, l'histoire de l'homme, les symboles nationalistes, les travaux, et les faits historiques. Les quatre dernières catégories s'identifient davantage au pays.

Le premier groupe appartenant au folklore international réunit principalement les formes et motifs cosmiques, géométriques, zoologiques, érotiques, floraux et anthropomorphiques: c'est probablement le plus riche. Parmi les formes et motifs cosmiques, nous signalons des formes complètes ou des parties: l'étoile pourra n'apparaître qu'à demi, ou en entier, ou faire partie d'un tableau d'ensemble, voisinant la lune, le soleil, une comète. Ces astres sont présents sur des plaques à beurre ou à *sucre d'érable,* ou encore à des endroits aussi surprenants que sur le joug à bœuf.

Les formes anthropomorphiques sont celles que, davantage, on s'est plu à décomposer en éléments; le cœur, la main et la figure humaine reçurent un traitement de faveur, sans toutefois exclure la présence du corps au complet. La figure humaine peut apparaître au centre d'un soleil ornant une croix; la main, sur un monument funéraire.

Comme formules décoratives, les représentations géométriques, fruits de la ligne droite, de la courbe et du cercle (souvent tracées au compas), rehaussent les assemblages de courtepointes, ou encore sont sculptées ou tracées dans le bois. Elles se découpent en relief sur des armoires, des coffres, des pièces de charpente de bâtiments; elles dominent

Porte-lettres en satin et velours décoré de grelots garnis de perles. Provient de la famille Walter Gaudet de Saint-Joseph, N.-B. (Coll. et *photo* Musée acadien de l'Univ. de Moncton, 73.40.127.)

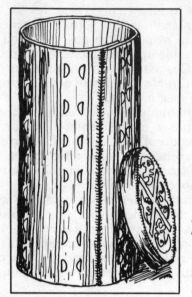

Motifs floraux et géométriques ornant un étui de *masqui* cousu avec du *foin d'odeur*. Coll. de madame Philomène Richard, 82 ans en 1973. Richibouctou Village, Kent, N.-B. Dim.: haut. 11 ½ pouces (30 cm); diam. 5 pouces (12,5 cm).

Panneau provenant de la chaire de la vieille église de Memramcook, West. (Saint-Joseph) au N.-B.; sculpté vers 1780 et sauvé de l'incendie de la même année. Cette pièce est conservée au Musée du fort Beauséjour à Aulac au N.-B. Voir aussi Vital Gaudet, « Notes sur les origines de Memramcook » *La Société historique acadienne*, 2ᵉ cahier, 1962, p. 51. (*Photo* AFUL, J.-C. D. 1913.)

Motifs géométriques perforés dans les parois d'un fanal à chandelle. Le Musée de Richibouctou au N.-B. conserve des spécimens semblables. (*Photo* AFUL, R. Lahaise 257.)

Motifs géométriques ornant un étui (en cuir) à dés (en bois) de voilerie. Dessin d'après un informateur de la côte sud de la Gaspésie, Qué.

161

Motifs d'étoiles, de cercles, perforés dans la tôle des panneaux d'une armoire à nourriture à The LSU Rural Life Museum, Baton Rouge.

Petite figurine en pierre dans le cimetière de Memramcook, West., N.-B. Dim.: 15 pouces (38 cm). (*Photo* Ronald Leblanc, CEA, Univ. de Moncton)

surtout sur les barques de pêche et sur les murs de hangars à poisson. Parfois, ces gravures dans le bois, sculptées ici au couteau, sont tout simplement ailleurs tracées au compas ou au moyen d'un crayon; on les rattache généralement aux symboles solaires, elles représentent souvent, en Acadie, des fleurs encerclées. R. W. Symonds dit que ces figures géométriques tournées au compas, aussi utilisées comme décorations sur les coffres de marin en Angleterre, sont désignées sous le nom de *ships-carving*[4].

Quant au thème zoologique, mentionnons que les animaux sauvages sont moins représentés que les animaux domestiques comme la truie, le cheval, le mouton et les autres animaux de l'écurie. Le poisson reçoit une attention spéciale; en Acadie, il est aussi populaire que la croix. Le poisson, comme sculpture, non seulement coiffe la girouette ou décore les moules à *sucre d'érable,* mais de plus, selon M. Gorton Pew, de Caraquet, au Nouveau-Brunswick, jadis, les pêcheurs taillaient une forme de morue dans une planchette et la clouaient sur le linteau extérieur de la porte du hangar à poisson et parfois même sur celui de la porte d'entrée de la maison, comme enseigne de pêcheur[5]. En 1965, chez les pêcheurs acadiens et français des côtes de Terre-Neuve, le haut des portes des hangars à poisson portaient encore de ces formes, mais simplifiées: la queue d'une morue remplaçait l'ancien poisson. La morue fut abondamment sculptée en guise de girouette, tandis que le mai, devant la maison, rappelle encore un mât de navire.

La flore est présente par la gerbe de blé, la feuille d'érable et la rose; ces motifs sont souvent sculptés dans des moules à beurre et à *sucre d'érable,* ou découpés dans du tissu. On emprunte aussi au folklore international les formes et motifs érotiques, réels ou fantaisistes.

Sœur Marie-Lydia, âgée de 67 ans en 1973, et demeurant à Bouctouche, au Nouveau-Brunswick, a vu, dans sa jeunesse, des sculptures représentant des oiseaux de mer, et voici quel en était l'usage:

> Au printemps, les hommes faisaient la chasse au gibier sur la mer. Ils peignaient leur canot en blanc pour ne pas être remarqués par les oiseaux et ils voyageaient parmi les bancs de glace. En avant du canot, les chasseurs plaçaient des petites sculptures d'oiseaux en bois peint. Au bout de deux ou trois jours, ils avaient pris

---

4. *Op. cit.,* p. 247.
5. J.-Claude Dupont, *Héritage d'Acadie,* p. 211.

Porcs peints sur les panneaux de la grange de monsieur André Babineau de Petit Chocpiche, Kent, N.-B. (*Photo* AFUL, J.-C.D. 2296.)

environ deux cents pièces de gibier. Ils les vendaient à dix ou quinze sous la pièce.

Toujours dans cette catégorie du folklore international se détachent des formes statiques et des formes animées. Le danseur se meut grâce à l'articulation des membres; l'oiseau, la terre ou la lune, souvent sculptés à l'intérieur d'une cage, dans une seule pièce de bois, s'animent également.

Les longues heures d'attente en mer et en forêt ont amené les hommes à inventer des moyens de distraction et l'un de ceux-ci est la sculpture de jeux de patience. C'est ainsi que les marins ont façonné des cages emprisonnant des poissons ou des oiseaux de mer, des couronnes d'épines, des cannes ou bâtons de marche sur lesquels sont gravées des scènes religieuses, la création du monde, les commandements de Dieu. L'histoire de l'homme, en Acadie, se lit aussi dans ces motifs rappelant des êtres surnaturels et des personnages célestes appartenant à la religion catholique. L'histoire politique est évoquée par les rois, les reines, les administrateurs, les députés, notamment par la reine Victoria et par Napoléon Bonaparte. C'est dans cette catégorie que s'introduit le culte filial marqué par la représentation

Chevaux peints sur les panneaux de la grange de monsieur Jean-Baptiste Babineau de Petit Chocpiche, Kent, N.-B. (*Photo* AFUL, J.-C. D. 2291.)

de la figure humaine des aïeux, l'arbre généalogique brodé avec des cheveux humains de la famille. Les coutumes et usages reliés aux étapes de la vie ont laissé des illustrations couvrant les rites de passage, du berceau jusqu'à la tombe, tels le départ des compères, la *cocarde*, le *croc* et le *recroc* (trois fêtes consacrées aux noces en Acadie)[6] et les montages mortuaires créés de matériaux divers prélevés sur des cercueils. Le cycle folklorique de l'année est surtout présent dans les fêtes populaires et religieuses et les travaux rattachés à chacun des mois de l'année: Pâques fleuries, Enfant-

---

6. J.-Claude Dupont, *Héritage d'Acadie*, p. 231.

165

Cheval découpé dans du
bois et cloué sur la porte
d'un hangar à Irishtown,
West., N.-B. (*Photo* AFUL,
J.-C. D. 2360.)

Petit cheval polychrome.
Coll. The LSU Rural Life
Museum, Baton Rouge.
(*Photo* AFUL, J.-C. D.
2531.)

Chevreuils peints sur les
panneaux du garage de
monsieur André Babineau
de Petit Chocpiche, Kent,
N.-B. (*Photo* AFUL, J.-C.D.
2294.)

166

Poissons ornant des chenets fabriqués à la forge par monsieur William Saulnier de Penobsquit, Kings, au N.-B. (*Photo* AFUL, J.-C. D. 1080.)

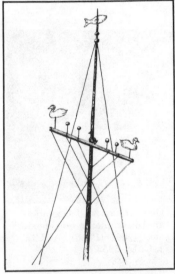

Mât de terre ornant un parterre sur la côte sud de la Gaspésie, Qué. Il s'en trouve de semblables à Shediac, West., N.-B. On y reconnaît un poisson et des oiseaux de mer.

Poisson-girouette indicateur de vent dans le village de Bouctouche, Kent, N.-B. (*Photo* AFUL, J.-C. D. 1382.)

167

Jésus de cire ou de sel, valentins. Se lisent encore dans la sculpture et les dessins, les légendes, terreur et joie de tous; et les figures religieuses, comme la sainte Vierge, surgiront de l'os crânien du homard ou du calice de la violette[7].

Le nationalisme acadien constitue à lui seul un groupe caractérisé par la fleur de lys française, le coq gaulois, la feuille d'érable, l'étoile de la mer, la représentation géographique du territoire acadien.

Les travaux et leurs résultats forment un quatrième groupe composé de miniatures sur la pêche: les pêcheurs au travail, les *cages à homard*. On découvre aussi des moules à sucre originaux tant par la diversité de leurs formes que par leurs décorations se rapportant au travail en mer; dans le bois de pin, les sculpteurs ont incrusté des ancres de navire, parfois un navire ou le pavillon de ce dernier, souvent aussi seules des rainures vaguées symbolisant l'eau ou les vagues, ou des cœurs renfermant le nom d'un bateau. Les métiers d'artisans s'inscrivent dans le bois, sous forme de forgerons, de bûcherons, de défricheurs.

Canard constitué de deux pierres de grève décorées au pinceau. Côte sud de la Gaspésie, Qué. (*Photo* AFUL, J.-C. D. 2254.)

Goéland fait par l'assemblage d'os de morue en Gaspésie, Qué. (*Photo* AFUL, J.-C. D. 2253.)

---

7. Coll. J.-Claude Dupont, doc. ms. 732 et 1117, Inf. Fernand Rioux, 30 ans en 1966, Shippagan, Gloucester, N.-B. et Lauraine LeBlanc, 37 ans en 1967, Moncton, West., N.-B.

Jeu de patience consistant à sculpter dans une seule pièce de bois une chaîne et des animaux en cage, ou un ensemble d'épines à rassembler en couronne. Coll. du Musée acadien de l'Univ. de Moncton. (*Photo* Ronald LeBlanc, CEA. Univ. de Moncton)

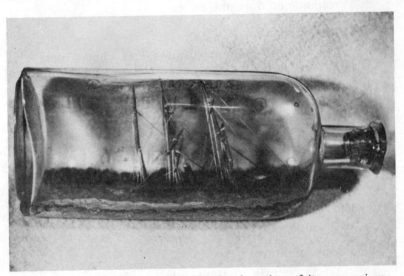

Bateau assemblé dans une bouteille. Jeu de patience fait par monsieur Pierre Arsenault de Baie-Egmont comté de Prince, en 1850. Coll. du Musée historique acadien de Miscouche, Î.P.-É. Dim.: long. 8½ pouces (22 cm). (*Photo* AFUL, J.-C. D. 38.)

Dans un dernier groupe, nous retrouvons les incidents et les faits historiques, des naufrages et autres événements connus du peuple, la Déportation.

À l'été 1969, un relevé des objets ethnographiques conservés dans les musées du Québec, du Nouveau-Brunswick, de la Nouvelle-Écosse et de l'île du Prince-Édouard, nous a porté à considérer avec une attention spéciale les spécimens d'art populaire acadien et nous indiquons ici, par ordre d'importance, les thèmes et sous-thèmes illustrés par ces œuvres.

a) Les personnages religieux

1. le Christ
2. la sainte Famille
3. les anges
4. Marie-Madeleine

b) Les astres

1. le soleil
2. l'étoile
3. la lune

c) Les formes géométriques diverses (damier, *roche roulante* ou diamant, roue)

d) Les animaux

1. les animaux domestiques (coq, cheval, porc)
2. les animaux sauvages (chevreuil surtout, serpent)
3. les oiseaux et les poissons (morue surtout)

e) Les humains

1. les religieux (évêque, missionnaire, curé, religieuse)
2. les hommes (personnages non identifiés, Évangéline, la reine Victoria, les vieux parents, Nicolas Denys)
3. les amuseurs (marionnettes, pantins, masques, guignols)

f) La végétation

1. la fleur (la rose surtout)
2. le trèfle
3. le sapin
4. la couronne végétale

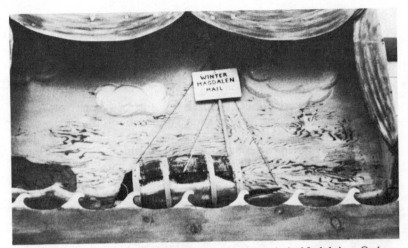

Enseigne du restaurant «Le Ponchon» aux îles de la Madeleine, Qué. L'histoire raconte qu'un hiver durant, les gens des Îles furent privés de moyens de communication avec la terre ferme; pour remédier à cela, on plaça du courrier dans un *ponchon* gréé de voiles et d'un gouvernail et qu'on lança à la mer. (*Photo* AFUL, J.-C. D. 486.)

g) L'habitation et les outils de travail

1. le bateau (souvent gréé de l'ancre et des voiles)
2. la maison
3. les instruments agricoles
4. la chaîne

h) Les croix

1. croix funéraire
2. croix diverses

i) Parties du corps

1. cœur
2. visage
3. main

D. Formes esthétiques ou formes mécaniques

Réponses au besoin de distraction de l'homme, certaines créations esthétiques, dépourvues de toute fonction utilitaire, remisées au fond d'un hangar dès leur naissance par leur auteur, sont plutôt le fruit d'habitudes besogneuses que celui d'une quête profonde du beau. C'est pourquoi, on appelle souvent «jeux de patience» ces formes plus ou moins naïves de l'art populaire. Bien loin de savourer le plaisir esthétique, l'artisan de ce genre d'œuvres éprouve l'orgueil d'avoir tiré une forme complète d'une seule pièce de matériau.

Il s'estime adroit et, montre-t-il son œuvre, il en souligne les difficultés de fabrication (ex. une chaîne articulée, une cage habitée par des animaux mobiles). Du même ordre sont les formes réalisées par l'assemblage de «pièces à clefs», comme la couronne d'épines, la croix ou le bateau monté dans une bouteille. En présentant sa création, l'auteur s'attend à ce que l'observateur souligne les difficultés d'invention du système d'encochage des multiples pièces et le questionne sur les secrets d'assemblage, afin de remonter lui-même la pièce.

L'homme, coupé de son entourage habituel, loin des siens, inactif pendant des heures, tombe dans une sorte de

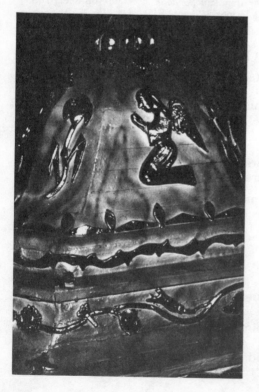

Chérubin et motifs floraux ornant le fond baptismal de l'église de Saint-Martinville en Louisiane. (*Photo* AFUL, J.-C. D. 2574.)

Marie-Madeleine en bois sculpté provenant d'un calvaire de Saint-Anselme, Kent, N.-B. Coll. du Musée acadien de l'Univ. de Moncton. (*Photo* AFUL, J.-C. D. 1024.)

Sculpture de bois représentant un personnage religieux à the LSU Rural Life Museum, Baton Rouge. (*Photo* AFUL, J.-C.D. 2526.)

Gabriel en exil d'après le sculpteur Samuel Davies. (Coll. et *photo* Musée acadien de l'Univ. de Moncton, 69.53.401.)

nostalgie favorable à la création esthétique; privé du plaisir d'utiliser un outil ou de s'activer manuellement pour quelqu'un, il réfléchit, soit dans les camps de bûcherons ou dans la *barque de pêche*, soit, la nuit, à la *cabane à sucre*, en surveillant le feu. N'ayant alors souvent que son canif pour compagnon, l'homme trompe et l'ennui et le sommeil en sculptant le monde intérieur qui peuple sa solitude. Ses sculptures, images de ses rêves, lui procurent une distraction et la joie de la création gratuite auréolée d'un certain merveilleux.

Rivé pendant le jour aux besognes matérielles, le soir, fatigué, l'homme «fait ses nuits». Ses plaisirs viennent moins de la vue du «beau» et d'autres sensations d'ordre spirituel que des réalisations physiques. D'ailleurs, dans la mentalité populaire, on disait, de quelqu'un qui lisait ou s'écoutait ou avisait ou jonglait, qu'il était dérangé.

Outre les périodes d'isolement causées par le genre de travail, la vieillesse et la maladie viennent aussi couper les individus de leurs activités naturelles et favoriser la création de pièces d'art populaire. Du vieillard, on dit alors: il s'occupe, il bordasse; et d'une personne malade: il se chasse les idées, il picosse.

Automate «scieur de bois» fait par monsieur René Caissie âgé de 60 ans en 1971, de Nouvelle, Bonaventure, Qué. (Photo AFUL, J.-C. D. 2227.)

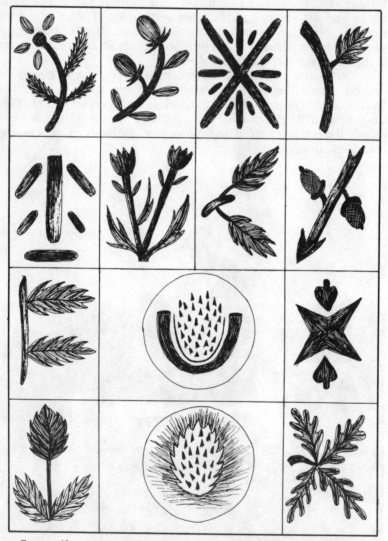

Ces motifs sculptés sur des estampes ou plaques de moule à beurre rappellent pour la plupart des formes végétales.

Gratte-pied à l'entrée du magasin à The LSU Rural Life Museum, Baton Rouge. Il est de fer forgé.

Grille de fer forgé à The LSU Rural Life Museum, Baton Rouge. (*Photo* AFUL, J.-C. D. 2533.)

177

E. L'imagerie populaire et l'art religieux

L'imagerie populaire s'apparente à l'art populaire par son utilisation seulement; elle n'en réunit pas les deux caractéristiques essentielles soit la fabrication et l'utilisation par

Girouette virevoltant continuellement, de quelque côté que vienne le vent, les voiles de chacune des quatre *barques de pêche* étant mobiles. Région de la côte nord du Saint-Laurent, Qué. (*Photo* AFUL, J.-C. D. 185.)

Miniature de la *Goélette des Îles* faisant partie de la coll. de l'abbé Frédéric Landry, Havre-Aubert aux îles de la Madeleine, Qué. Dim.: long. 32 pouces (81 cm). (*Photo* AFUL, J.-C. D. 489.)

178

le peuple. On pourrait la comparer à la «littérature de colportage» très répandue en Europe (mais presque pas en Acadie); dans les deux cas, on propage, sous une forme populaire, des œuvres difficilement accessibles au peuple. Très liée au genre de vie traditionnel, l'imagerie populaire ou «art de colportage» en Acadie, principalement de caractère religieux (les thèmes champêtres et profanes furent plus rares), appartient à l'art populaire en ce sens qu'elle est étroitement associée à la mentalité religieuse et très intégrée au folklore, particulièrement à la littérature orale. On pourrait citer des fabliaux illustrés par les figures apparaissant sur les images. Ainsi, la lithographie représente le menuisier Joseph au moment où il découvre l'égoïne façonnée par le diable pour saboter un de ses couteaux. De son côté la sainte Famille, où se tiennent la Vierge aux mains jointes, Joseph portant une main sur sa poitrine et l'Enfant-Jésus les bras tendus, placé entre eux, montre les parents enseignant à leur fils à toujours dire la vérité. Voici le fabliau:

Marie dit: «Qui a pété?»
Joseph répond: «C'est pas *moé*!»
Jésus reprend: «Cherchez pas, c'est encore *moé*!»

Les colporteurs qui en firent la distribution, surtout sous formes «d'images à encadrer», vendaient aussi des objets religieux comme des statues, des médailles. De la dernière partie du XIXᵉ siècle jusqu'aux années 1940, ces colporteurs avaient développé le troc, échangeant une image de «la bonne mort» ou de «la mauvaise mort» contre un tapis crocheté, ou lacé, ou tressé; ou bien un crucifix ou une statue de plâtre contre une *catalogne* ou une courtepointe. À la fin de leur existence, ces marchands abandonnèrent le commerce des images pour se spécialiser dans la vente et l'échange des linoléums, des nappes de soie, des tapis de Turquie.

Jusqu'aux années 1960, une autre forme de distribution fut celle des ventes à commission. N'importe qui pouvait commander à des maisons spécialisées des quantités d'images qu'il revendait, de porte en porte, dans son village. En retour de cette vente d'images (le même système existait aussi pour la distribution des graines de jardin, de cartes de Noël, de parfum), on recevait en plus d'une légère commission un cadeau consistant en un bracelet-montre ou un bijou. Les magasins Eaton, Simpson et Dupuis répandirent aussi, dans les campagnes, ces images à encadrer[8].

Les religieux furent peut-être les plus grands agents distributeurs d'une imagerie de provenance européenne. Cette imagerie pourrait être qualifiée «d'art de propagande religieuse». Dans les maisons, les gravures du Sacré-Cœur et de la sainte Famille tenaient une place d'honneur: le Sacré-Cœur protégeait la maison, car il a dit: «Je bénirai les maisons où l'image de mon cœur sera exposée et honorée»; l'image de la sainte Famille signifiait l'appartenance à la société de la Sainte-Famille fondée en 1889 par les missionnaires. «Ça coûtait $1.00 pour être membre de la société, et $2.00 pour l'image que l'on devait encadrer[9].»

D'autres images religieuses, de plus petits formats, furent surtout distribuées gratuitement, souvent à titre de récompenses ou de souvenirs, par les communautés religieuses de pères, de sœurs, de frères, spécialisées dans l'enseignement. Les religieuses y ajoutaient parfois une «touche du pays» au moyen de couleur, de dentelle, de fil. Les institutrices rurales se procuraient ces petites images auprès des distributeurs (souvent encore des communautés religieuses) et les propageaient de leur côté.

L'art religieux des églises et des communautés acadiennes n'a pas encore fait l'objet de recherches poussées. À première vue, cet art semble avoir été moins conservé qu'au Québec. Cependant les pièces que nous avons examinées, dans les musées acadiens, nous ont paru assez semblables à celles du Québec. Certains spécimens, dont quelques-uns sont conservés au Musée acadien de l'Université de Moncton, seraient l'œuvre de sculpteurs connus ailleurs au Canada français. Selon la tradition orale, des pièces proviendraient les unes de la province de Québec et les autres de la France. L'abbé Louis-Joseph Desjardins, curé à la baie des Chaleurs de 1795 à 1801 et résidant par la suite à Québec jusqu'en 1848, faisait la tournée des églises de Québec et de la banlieue et il récupérait, pour les fabriques acadiennes, des statues, des chaires, des tableaux, des vases et des ornements sacrés. C'est ainsi que les chapelles et églises de Shippagan, Caraquet, Pokemouche, Tracadie,

---

8. *The 1901 Editions of the T. Eaton Co. Limited Catalogues,* (Spring and Summer, Fall and Winter), pp. 242-243.
9. Mme Mélanie Arsenault, 84 ans en 1973, Saint-Chrysostome, Prince, Î. P.-É.

La Vierge et l'Enfant au Globe. Haut. 17 pouces (43,5 cm).
Le piédestal octogonal est décoré d'un médaillon perlé à la
façon d'un reliquaire. Cette statue de bois est semblable à
celle conservée à Odanak et que Marius Barbeau date du
commencement du XVIIIᵉ siècle dans *Trésor des anciens
jésuites,* p. 174. (Coll. et *photo* Musée acadien de l'Univ.
de Moncton, X.X. 318.)

Statues en bois qui ornaient l'autel de l'ancienne chapelle du collège Saint-Joseph à Memramcook, N.-B. Don de la Congrégation de Sainte-Croix. (Coll. et *photo* Musée acadien de l'Univ. de Moncton, 66.7.24.)

Saint Antoine l'Ermite au milieu des animaux de la ferme. Coll. privée. (*Photo* AFUL, J.-C. D. 175.)

Grand chandelier en bois sculpté. La tige et le pied sont ornés de feuilles d'acanthe, de festons et de rosaces. Coll. Musée acadien, Univ. de Moncton. (*Photo* AFUL, J.-C. D. 1033.)

Grande-Anse, Népisiguit, entre autres, auraient été dotées d'ornements[10].

Sœur Anne-Marie Langevin, 53 ans en 1967, de Moncton, Nouveau-Brunswick, affirme que l'église du petit village de Johnstown, au Cap-Breton, construite depuis une centaine d'années, posséderait un ancien autel sculpté en

---

10. *Notes de l'abbé Ernest Cyr,* archiviste, conservées aux archives de l'évêché de Bathurst, N.-B., citées par Donat Robichaud, *op. cit.,* pp. 74-75.

France et transporté à Louisbourg durant l'occupation française. Cet autel, assemblé sans clou, constitué de petites sections mortaisées, se démontait facilement. Lors du siège de Louisbourg, l'autel en question désassemblé, caché dans les bois, y serait demeuré jusqu'à ce que des missionnaires le remettent aux Indiens micmacs qui s'étaient construit une petite chapelle sur une île du lac Bras d'Or au Cap-Breton. Ces Indiens auraient par la suite donné ce même autel aux Acadiens de Johnstown.

F.   L'art populaire de curiosités

Une autre forme d'art, que l'on étudie aux États-Unis sous le titre de «*grass pop-art*», art populaire des parterres, comprend deux genres. Le premier, que je désignerais sous le titre «d'art de récupération» est basé sur le collectage et la récupération d'objets sans valeur. À titre d'exemples, mentionnons des formes reconstituées au moyen de capsules de bouteilles d'eau gazeuse, d'écailles d'huîtres diverses, de contenants de plastique, de vieux pneus d'automobiles, de bobines vides de fil à coudre. En Acadie, on a souvent façonné de grands chapelets de parterre en utilisant des flotteurs de pêche, boules de verre, ou des pierres, tenant lieu de grains.

Aux îles de la Madeleine des coquillages teints remplaçaient les perles pour la fabrication des colliers[11]; tandis que des écailles d'huîtres, souvent peintes, marquent d'une forme religieuse l'emplacement de la fosse d'un disparu. Une riche écaille servait aussi de patène à l'église, ou encore se transformait en léger sac à main pour amuser les fillettes.

Le second groupe s'apparente à un «art de ressemblance»; l'habileté consiste à créer des formes décoratives à partir d'objets offrant des ressemblances avec des êtres ou des choses. Cet «art», dans la majorité des cas, véhicule la superstition lorsqu'on prétend, par exemple, que la chance suit le possesseur de coccinelles tirées de cailloux peints. Souvent constituées de parties d'arbres, telles des racines, des troncs, des souches, les décorations proviennent aussi de pierres, de panaches de chevreuil.

---

11. Anselme Chiasson, *La vie populaire des Madelinots*, CEA, Univ. de Moncton, 1966, man., p. 7.

L'avantage des deux genres de création décrits consiste dans le fait que, dépourvus de finalité propre, les objets ainsi créés se transforment au rythme des découvertes de l'auteur. Ce dernier souvent façonne des formes épouvantables, reconstitue un monde d'horreur, parfois même en mouvement, comme s'il voulait inventer le «mouvement perpétuel»; il recrée aussi, plus rarement, un souvenir nostalgique, un monde ou un coin de nature aimé.

«L'art populaire de ressemblance» présente, de plus, une galerie de figures naturelles offrant des similitudes avec des formes réelles; le groupe s'appellerait très bien «art populaire naturel» et il se compose surtout de structures complètes appartenant à la botanique et à la zoologie. Par exemple, d'après la tradition orale, la «petite Notre-Dame-du-Rosaire» est découpée dans une partie du cartilage de la tête du homard, deux anges minuscules accompagnent cette Vierge[12]. Ailleurs, la tête de la sainte Vierge émerge d'une fleur de violette ou d'un grain de blé. Les dessins

Étoile encerclée dans un chapelet de pierres plates à Saint-Louis de Kent, N.-B. (*Photo* AFUL, J.-C. D. 2603.)

---

12.   J.-Claude Dupont, *Héritage d'Acadie*, p. 89.

Coccinelles fabriquées de pierres peintes. Elles apporteraient la chance. (*Photo* AFUL, J.-C. D. 2644.)

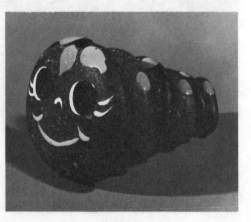

Chenille constituée par un ensemble de petites pierres disposées en ordre croissant de grandeur. (*Photo* AFUL, J.-C. D. 2648.)

Souche de *bois de mer* surmontée d'un petit phare servant à décorer une cour de maison à Cap-Pelé, West., au N.-B. (*Photo* AFUL, J.-C. D. 2337.)

Fleurs constituées de parties de paniers d'œuf vides chez les Acadiens de la Beauce au Québec. (*Photo* AFUL, J.-C. D. 2647.)

187

Fleurs de lys et colombes de la paix sur un coquillage appelé *dollar de sable*. (*Photo* AFUL, J.-C. D. 2649.)

qui ornent les deux côtés du *dollar de sable,* coquillage de forme circulaire plate, seraient les suivants: d'un côté, la fleur de lys pascal dont le centre renferme l'étoile de Bethléem et de l'autre, la poinsettie. De plus, ce coquillage, ouvert, découvre à l'intérieur cinq petits oiseaux, soit des colombes de la paix; les ornements de ce *coquillage du Saint-Esprit* symbolisent, selon l'ordre dans lequel nous venons de les présenter: la résurrection, la naissance et le crucifiement du Christ[13].

Le crabe tourné sur le dos est un violon sur lequel les enfants de la grève chantonnent un air de musique tout en frottant un bâton (l'archet) sur le ventre du crustacé alors que la bête en se débattant agite les pattes à la façon des doigts du violoneux[14].

---

13. Communication faite par madame Thérèse Métayer de Lac-Saint-Charles, Québec, qui entendit cette version aux îles de la Madeleine à l'été 1977.
14. Donat Robichaud, *op. cit.*, p. 22.

QUATRIÈME PARTIE

Habillement et lingerie

A. Le costume traditionnel

Le costume folklorique féminin, souvent reconstitué sur des peintures d'Évangéline, présente l'Acadienne coiffée d'un bonnet et d'un tablier blanc, d'une jupe bleue, d'un chemisier rouge (parfois blanc) et d'une petite veste noire à pointes. Ce costume rappelle les couleurs françaises: le bleu, le blanc et le rouge.

Les modèles de vêtements varient selon l'usage et la région; dans les chorales et dans certains restaurants, où l'on exploite cet attrait touristique, les jeunes filles portent un tablier blanc à la taille, un chemisier blanc (parfois rouge) à manches trois quarts et une petite veste rouge (parfois noire) lacée et sans manche. Le personnel féminin du restaurant l'Acayen, de Saint-Louis de Kent, au Nouveau-Brunswick, a adapté le costume préparé par des professeurs de sciences domestiques de l'Université de Moncton, d'après celui historiquement reconstitué par la regrettée Madeleine Doyon-Ferland[1]: un petit bonnet blanc remplace la *coiffe à capuchon,* et le grand tablier blanc à larges bretelles s'est transformé en un tablier à bavette retenu à la poitrine par des épingles au lieu d'épines de l'aubépine.

Le jeune homme porte presque toujours le pantalon bleu, la chemise blanche à manches bouffantes et le foulard rouge noué au cou.

En 1962, les travaux d'une équipe de recherchistes sur le costume acadien confirmaient la prédominance des couleurs blanche, rouge et bleue, aux XVIIIe et XIXe siècles[2].

---

1. *Le costume acadien,* Mélusine enr. (poupée habillée du costume historique). Québec, Archives de folklore, CÉLAT, Université Laval.
2. Mme Roméo Savoie, «Le costume acadien», *La Société historique acadienne,* 2e cahier, 1962, pp. 71 à 75. D'importantes recherches historiques ont été menées au Village historique acadien de Caraquet par Jeanne Arsenault en vue de reconstituer le costume traditionnel.
   — Pour le XVIIIe siècle, voir l'étude de Monique Lagrenade, *Le costume civil à Louisbourg 1713-58* (le costume féminin) travail inédit n° 38, 1971, man., 118 p.

Costume porté le 15 août 1955, à baie Sainte-Marie, Digby, N.-É., pour commémorer le bicentenaire de la Déportation des Acadiens. «Les Danseurs Acadiens», un groupe du même endroit, portent maintenant ce costume historique. (*Photo* du Centre acadien de l'Univ. Sainte-Anne, Pointe-de-l'Église, N.-É.)

Pascal Poirier nous a donné, en 1928, une description assez complète du costume acadien traditionnel:

> Par-dessus le *cotillon,* il y avait la *cotte,* bien plissée à la ceinture, avec une *mégaillère* (...); et, attaché, ou boutonné à la *cotte,* le *mantelet,* qui recouvre l'*échine* jusqu'au *cagouet.* Le *mantelet* s'échancrait par-devant, depuis le haut des *jabots* jusqu'aux épaules, jusqu'à la *gorge*; mais sans qu'il en résultât la plus légère indiscrétion dont aurait pu s'alarmer la pudeur. Au-dessous du *mantelet,* une chemisette bien blanche recouvrait l'*estomac* et, sur la chemisette, dans l'échancrure, était posé un élégant *mouchouer* de soie. Aussi bien que les hommes, les femmes s'habillaient d'*étoffe du pays*; mais, étant femmes, elles aimaient de préférence, quand elles pouvaient s'en procurer, quelque chose de plus élégant: de l'*indienne à carreaux, barrée* ou *picotée;* du *bombette* et surtout de la soie. Elles portaient presque toujours une petite croix d'or, ou d'argent, suspendue au cou. Pour les pauvres, c'était une *médalle* (...).

Fermière des îles de la Madeleine, portant une *capeline* de toile, une *matinée* de fine droguette quadrillée et une jupe d'étoffe. Photographie prise vers 1930 à Havre-Aubert, îles de la Madeleine, Qué. (Edwin Smith, *op. cit.*, p. 344.)

Femme et enfant à la recherche de palourdes sur les grèves à marée basse. Noter la grande *capine* servant à protéger des rayons du soleil. Photographie montrant le costume féminin de l'époque prise vers 1930 à Havre-Aubert, îles de la Madeleine, Qué. (Edwin Smith, *op. cit.*, p. 334.)

Mère de famille et ses enfants en costume d'époque vers 1930. Le garçonnet porte la robe et il est coiffé d'un petit chapeau de paille de fabrication domestique. La mère et ses filles portent la *coiffe* paysanne. (Edwin Smith, *op. cit.*, p. 343.)

Pour coiffure elles mettaient, quand elles sortaient, un *mouchouer*, de couleur plutôt sévère. Mais, à la maison, quand elles n'étaient pas en cheveux, c'était, pour les jeunes, une jolie *coueffe à capuchon*, ou à la *brêche*. Pour les plus vieilles, une *câline*, noire ou blanche, ou un béguin. Le *fion* c'était d'avoir des *pendoreilles;* mais toutes n'en portaient pas. L'hiver, quand elles sortaient, elles mettaient un *faituchon* (…)

Moins compliqué encore que celui des femmes, le vêtement des hommes:

des *culottes à clapet*, ou *à braguette,* une chemise en toile écrue; une *veste*, un *frac,* l'été; un *capot* l'hiver; une *cape,* en toute saison. Il y avait aussi la *bougrine* pour les mauvais temps[3].

À propos de l'habillement traditionnel de la fin du XIXe siècle, en Nouvelle-Écosse, Dudley-J. LeBlanc mentionne, au sujet du costume masculin, le «veston rond, court, les pantalons à la cheville, les bas de laine tricotés», toutes des pièces confectionnées à la maison et teintes en bleu «dans la même cuve». Ils portent des mocassins et une «sorte de casquette ronde en fourrure ou en drap». La toilette des femmes se résume en une «blouse qui descend plus bas que la taille et d'une jupe, les deux d'étoffe grossière, domestique, à rayures bleues et blanches, des bas bleus (…)» Les gamins sont vêtus «d'étoffe rayée et portent un bonnet tricoté rouge[4]».

Lauvrière, pour la même période, signale des traits semblables et le goût prononcé pour les sombres droguets; mais il rapporte un élément complémentaire, celui des fils rouges arrachés à des étoffes anglaises et servant à décorer le costume acadien. Selon le même auteur, les Acadiens usent de fourrures d'ours, de castor, de renard, de loutre et de martre, pour compléter leur tenue[5].

Au début du siècle, selon J.-Médard Léger:

Les femmes portaient la *cotte, cotillon,* et la mantille ou *mantelet* et pour les grandes fêtes ou visites se couvraient parfois la tête d'une coiffure de paille, plutôt de forme allongée, elliptique et couverte d'un peu de dentelle[6].

3. Pascal Poirier, *Le Parler franco-acadien et ses origines*, pp. 222 à 225.
4. *Op. cit.,* p. 142.
5. Émile Lauvrière, *op. cit.,* p. 183.
6. «Miettes d'histoire sur Caraquet» *L'Évangéline,* 3 mai 1953, p. 16.

Câline ayant passé par cinq générations de Saulnier. (Coll. et *photo* Musée acadien de l'Univ. de Moncton, 66.65.229.)

Capeline de coton bordée de dentelle; fait partie des coll. du Musée acadien de l'Univ. de Moncton. (*Photo* AFUL, J.-C. D. 999.)

Capeline et châle de laine; fait partie des coll. du Musée acadien de l'Univ. de Moncton. (*Photo* AFUL, J.-C. D. 1002.)

Collet de fine dentelle; fixé au moyen d'épingles, on l'utilisait sur plus d'une robe. Don de la famille Adolphe-T. LeBlanc de Richibouctou, Kent, N.-B. (Coll. et *photo* Musée acadien de l'Univ. de Moncton, 72.10.57a)

Collet de même type que le précédent, et originant de la même famille. (Coll. et *photo* Musée acadien de l'Univ. de Moncton, 72.10.57b)

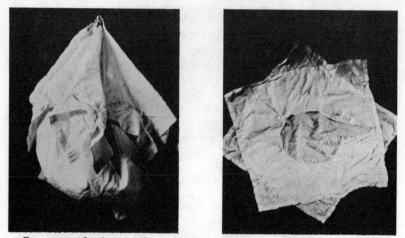

Bourse confectionnée dans deux mouchoirs de toile fine. Coll. du Musée de la Mer de Havre-Aubert, îles de la Madeleine, Qué. (*Photos* AFUL, J.-C. D. 477 et 487.)

En Acadie, comme au Québec, très peu de pièces de costume ancien ont été conservées. Lors de recherches sur le terrain et de visites dans les musées acadiens, nous avons cependant examiné quelques spécimens. Signalons des *capelines* de laine tricotées au crochet. Ces bonnets, souvent accompagnés d'un châle de même lainage, descendaient sur le cou et se resserraient sous le menton au moyen d'une cordelette ornée d'un gland. Des chapeaux de forme semblable taillés dans l'indienne de couleur et décorés de frisons, rubans et plissés, se terminaient par un large rabat couvrant les épaules.

Le Musée acadien de l'Université de Moncton conserve différents bonnets de coton semblables aux béguins de jeunes enfants et ayant servi de coiffures féminines. De même, le Musée de la Mer, à Havre-Aubert, aux îles de la Madeleine, possède des sacs à main anciens de couleurs et de tissus variés.

Les informateurs ont souvent décrit le *calotta*, chapeau porté par les femmes lorsqu'elles allaient travailler aux champs ou sur la grève à préparer le poisson; il consistait en une calotte complétée d'un large rebord protégeant des rayons du soleil. Deux légères lattes de bois fixées au rebord et rassemblées au-dessus du front retombaient sur les épaules en se prolongeant; ce qui retenait droit le rebord avant du chapeau[7]. Un chapeau semblable, le *sawest,* confectionné au moment de le porter, couvrait la tête des pêcheurs préparant le poisson, sur la grève. Confectionné à la manière du *calotta,* ce chapeau consistait en des rameaux de sapin réunis.

Sur des photographies datant des années 1865 et conservées au Musée historique acadien de Miscouche, à l'île du Prince-Édouard, des femmes portent le long costume sombre des religieuses d'avant les années 1950; on y remarque même la collerette pointue descendant jusqu'à la ceinture. Les vêtements, d'ordinaire, se confectionnaient dans les étoffes et les toiles de fabrication domestique:

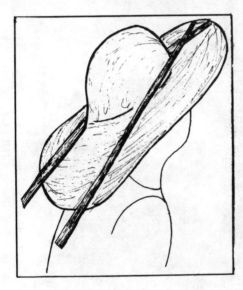

Calotta. Reconstitution d'après les renseignements donnés par monsieur Sylvain Landry, âgé de 78 ans en 1973, de Cap-Pelé, West., N.-B.

Les femmes s'occupaient à carder, à filer et à tisser la laine, le lin et le chanvre, que le pays fournissait en abondance.
Ces objets, avec les fourrures (...) leur donnaient non seulement le confort; mais bien souvent de très jolis vêtements[8].

7. Sylvain Landry, 78 ans en 1973, Cap-Pelé, West., N.-B.
8. J.-Henri Blanchard, *Rustico, une paroisse acadienne de l'Île du Prince-Édouard,* p. 15.

Jean Desroches et son épouse Marie-Barbe (Babé) Poirier, de la région de Miscouche, vers 1875. Coll. du Musée historique acadien de Miscouche, Î.P.-É. (*Photo AFUL, J.-C. D. 2651.*)

En 1815, une aquarelle, signée Vidal, peint sur la rivière Saint-Jean des hommes portant la ceinture fléchée[9]; celle-ci, «tricotée et décorée de couleurs vives», se remarquait aussi dans le sud du Nouveau-Brunswick, vers 1800[10].

Au Québec, c'est dans les régions acadiennes que la ceinture fléchée est davantage représentée; de nos jours, on reconnaît même les motifs (de ceinture) dits «Achigan» et «Assomption».

Costume féminin du XIXe siècle. Photographie de madame Jean Gallant née Françoise Arsenault de Mont-Carmel, Prince, Î. P.-É.; elle décéda en 1907 à l'âge de 102 ans. Coll. du Musée historique acadien de Miscouche, Î. P.-É. (*Photo* AFUL, J.-C. D. 170.)

Selon la tradition, les couleurs étaient obtenues au moyen de teintures domestiques. Parmi les procédés de fabrication de teintures à base végétale, mentionnons le brun provenant de l'écorce de *haricot* ou d'aulne; le jaune, tiré de la pelure d'oignon ou de feuilles de thé; et le rose, fourni par le jus de betterave. Pour fixer ces couleurs, on faisait

---

9. *Travelling on the River St. John*, February 1815, Vidal Watercolor, Webster # 6798, The New Brunswick Museum St. John, N.-B.
10. J.-Rodolphe Bourque, «Gros Jean du Ruisseau des Renards» *La Société historique acadienne,* 2e cahier, 1962, p. 40.

bouillir le tissu pendant une demi-heure dans de l'eau additionnée de mordants, tels l'alun, le vinaigre, le sel ou l'urine[11].

Au XIXᵉ siècle, si les femmes pouvaient préparer assez facilement des teintures comme le vert, le bleu et le noir, il n'en était pas ainsi du rouge, ornement de leurs robes et de leurs manteaux; pour obtenir cette couleur, elles achetaient des étoffes anglaises qu'elles réduisaient d'abord en charpie, ensuite, elles les cardaient, filaient et tissaient[12].

Costumes de la fin du XIXᵉ siècle. Sophie Gallant et son époux, Hubert Gaudet de Miscouche, Prince, Î.P.-É. Coll. du Musée historique acadien de Miscouche, Î.P.-É. (*Photo* AFUL, J.-C. D. 2652.)

B. L'étoffe de laine

Grâce à l'élevage des moutons, la plupart des familles produisaient la laine nécessaire à l'habillement. Tôt le printemps, on procédait à la tonte des bêtes en couchant l'animal sur une table rudimentaire, souvent une fausse-porte d'étable retirée de ses gonds et posée sur des tréteaux. Le mouton, retenu par une planchette encochée lui passant sur le cou, était tondu au moyen de forces. La tonte était d'abord étendue sur les clôtures ou sur la neige après avoir été barattée et les femmes l'*écharpillaient* ensuite en la défaisant en charpie. Au moyen d'écardes manuelles, la laine était transformée en boudins pour être ensuite filée.

---

11. Plusieurs informateurs connaissaient des procédés de teinture: Mᵐᵉ Mélanie Arsenault, 84 ans en 1973, Saint-Chrysostome, Prince Î. P.-É.; Mᵐᵉ Henri Schofield, 81 ans en 1966, îles de la Madeleine, Qué.; M. Vital Landry, 85 ans en 1967, Memramcook, West., N.-B. et M. Narcisse LeBlanc, 79 ans en 1966, du même endroit.
12. Antoine Bernard, *Le drame acadien depuis 1604*, p. 152; — H.-R. Casgrain, *Un pèlerinage au pays d'Évangéline*, p. 116.

Quand les femmes voulaient carder la laine, à peu près toutes les femmes du village se réunissaient pour faire l'ouvrage ensemble. Une fois la besogne finie, il y avait une soirée où l'on servait un souper et où l'on dansait des quadrilles[13].

Ces besognes s'accompagnaient de chansons à fouler, ainsi que de chansons de fileuses. Une version de ces poésies populaires, *Mariez-moi ma petite maman,* se chante ainsi:

Mariez-moi ma petite maman,
Car je veux me mettre en ménage.
Voilà bientôt que j'arrive à vingt ans,
Vous voyez que c'est le bon âge,
Toujours filer, toujours virer,
C'est un métier qui me fait ennuyer.
Maman, si vous ne me mariez pas,   } (bis)
Non, non, je ne filerai pas.

Taisez-vous ma fille, finissez vos discours,
Oseriez-vous parler de la sorte?
Attendez donc que vous ayez trente ans,
Vous êtes encore une sotte,
Fuyez, fuyez, ma bonne enfant,
Fuyez, fuyez, ce jeune amant.
Maman, si vous ne me mariez pas,   } (bis)
Non, non, je ne filerai pas.

Si à vingt ans je ne suis pas mariée,
Je vous le dis ma mère,
Je voudrais que mon rouet fût brûlé,
En cendre et en poussière,
Et ma quenouille sur le tison,
Réduite en cendre et en charbon.
Maman, si vous ne me mariez pas,   } (bis)
Non, non, je ne filerai pas.

Mais prends-le donc puisqu'il est de ton goût,
Mais finis donc au plus vite.
Tu verras quand tu seras mariée,
Que tu fileras ma petite,
Car en ménage pour être heureux,
Il faut que chacun travaille de son mieux.
Maman, si vous ne me mariez pas,   } (bis)
Non, non, je ne filerai pas.

La belle fillette rencontra son amant,
Et lui raconta l'histoire.
Marions-nous donc vite maintenant,
J'ai fait consentir ma mère.

13. Angela Cormier, 20 ans en 1966, Moncton, West., N.-B.

Le beau galant pour la récompenser,
Lui donne pour gage un doux baiser.
Marions-nous, soyons heureux,
Après tu fileras si tu veux[14]. } (bis)

Travouil muni d'un arbre à cames émettant un bruit de déclic à tous les quarante tours. Coll. privée. (*Photo* AFUL, J.-C. D. 429.)

---

14. Coll. J.-Claude Dupont, doc. ms. 9004, Inf. Mme Thomas (Zelma) LeBlanc, 82 ans en 1973, Belliveau Village, West., N.-B.

Travouil à main. (Coll. et *photo* Musée acadien de l'Univ. de Moncton, 67.39. 209.)

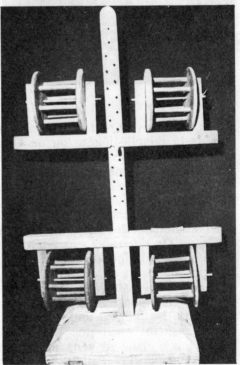

Dévidoir à cages d'écureuil. (Coll. et *photo* Musée acadien de l'Univ. de Moncton, 69.111.678.)

Cannelier de bois actionné
à la main; il sert à remplir
les *fuseaux* de coton pour
ourdir. Coll. de l'auteur.
(*Photo* AFUL, J.-C. D. 88.)

Le tissage au métier de basse lisse était de deux types:
soit de la flanelle légère ou de l'étoffe à fouler (croisée ou
chevronnée). L'une et l'autre confectionnaient des vêtements
tant masculins que féminins. Le métier à tisser, meuble
courant dans toutes les familles, tissait la laine, le coton ou le
lin. Lorsqu'une pièce de lainage terminée, on voulait confectionner des vêtements chauds et durables, généralement
des pantalons et des *capots* pour les hommes, il fallait d'abord
la fouler. On cite deux procédés, selon la tradition régionale
ou familiale; on foulait sur une table ou dans un foulon. Ce
dernier consistait en une grande auge en bois de bouleau de
sept à huit pieds (2,1 à 2,4 m) de longueur, remplie d'eau
chaude savonneuse souvent additionnée de bourgeons de
peupliers. La pièce à fouler était réunie par ses deux extrémités, formant ainsi une lisière continue que l'on plaçait
dans l'auge, dans le sens de la longueur. Deux baguettes
de bois introduites dans la bande circulaire de tissu étaient

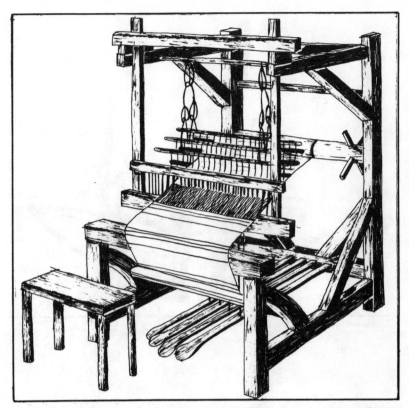

Métier à potence de tradition acadienne. (D'après une photographie fournie par Provincial Archives of Nova Scotia, Halifax.)

maintenues à chacun des bouts de l'auge par des hommes qui imprimaient à la pièce un mouvement continuel de va-et-vient. Deux ou trois personnes, placées de chaque côté de l'auge, frappaient à tour de rôle sur l'étoffe, au moyen de mailloches de bois ou de pilons que l'on nommait *demoiselles*. Des chansons folkloriques rythmées accompagnaient le travail et maintenaient l'activité des frappeurs. On foulait généralement en corvées connues sous le nom de *fouleries*.

Le foulage sur table se pratiquait sur un plateau de bois complété de rebords et rempli d'eau savonneuse. Des hommes placés à chacun des bouts de la table tournaient la bande d'étoffe selon le procédé décrit plus haut et des batteurs munis de mailloches se plaçaient de chaque côté de

Auge et maillets à fouler l'étoffe. *Dessin* d'après des informateurs.

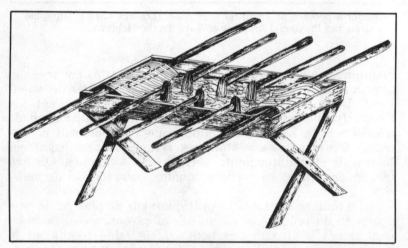

Table à fouler l'étoffe. Les outils sont représentés selon leur fonction lors du foulage. *Dessin* d'après des informateurs.

210

cette table. Parfois, pour se «donner du cœur à l'ouvrage», lorsqu'on foulait sur une table, les femmes se plaçaient d'un côté et les hommes de l'autre. Monsieur Pierrot Haché, âgé de 78 ans en 1953, de Le Goulet, Shippagan, au Nouveau-Brunswick, désigne par les expressions *à la mailloche* le foulage dans l'auge, et *à la retarde* ou *à recul,* le foulage sur table. Cet informateur ajoute que la *broue* volait jusqu'au plafond lorsqu'on foulait sur une table, et que lorsqu'on utilisait le *foulon,* ce dernier appartenait à la paroisse. Il faut surtout ne pas entrechoquer les mailloches lors du foulage; puisque cette manœuvre aurait pour effet de couper ou de briser l'étoffe [15]. Voici ce qu'en dit un auteur:

> (...) les filles se plaçaient d'un côté, les garçons de l'autre; et (...) du matin au soir on travaillait l'étoffe comme du drap anglais. Inutile de dire qu'on ne gardait pas un silence monacal et qu'on n'avait pas toujours les yeux modestement baissés dans l'auge. C'était l'occasion où les amoureux se déclaraient leur feu [16].

Botte de lin. (*Photo* de l'Office provincial de publicité du Québec, 5054.)

---

15. Coll. Dominique Gauthier, doc. son. G356, AFUL.
16. Paul Hubert, *op. cit.,* p. 170.

211

Couette de filasse de lin. *(Photo* AFUL, J.-C. D. 2454.)

C. La toile de lin

« Le lin, quand c'est levé sur le champ, c'est bleu et ça ressemble à la mer, il n'y a rien de plus beau», de dire monsieur Joseph Gallant, âgé de 72 ans en 1973, de Grande-Digue, au Nouveau-Brunswick. Le lin semé au printemps était arraché en septembre après la récolte du foin[17]. Une fois cueillies, les tiges étaient étendues durant trois semaines sur le *réjain,* pousse naissant à la racine d'herbe fraîchement coupée. Par la suite, elles étaient amassées en *fagots amarrés* avec du fil de vieilles seines, puis étendues dans l'aire de la grange où on les détachait. Les tiges de lin étaient alors battues au *fleau* sur des madriers espacés de quelques lignes et placés sur des toiles ou des couvertures pour récupérer la graine qui se détachait. Celle-ci, une fois passée au van, était séparée de la *gapaille* qui partait au vent. Sur des baguettes de bois plantées en terre, on fixait horizontalement plusieurs petites perches de bois sur lesquelles étaient étendues les tiges de lin. Le feu allumé sous ce tréteau rouissait les tiges et dégageait les fibres végétales. Des hommes restaient auprès de ce feu pour surveiller la chaleur qui s'en dégageait et pour arroser, au besoin, le brasier.

---

17. Mme Dosithée Gaudet, 88 ans en 1973, Barachois, West., N.-B.

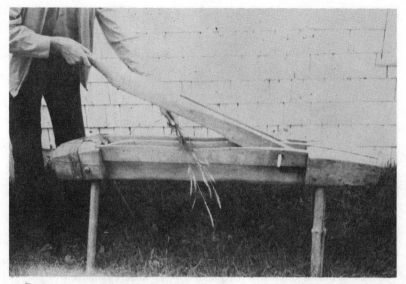

Braie servant à broyer les tiges de lin. Coll. de monsieur Adolphe LeBlanc, 94 ans en 1973, de Memramcook, West., N.-B. (*Photo* Camille A. LeBlanc, Moncton.)

Par la suite, au moyen d'une *braie* on procédait au *brayage* du lin[18]. La broie consiste en un chevalet dont la surface est constituée d'une série de trois lamelles de bois sur lesquelles vient se rabattre un levier ayant pour effet de briser les tiges séchées lors du rouissage. Ensuite, au moyen d'un couteau de bois, *l'écochoué,* on frappe sur les tiges pour détacher ce qui reste d'écorce. Puis les fibres doivent être passées dans un peigne à filasse. Cet instrument, muni de longues dents de bois ou de fer forgé, récupère l'étoupe grossière. Une couette de filasse d'une demi-verge (45 cm) de longueur reste dans la main lors du peignage; elle est nouée et placée dans un coffre. Plus tard, pendant l'hiver, l'artisane défait de temps en temps des couettes de filasse et en distribue uniformément les brins sur une quenouille qu'elle place à sa ceinture au moment du filage. Parfois, cette étape n'existait pas; la fileuse posait la couette de filasse dans son tablier et elle tirait des brins au moment de les filer.

18. A. T. Bourque, *Chez les anciens Acadiens,* p. 39.

Peigne à filasse. Coll. privée. (*Photo* AFUL, Robert Lahaise 417.)

Godets de bois et de fer-blanc d'approximativement 15 pouces (38 cm) servant à se tremper les doigts lors du filage du lin.

214

Les fibres de lin sont rudes et ne s'assemblent pas facilement quand on veut les filer; pour réussir ce procédé, il faut *lisser* le lin, c'est-à-dire se mouiller constamment les doigts lorsqu'on le file; si le rouet n'est pas muni d'un *godet*, la fileuse place un petit plat d'eau entre ses genoux. Le *godet* de bois, plus ancien, fut remplacé par celui de fer-blanc. Les anciens rouets n'étaient pas munis d'un *fuseau* à ailettes comme le sont les rouets nouveaux; la technique consistait plutôt dans l'enroulement de la laine ou du lin à filer sur une longue tige de fer rapetissant légèrement en allant vers la fileuse, ce qui produisait un effet de torsion.

Grand rouet à filer debout et qu'on actionne au doigt. Don de la famille Joseph à Moïse Gaudet de Saint-Joseph de Memramcook, West., N.-B. (Coll. et *photo* Musée acadien de l'Univ. de Moncton, 42.21.47.)

L'étape suivante, tout comme pour la laine, consistait en la mise du fil en fusée sur un *travouil*. Comme le lin ne peut être tricoté, on devait ensuite dévider la fusée pour en constituer les fils de chaîne de la prochaine pièce à tisser, ou pour remplir les cannelles qui constituaient la trame du tissu.

215

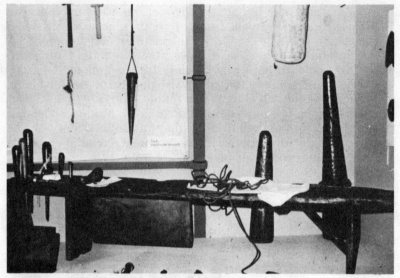

Banc et outils de voilerie. Coll. du New Brunswick Museum à St-Jean. (*Photo* AFUL, J.-C. D. 1041.)

Madame Alice Auffrey, âgée de 82 ans en 1973, de Pré-d'en-Haut, au Nouveau-Brunswick, terminait sa description de la technologie traditionnelle du lin en mentionnant que de l'arrachage jusqu'au broyage, le travail se faisait en plusieurs corvées et que chacune d'elles donnait lieu à une fête où l'on chantait, mangeait, jouait des tours et dansait.

Au début du XXe siècle, entre autres usages, le lin tissé constituait les toiles d'embarcation de pêche; mais nos informateurs ont surtout mentionné que la toile de lin remplaçait le coton dans la confection d'enveloppes de matelas, de tabliers, de nappes, de robes, d'essuie-mains, de sous-vêtements, d'essuie-vaisselle. Selon monsieur Adolphe LeBlanc, âgé de 94 ans en 1973, de Memramcook, Nouveau-Brunswick, on échangeait parfois au magasin de la toile de lin contre de l'indienne, de la serge ou du *coton jaune*. Un peu partout en Acadie, des marchands et des colporteurs troquaient le matériel manufacturé contre des pièces de fabrication domestique. À la fin du XIXe siècle, des annonces comme la suivante sont communes:

Le marchand O. M. Melanson de Shediac, marchand de robes, drap, chemises, *capots,* chaussures, etc. (...) donne toujours 10% de rabais si on paie *cash,* (...) et échangera

216

de la marchandise pour 200 douzaines de paires de chaussons et de mitaines[19].

Les Acadiennes louisianaises ont surtout filé du *coton jaune* avec lequel elles tissaient des couvertures qu'elles décoraient ensuite.

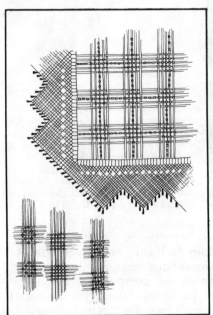

La *boutonnée* est une couverture de coton blanc décorée de motifs créés en tirant au crochet ou à la broche des brins de *coton jaune* sur la trame de coton blanc. Ici, plusieurs motifs géométriques simples ont été regroupés. (*Dessin* d'après Robert E. Smith, «Acadian Weaving», *Louisiana French Furnishings, 1700-1830*, pp. 42, 47, 49.)

D. Le chanvre

Avant l'arrivée des habits de pêche à base de caoutchouc, les pêcheurs préparaient eux-mêmes le *calicot*, tissu de chanvre (parfois aussi de jute) qu'on imperméabilisait en le trempant à plusieurs reprises dans l'huile de lin. Entre chacun des trempages, le tissu était séché au soleil.

Dans les descriptions que l'on fait des pièces du costume de pêche, au XIXe siècle, on dira que l'homme «*wears an old tarpaulin hat, (...) tarry canvas trousers (...)*[20]». Le chanvre pousse rapidement et atteint six à sept pieds (1,8 à 2,1 m)

---

19. Anonyme, *Le Moniteur acadien,* mardi 17 février 1891, p. 2.
20. Frederic S. Cozzens, *Acadia or a Month With the Blue Noses,* p. 39.

Madame Ambroise LeBlanc de Lafayette en Louisiane (âgée de 82 ans
en 1975) file du *coton jaune* à la
manière de ses aïeules dont elle a
conservé le rouet. Les contenants
sont des calebasses tirées de cale-
bassiers «qui poussent *farouches*».
(*Photo* AFUL, J.-C. D. 2558.)

de hauteur au moment de la récolte. Si on laisse la tige
monter à la graine, il se resème de lui-même. En Acadie, on
le cultivait dans des marais desséchés mais humides et abrités du vent. La boue de *baie morte,* composée soit des coquillages et autres matières prélevées dans les baies au
moyen d'une *pelle de marais,* tenait lieu d'engrais.

Sous divers traitements, le chanvre mûri livre ses
fibres utilisées surtout pour la confection de cordages de
barques, d'habits et de filets de pêche[21]. Le chanvre subit
des étapes successives de transformation: d'abord l'arrachage, ensuite le *rosage,* le rouissage, puis le broyage. Aux
premiers jours de septembre, lorsque ses feuilles commençaient à jaunir, on arrachait le chanvre, une tige à la fois,
en conservant la racine.

Les tiges rassemblées en bottes d'une brassée étaient
attachées aux deux extrémités au moyen de deux tiges de
chanvre tordues; la brassée, ainsi constituée, présentait
une certaine symétrie, car les tiges qui la formaient avaient
tantôt les racines vers le bas, tantôt vers le haut. Lors du
séchage, on secouait les bottes pour en récolter la graine;

---

21. Amédée Boudreau, 77 ans en 1973, Belle-Marche, Inverness, N.-É.;
— Coll. Catherine Jolicœur, doc. son. 202, AFUL, Inf. Édouard
Savoie, 82 ans en 1960, Atholville, Restigouche, N.-B.

on exposait ensuite ces gerbes au grand air, dans un endroit ensoleillé; on plantait une rangée de piquets en terre et l'on clouait une planche sur la tête de ces piquets; les bottes de chanvre étaient alors mâtées de chaque côté de ce support. Quelques semaines de temps ensoleillé et venteux permettaient de procéder ensuite à la coupe des racines: les bottes défaites, on posait les racines sur un billot, et une bonne hache terminait l'opération.

Le deuxième traitement, celui du *rosage,* consiste à étendre les tiges sur l'herbe pendant un mois et les retourner tous les deux ou trois jours pour qu'elles soient également exposées à la fraîcheur de la rosée et aux rayons du soleil. Lors du rouissage, on entasse les tiges dans de grands coffres aux parois ajourées ayant l'aspect de *cages à homard.* Ces coffres sont attachés dans le lit d'une rivière, ou, de préférence, dans un marais d'eau morte. Le coffre à rouir est lesté de pierres pour l'empêcher de flotter sur l'eau. Après cinq à sept jours de trempage, la matière gommeuse qui lie la filasse à la tige se transforme et la filasse est libérée. On doit ensuite procéder au séchage, on délie le pied des gerbes afin qu'elles puissent être ouvertes en éventail et tenir debout pendant cinq jours. La dernière étape du rouissage consiste à placer le chanvre dans un four. Généralement, après avoir fait une cuite de pain, on profitait de la chaleur accumulée pour y sécher du chanvre.

Après avoir procédé à l'arrachage, au *rosage* et au rouissage, on entreprend le *brayage.* Le broyage se fait en plaçant les tiges par poignées sur un billot et en les battant avec un maillet de bois. On peut aussi se servir d'une *demoiselle* à fouler l'*étoffe du pays.* Dans ce dernier cas, les tiges sont étendues sur un pavé de bois. Lorsque c'était des femmes qui traitaient ainsi le chanvre, elles se servaient plutôt d'un tordeur à rouleaux de bois dentelés.

Le chanvre, avant d'être utilisé, doit encore être *éco-ché* et peigné. Pour *écocher* les fibres du chanvre, on leur impose un traitement semblable à celui de l'*écochage* des fibres de lin. Les brindilles cassées qui adhèrent à la tige sont alors décollées en les frappant avec un couteau de bois franc que l'on actionne d'une main, tenant de l'autre les tiges placées sur le dossier d'une chaise ou sur un support spécialement conçu à cette fin. Vers les années 1925, les Acadiens utilisaient plutôt un écochoir mécanique consistant en cinq ou six coutelas de bois placés en rayon autour d'un axe. En actionnant cette roue, les lames de bois frappaient à tour de rôle sur les tiges de chanvre ou de lin.

Pour le peignage du chanvre, les tiges sont passées à travers les dents de trois peignes à dents de bois ou de fer forgé. Le premier peigne utilisé possède de grosses dents assez espacées, tandis que les deuxième et troisième ont des dents de plus en plus fines et de plus en plus fournies. À la fin de cette étape, le chanvre doit être filé, tissé sur un métier de basse lisse, ou l'on en tire du fil à seine et à filet de pêche, ou bien encore, assemblé en fines lanières, il calfate les goélettes, ou le transforme aussi en câble. L'excédent de chanvre cultivé est vendu par son propriétaire.

Les pièces de chanvre destinées à la confection de *couches* de bébé ou d'habits de pêcheur étaient d'abord amollies par le blanchissage; cette opération consistait à plonger la pièce de toile dans le *lessi* pour ensuite l'étendre au soleil sur la neige. Le chanvre lui, devenait plus beau si la filasse était d'abord passée au *lessi de chaux*. Aucun informateur ne se souvenant, au juste, de cette technique, *La Gazette des Campagnes* [22] nous a renseigné. Dans un grand chaudron de fer, un lit de paille reçoit le tissu que l'on recouvre de filasse, elle-même recouverte d'une pièce de tissu. Le tout repose sous une couche de cendre de bois de saule, puis on verse sur ce contenu de la lessive tirée de bois de saule et de chaux en parties égales. Le chanvre ayant séjourné une dizaine d'heures dans cette préparation en sort blanchi, adouci; un bon séchage le rend apte à la confection des vêtements.

E. La paille

Outre de modestes chapeaux de travail, des coiffures du dimanche et des jours de fête étaient à base de paille de blé. Traditionnellement, l'assemblage est constitué d'une longue tresse à quatre brins, que l'on enroule en spirale, autour d'un point central de la calotte du chapeau. Le *cousage* peut s'effectuer sur une forme épousant le contour de la tête, selon le modèle choisi; le chapeau terminé est tourné à l'envers afin de dissimuler les points de couture. L'autre procédé consiste à coudre la tresse au point de surjet sans faire usage d'une forme de bois; il s'agit alors de *faire boire* la tresse pour obtenir la forme désirée. Lorsque le montage de paille est complété, une bordure de tissu de couleur vive

---

22. Anonyme, « Lin et chanvre, leur donner l'apparence de la soie », *op. cit.*, 1er sept. 1863, p. 170.

est ajoutée et un ruban de même teinte que la bordure est fixé à la base de la calotte. Souvent, une cotonnade doublait la calotte du chapeau[23]. Monsieur Honoré Cormier, âgé de 72 ans en 1966, de Memramcook, Nouveau-Brunswick, rapporte que dans la région du sud, les femmes teignaient leurs chapeaux de paille de couleurs voyantes.

Les Acadiennes louisianaises ont déjà tressé des chapeaux et des sacs à main en paille, mais de nos jours, elles perpétuent davantage la tradition du tressage de lamelles de palmiers nains *(palmetto)* poussant sur les rives marécageuses des *bayous*. En 1975, madame Elvina Kidder, d'Arnaudville en Louisiane, fabriquait parfois jusqu'à dix chapeaux pour une seule noce.

Chapeau de paille pour femme. Coll. du Musée acadien de l'Univ. de Moncton. (*Photo* AFUL, J.-C. D. 978.)

---

23. Mme Alice Auffrey, 82 ans en 1973, Pré-d'en-Haut, West., N.-B.

Madame Elvina Kidder, âgée de 57 ans en 1975, d'Arnaudville en Louisiane, tresse des chapeaux, des bourses, des tapis, avec des lamelles de palmiers nains *(palmetto)* depuis l'âge de 17 ans. Au mur est fixée une couverture piquée. *(Photo* AFUL, J.-C. D. 2563.)

Les tiges préalablement amollies dans l'eau supportent mieux le tressage. À cette fin, une petite auge de bois de la longueur d'une tige de blé, approximativement 2 pieds (0,6 m), est remplie d'eau tiède et la paille y séjourne pendant une demi-journée. Lorsque quatre brins sont assemblés en une longue tresse, cette dernière est aplatie entre deux rouleaux de bois.

Le *chapeau fin* du dimanche était confectionné de minces tresses de paille tirées de tiges fendues en quatre parties au moyen d'un léger bâtonnet dont le bout, découpé en forme de croisillons aigus, se terminait par une pointe centrale très fine. La confection d'un chapeau en paille fendue constituait une œuvre délicate et longue, mais on obtenait une coiffure recherchée.

La paille tressée, teinte ou naturelle, a également servi à la confection de tapis de forme circulaire ou ovale; le Musée historique acadien de Miscouche, à l'île du Prince-Édouard, en conserve des spécimens. À ce même musée, on retrouve aussi une bourrure de collier à cheval fabriquée

Instruments servant à façonner le chapeau de paille: auge, forme et presse. Coll. du Musée acadien de l'Univ. de Moncton. (*Photo* AFUL, J.-C. D. 1023.)

Outil de bois servant à fendre la paille pour en tresser des chapeaux de paille fendue. Long. 2 pouces (5,2 cm) et diam. ½ pouce (1,3 cm). (*Photo* AFUL, J.-C. D. 2651.)

au moyen du tressage de feuilles d'épis de *blé d'Inde*. Les Acadiens louisianais confectionnaient aussi, avec ce matériau, des poupées et des couronnes de Noël[24].

---

24. J.-Claude Dupont, *Héritage d'Acadie*, pp. 165 et 268.

F. Le cuir

Édouard Roy, âgé de 84 ans en 1973, de Saint-Antoine
de Kent, Nouveau-Brunswick, racontait en ces termes la
fierté qu'il ressentit quand, vers 1902, son père lui acheta sa
première paire de bottes de cuir fabriquées par le cordonnier
du village :

> Quand mon père m'acheta ma première paire de *mar-*
> *lounes,* j'avais 13 ans. J'étais si fier que je les ai presque
> usées le premier soir en courant dans tout le village pour
> les montrer.

À cette date, il restait encore des gens âgés qui portaient des sabots de bois en été, mais le dernier usage que
l'on fit des sabots, et cela jusqu'aux années 1920, fut de s'en
servir dans les étables en les chaussant par-dessus les chaussures qu'on ne voulait pas salir. Voici un récit relatif aux
derniers porteurs de sabot :

> Les gens devaient laisser leurs sabots à l'entrée de l'égli-
> se avant la messe, parce qu'ils faisaient trop de train
> en descendant l'allée. Souvent, après la messe, la chica-
> ne prenait quand venait le temps de trouver ses sabots[25].

Monsieur Landry devait tenir ce récit de ses parents,
puisque J.-Médard Léger rapporte que les sabots disparurent
au XIXe siècle. Il écrivait, en 1953, que « les sabots se
portèrent en certains endroits jusqu'aux années 1850[26] ».

Les informateurs âgés racontent que lorsqu'ils étaient
jeunes, en été, pour *ménager* leurs chaussures, ils se rendaient nu-pieds à l'église, et qu'une fois rendus, avant d'y
entrer, ils chaussaient leurs *souliers de bœuf.*

De Meule, dans une description, brossée en 1685, des
Acadiens de la colonie naissante de Beaubassin, dit :

> Ils ne se servent tous que des *souliers sauvages* qu'ils
> font eux-mêmes. Il vient tous les ans dans ce lieu une
> barque anglaise (sans doute de Boston) qui leur apporte
> le reste de leurs petites nécessités qu'ils achètent pour
> des pelleteries qu'ils ont eues des *sauvages*[27].

Jadis, tous les pères de famille connaissaient le tannage ; des peaux d'animaux domestiques ou sauvages, ils tiraient le cuir nécessaire à la confection de différents types

---

25. Sylvain Landry, 78 ans en 1973, Cap-Pelé, West., N.-B.
26. « Miettes d'histoire sur Caraquet », *L'Évangéline,* 3 mai 1953, p. 16.
27. Bona Arsenault, *Histoire et généalogie des Acadiens,* tome I, p. 67.

de chaussures. On commençait d'abord par saler et aluner la peau, puis après l'avoir enroulée dans de la cendre de bois, on ia nettoyait au moyen d'une raclette ou d'un couteau croche. Après un premier séchage, elle était trempée dans l'huile et séchée à nouveau[28].

Monsieur Vital Landry, âgé de 85 ans en 1967, de Memramcook, Nouveau-Brunswick, tannait les peaux en utilisant de l'alun, du sel, et de l'écorce de *haricot*; tandis que monsieur Édouard Robichaud du même village, âgé de 91 ans en 1967, se servait, aux mêmes fins, d'écorce de *pruche,* de fumier de poule et de chaux, ou de charbon de bois. Pour achever le procédé du tannage, monsieur Robichaud traitait le cuir avec de l'huile de marsouin. Aux îles de la Madeleine, le père Anselme Chiasson note qu'on avait l'habitude d'utiliser de l'huile de foie de morue ou de *loup-marin* dans la dernière étape du tannage[29].

Avant de tailler le cuir pour en tirer des chaussures il faut l'amollir, c'est-à-dire l'apprêter de nouveau à l'huile de marsouin ou de foie de morue. À cette fin, les Acadiens louisianais procédaient plutôt ainsi:

> On rend le cuir mou et très facile à travailler en le trempant dans une écume faite de la cervelle, de la graisse molle et de la moëlle de l'animal; après quoi on le sèche à la fumée, puis on le lave et on le trempe dans l'eau chaude mise sur un feu modéré. On l'étend et on le frotte ensuite jusqu'à ce qu'il soit sec après quoi on le racle avec un couteau de forme elliptique[30].

Lorsque la chaussure est fabriquée, on la traite à la résine ou à la gomme de conifère avant de la huiler une dernière fois, puisque lors de la transformation du matériau, afin de rendre la peau plus malléable, on la trempe dans l'eau chaude, opération propre à rendre le cuir perméable à l'eau et à lui enlever sa souplesse. On peut aussi finalement teindre les chaussures neuves en se servant d'huile à harnais ou d'eau dans laquelle on a fait bouillir de l'écorce de *pruche* et de bouleau.

Pour coudre les chaussures, on se servait de fil de chanvre ou de lin préalablement préparé en le glissant entre les mains enduites de brai. L'*alingue* et la *piganouille* per-

---

28. Dosithée Léger, 77 ans en 1973, Robichaud, West., N.-B.
29. *La vie populaire des Madelinots,* CEA, Univ. de Moncton, 1966, man., p. 6.
30. Jay K. Ditchy, *op. cit.,* p. 184.

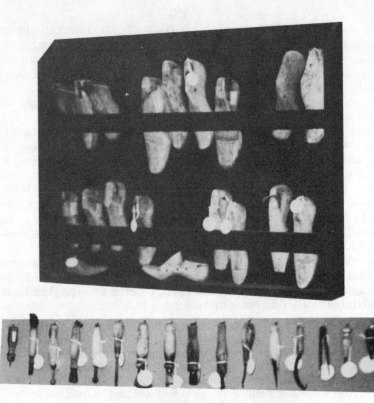

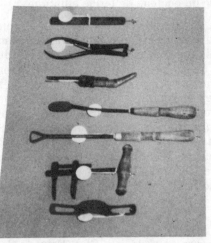

Outils de cordonnerie (couteaux, formes, pinces). Coll. du Musée acadien de l'Univ. de Moncton. (*Photo* AFUL, J.-C. D. 1026.)

çaient le cuir. Pour coudre, si l'on n'avait pas d'aiguille, on employait une soie de porc. Ceux qui façonnaient des chaussures à semelles doubles à la façon des cordonniers remplaçaient les broquettes par de petites chevilles de bois coupées dans des branches de plaine bouillies et séchées; la pointe et la tête de ces *pegs* étaient aplaties au marteau, sur un pied de fer[31]. Les bottes malouines, désignées sous le nom de *marlounes* par monsieur Édouard Roy, avaient des semelles ainsi assemblées. Ce procédé n'était pas populaire chez les chefs de famille qui préféraient façonner des *souliers de peaux,* soit des *brogannes* et des *hausses,* soit des *canistos* (dits aussi *caristaux* et *canisteaux)*[32].

1. Les *canisteaux*

Les *canisteaux* pour hommes, tels que décrits par monsieur Sylvain Landry, étaient confectionnés dans la peau des pattes arrière d'un *orignal*; tandis que ceux des femmes étaient tirés des pattes arrière d'un chevreuil. Selon Anselme Chiasson[33], en Nouvelle-Écosse, les *caristeaux* pour homme ou femme provenaient des pattes de vaches.

On ne connaît rien de plus simple comme fabrication: on sectionnait la patte de l'animal pour conserver environ 15 à 20 pouces (38 à 50 cm) de longueur de peau faisant partie du jarret. Celle-ci, une fois retirée de la patte de l'animal, présente la forme d'un manchon, puisqu'on ne la fend pas longitudinalement: on la retire en la retournant comme l'on fait pour peler une anguille. La peau n'est pas tannée non plus et le poil se porte à l'extérieur, une fois les bottes terminées. Pascal Poirier[34] dit que les *canisteaux* se portaient plutôt le poil en dedans. Simplement, ensuite on cousait l'extrémité inférieure de cette peau circulaire et sur une pièce de bois préparée à cette fin elle prenait la forme du pied. La *babiche* d'anguille remplaçait le ligneul dans la couture de ce genre de bottes.

31. Coll. J.-Claude Dupont, doc. ms. 9018, Inf. Édouard Robichaud, 91 ans en 1967, Memramcook, West., N.-B.
32. Jeanne Nowlan, «Les *souliers de peau*», *La Société historique acadienne,* vol. 6, n° 4, décembre 1975, pp. 181 à 185.
33. *Chéticamp, Histoire et traditions acadiennes,* p. 52.
34. *Le parler franco-acadien et ses origines*, p. 225.

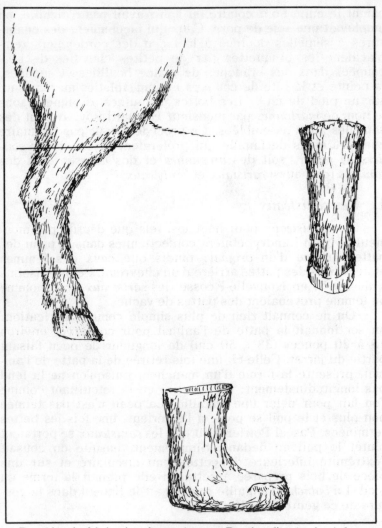

Procédés de fabrication des *canisteaux*. Dessins d'après des informateurs.

2. Les *brogannes* et les *hausses*

Les *brogannes* ou *brogarnes* étaient des bottes basses à la cheville échancrées à l'avant; tandis que les *hausses* étaient des bottes à mi-jambes se refermant à l'arrière au moyen d'un pli creux. Pour fabriquer les *hausses* ou les *bro-*

gannes, le patron du pied pouvait être le même, mais il différait pour la jambière.

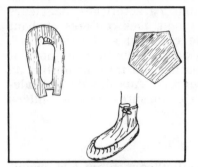

Procédés de fabrication des *brogannes. Dessins* d'après les informateurs.

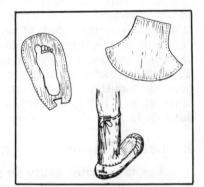

Procédés de fabrication des *hausses. Dessins* d'après les informateurs.

Bottes sauvages acadiennes pour hommes. Coll. privée. (*Photo* AFUL, Hélène Harbec 150.)

3. Les *bottes sauvages*

Les *bottes sauvages* acadiennes, de même type que les *bottes sauvages* québécoises, sont caractérisées par leurs jambières amples montant au genou. Des œillères au haut de la jambière, une de chaque côté, ou seulement une à l'arrière, servaient à passer les doigts pour tirer au moment d'enfiler les bottes. En hiver, parfois, on insérait un bas de peau de mouton dans la *botte sauvage*. Aux îles de la Madeleine et sur la Côte Nord, ces chaussures étaient taillées dans de la peau de *loup-marin*.

4. Les mocassins

Les mocassins, genre de pantoufles montant à la cheville, étaient généralement façonnés dans du cuir de cheval[35].

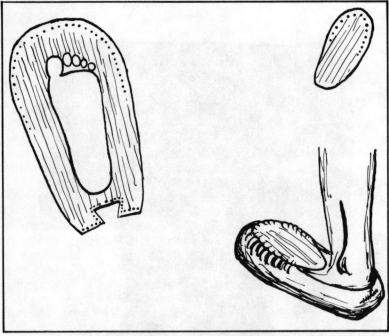

Procédés de fabrication des mocassins. (*Dessins* d'après les informateurs.)

35. Coll. J.-Claude Dupont, doc. ms. 5322, Inf. Mme Rodolphe LeBlanc née Mélida Léger, 72 ans en 1966, Sainte-Marie de Kent, N.-B.

Ce mocassin encore très répandu est largement diffusé par l'artisanat amérindien. De nos jours, le mocassin peut être complété d'une double semelle, mais jadis, le mocassin à double semelle prenait le nom de *soulier de bœuf* et il n'avait ni la forme ni les caractéristiques techniques du mocassin.

D'autres membranes des animaux pouvaient aussi servir à l'homme. Par exemple, l'estomac de vache se transformait en gourde à l'eau; la vessie de porc en blague à tabac, en porte-monnaie, ou en jouet d'enfant. De même, la queue de vache devenait un support pour les peignes, selon madame Lucienne Arsenault, âgée de 75 ans en 1973, de Saint-Chrysostome, île du Prince-Édouard:

> Lorsqu'on tuait une *pièce de bête*, on coupait le bout de la queue. On *amarrait* les poils avec une corde. Ensuite on les lavait bien et on les accrochait sur le mur et on plaçait les peignes à cheveux là-dedans[36].

Le crin de la queue du bœuf ou de la vache, surtout teint en rouge et retenu par une bague de cuir festonnée, servait aussi à décorer les harnais des chevaux.

G. Utilisation et entretien

Dans la civilisation traditionnelle, les vêtements étaient *ménagés*. Il n'était pas rare de rencontrer un homme, marié depuis vingt ans, revêtant encore, dans de rares occasions, son costume de noce. La robe de la mariée, elle, était aussi portée longtemps après le mariage, quand son tissu ne servait pas à confectionner le trousseau de baptême. Lorsqu'il y avait plusieurs enfants dans une famille, les vêtements devenus trop petits étaient transmis aux enfants plus jeunes. Dans un vieux manteau d'homme ou de femme, on taillait un nouveau vêtement pour une personne de plus petite taille ou pour un enfant. Dans un complet d'homme, on tirait un costume pour dame; le pantalon se transformait en jupe, et le veston était simplement réajusté et adapté à la mode féminine.

Les familles qui avaient de la parenté aux États-Unis recevaient d'elle des *boîtes de linge*; soit de pleines caisses de lingerie usagée utilisable telle quelle ou après transformation.

---

36. Et aussi M. Vital Landry, 85 ans en 1967, Memramcook, West., N.-B.

Lorsqu'une pièce de costume ou de lingerie était devenue inutilisable, on la *taillait en guenilles,* qui, une fois tissées au métier, devenaient des *catalognes,* ou *couvertes à brayons* ou *couvertes de rags,* ou *couvertes à guenilles,* appelées *lirettes* en Louisiane, ou bien encore dès tapis. Avec des restes de tissu neuf et des parties de vêtements usagés, on façonnait aussi des courte-pointes et des *conforteurs.*

Dans le vêtement de laine usé, on taillait des lanières et l'on *charpait ces défaisures* pour en obtenir de la laine recyclée qui constituait par la suite une nouvelle pièce de vêtement. On récupérait même les coutures de vieux vêtements pour les utiliser dans la confection de tapis.

Chez les anciens Acadiens, des couvertures de lit pouvaient être «taillées dans la voile de *barge* à un mât[37]». Mentionnons que sur la Côte Nord et aux îles de la Madeleine, on utilisait des couvertures de peaux de lièvres (une centaine de peaux par couverture) réunies avec de la *babiche* d'anguille[38]. La *babiche* d'anguille finement découpée remplaçait le ligneul dans la couture des harnais de chevaux et dans les vieux cordages cousus et teints, on fabriquait des tapis.

L'année comptait deux cycles principaux de nettoyage de la lingerie et des vêtements. La maîtresse de maison lavait la lingerie de corps une fois la semaine; et lors du *grand ménage* du printemps, elle nettoyait et *éventait* les costumes, les couvertures de lit et les autres pièces de lingerie de maison, tapis, rideaux. Même le contenu des coffres ou des *mannes* qui n'avait pas été utilisé durant l'année était secoué, exposé à l'extérieur, au vent et au soleil.

Dans le but d'éloigner les mites, avant de replacer ces pièces de tissu dans les coffres ou les placards, on y déposait des rameaux de cèdre et des *barres de savon.*

Le lavage de la lingerie pouvait se faire à la main, ou au moyen d'un battoir, ou bien à la machine. Madame Thaddée Maillet, âgée de 69 ans en 1973, de Sainte-Anne de Kent, Nouveau-Brunswick, se souvient que vers 1925, elle berçait la *baille à laver le linge:* un tronc d'arbre évidé s'ouvrant sur une face et suspendu en balance sur deux tréteaux. Des lattes de bois fixées aux parois intérieures et un couvercle bien ajusté complétaient cette machine à laver.

37. Antoine Bernard, *Histoire de la survivance acadienne, 1725-1935,* p. 100.
38. Napoléon Comeau, *La vie et les sports sur la Côte Nord du Bas Saint-Laurent et du Golfe,* pp. 216-218.

Baille à laver le linge. Elle est constituée d'un corps d'arbre évidé. Utilisée vers 1925 par madame Thaddée Maillet, 69 ans en 1973, de Sainte-Anne de Kent, N.-B.

Baquet d'usages multiples; on s'en sert pour laver, préparer le *lessi*. Il est constitué d'un assemblage de douves retenues par des cercles de bois. La plupart des habitants pouvaient en façonner des semblables. Dim.: haut. 18 pouces (46 cm); diam. 25 pouces (64 cm).

Le *savon du pays* jouait un rôle important dans l'entretien de la maison et des vêtements. Il était rare dans une famille, que le grand-père ou la grand-mère, le père ou la bru, ne sache fabriquer le savon. Pour réussir du bon savon,

233

quand arrivait le moment de le produire, le printemps surtout, on se rendait souvent demander conseil aux spécialistes dans cet art. La matière première, le gras, provenait
soit de la graisse des animaux dont on ne pouvait pas consommer la chair, soit des restes de *boucheries,* comme la
panse de vache ou de porc; même la chair d'un chien se
transformait en savon. D'ailleurs, il existait une formule
enfantine liée à cette dernière coutume et elle servait à démontrer l'intelligence d'un chien. C'est ainsi qu'on avait l'habitude de dire en regardant l'animal: «Il est assez gras pour
faire du savon», si le chien baissait la tête, il avait compris.
En Acadie, c'est beaucoup plus souvent l'huile de foie de
morue ou de *drâche* et autres matières extraites de la mer
qui constituaient le savon.

Le procédé de fabrication du *savon de morue* est le suivant: commencer par préparer du *lessi de bois*, puis aller
quérir de la gomme de sapin, et surtout posséder une bonne
réserve de matière grasse, de l'huile de foie de morue, ou
des coques.

Durant toute l'année, la cendre de bois brûlé dans le
poêle ou dans la *maçoune* était conservée dans des récipients,
dans la cave ou dans la grange. Afin d'obtenir une lessive
forte et, partant, du meilleur savon, la cendre de bois de
chêne, de frêne, d'orme ou de sapin était préférable.

La lessive forte est préparée au plus quinze jours avant
l'utilisation en *parlache*. La cendre est entassée dans une

Le baril de lessive était percé
au bas et le liquide se filtrait
en passant à travers un lit de
paille contenu dans un petit
sac de jute. Ce filtre s'égouttait
dans un baquet. (*Dessin* d'après
les informateurs.)

234

grande cuve dont le fond a d'abord été tapissé de rameaux de sapin; la cuve remplie ensuite aux trois quarts d'eau est recouverte et remisée, soit à la grange, soit à la cave. Quinze jours plus tard, on vérifie la force de la lessive, en y jetant une pomme de terre ou un œuf; si la lessive est assez forte, l'œuf ou la pomme de terre flotte sur le liquide.

On prépare ensuite la *parlache* en versant la lessive dans un grand chaudron installé sur un feu extérieur. Au bout d'un jour ou deux de cuisson, le liquide non évaporé reposera durant une douzaine d'heures; ensuite, au moyen d'une jarre de grès ou d'un seau de bois, on retire le liquide du chaudron.

L'étape suivante, celle de la préparation du *consommé,* consiste à faire bouillir dans l'eau les matières grasses (graisses d'animaux, huile de foie de morue, coques, os, *tripes de cochon* lavées). Lorsque toutes les matières sont désagrégées, on coule le *consommé* à travers un sac de jute et l'on jette le résidu accumulé au fond du chaudron. Le *consommé* joint à la *parlache* préparée auparavant et auquel on additionne de la gomme de sapin bout jusqu'à ce que le mélange file au bout d'une baguette qu'on y a trempée, ou qu'il forme une boule s'il est jeté dans l'eau froide; le savon est alors cuit à point. On y ajoute quelques bonnes poignées de gros sel puis on laisse refroidir pendant une nuit, en ayant soin de recouvrir le chaudron, s'il est posé sur un feu extérieur, car le savon causerait la mort des animaux qui en consommeraient.

Le lendemain, le contenu du chaudron s'est partagé en trois couches distinctes; la couche supérieure, jaune, est celle du savon qu'on taille en pains, à l'aide d'un long couteau; ces pains, placés face en bas sur des planches, sèchent au soleil. Le *savon de potasse,* autre type de savon couleur brun foncé, s'est accumulé sous la couche de savon jaune; il est séché en vue du blanchissage du linge. La troisième couche, celle du fond, est le *lessi,* liquide jaunâtre que l'on conserve dans des seaux pour laver soit le plancher, soit le *linge d'étable* ou encore le *linge de chantier* [39]. Voici ce que rapporte une informatrice:

> On *forbissait* le plancher à la brosse avec du *savon du pays* et du *lessi,* puis on le rinçait. Lorsqu'il était sec, on jetait sur le plancher du sable blanc apporté des dunes par les hommes; on marchait dessus et on le

---

39.   Julie-D. Albert, *op. cit.,* p. 55.

Dans un grand chaudron suspendu à une potence de bois ou de fer, on faisait cuire le *savon du pays*. Ce même chaudron servait aussi à faire cuire les *patates à cochon*, à chauffer l'eau pour *faire boucherie*, à cuire le *sucre d'érable*.

balayait le dimanche matin, ce qui donnait un beau plancher net[40].

Le sable fin de grève se prêtait à de multiples usages: on le répandait sur le plancher qu'on brossait avec des bran-

---

40. Coll. J.-Claude Dupont, doc. ms. 626-627, Inf. Mme Henri Schofield, 81 ans en 1966, îles de la Madeleine, Qué. et S. Marie-Ste-Bertille, 70 ans en 1966, Moncton, West., N.-B.

ches de sapin, ou bien on en saupoudrait pour adoucir le parquet avant la veillée de danse.

En tout temps de l'année, les enfants se plaisaient à chanter:

C'est la bonne femme à Saint-Antoine,
Elle faisait son savon,
Elle s'est brûlé la *bédaine*,
Sur le bord de son chaudron.
Youpi! youpi! gratte-moi-la donc![41]

41. Coll. J.-Claude Dupont, doc. ms. 8777, Inf. Léaune Ouellet, 32 ans en 1967, Lac Baker, Madawaska, N.-B.

CINQUIÈME PARTIE

Alimentation

Toutes les personnes âgées auprès desquelles nous avons glané des souvenirs parlaient avec enthousiasme des bons repas d'autrefois. Même si ces vieillards avaient été élevés pauvrement, tous avouaient n'avoir jamais manqué de nourriture lorsqu'ils étaient jeunes. Par la suite, ils s'étaient fait un honneur, à leur tour, une fois pères et mères de famille, de bien nourrir «leur monde». Voici ce qu'un informateur disait du repas traditionnel chez ses parents:

> On avait toujours une grande table pleine de bols de *manger*. Chaque enfant devait se servir lui-même. Personne pouvait s'asseoir avant que le père soit assis à la *tête de la table* et ensuite la mère à l'autre bout. Une fois que les enfants étaient tous autour de la table, on disait les grâces:
> Bénissez-nous oh! mon Dieu!
> Ainsi que la nourriture que nous allons prendre,
> Ainsi soit-il[1].

C'était un orgueil chez les gens du peuple de pouvoir se tuer un cochon gras qui aurait toujours meilleur goût que celui du voisin. La bonne viande était grasse; l'animal maigre symbolisait, au contraire, la pauvreté. Les animaux élevés pour la chair s'engraissaient surtout pendant l'été. Dièreville racontait, il y a plus de deux cents ans, qu'en Acadie, les bœufs allaient paître dans les bois toutes sortes d'herbes qui donnaient à leur chair un goût particulier[2].

Au XIXe siècle et encore jusqu'au début des années quarante, dans le sud du Nouveau-Brunswick, où les hêtres sont nombreux, les porcs étaient engraissés aux faînes dans la forêt. À côté ou à l'arrière des maisons, dans de grands jardins, on cultivait des choux, des concombres, des oignons, des carottes, des pois, des fèves, des *gourganes,* des *fayots à écosser,* du *blé d'Inde* à éplucher et *écoclucher* puis à *essiver*[3]. Dans les champs, on récoltait le blé, le sarrasin, les *patates,* et au temps des *petits fruits* ou *grainages,* comme

---

1. Alonzo Babineau, 51 ans en 1973, Robichaud, West. N.-B.
2. *Relation du voyage du Port-Royal de l'Acadie, 1699-1700*, p. 98.
3. Donat Robichaud, *op. cit.*, p. 44.

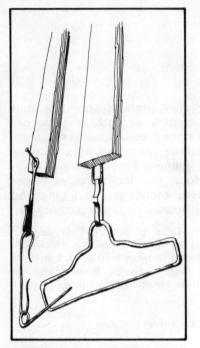

Bastringue (ou *tit-fer*) que l'on suspendait sur la façade des maisons acadiennes louisianaises. À l'heure des repas, on la faisait sonner pour avertir les gens. On peut aussi s'en servir comme instrument de musique. Dim.: long. 15 pouces (38 cm).

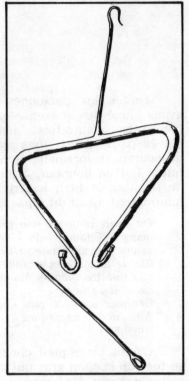

Grand triangle suspendu à la porte des maisons de planteurs acadiens louisianais et servant à appeler les travailleurs pour les repas. Sur la façade d'une boutique de forge, il servait pour annoncer que le forgeron était sans ouvrage et qu'on pouvait venir le faire travailler. Dim.: haut. 24 pouces (60 cm). (*Dessin* d'après un spécimen vu au LSU Rural Life Museum, Baton Rouge.)

les fraises, les framboises, les *bleuets,* les mûres, les *pommes de prés*, les enfants en cueillaient en abondance pour en conserver l'année durant. Au nord du Nouveau-Brunswick, les terres basses sont parsemées, ici et là, de *mocauques* dont la seule richesse fut longtemps la cueillette des *plaque-bières*[4].

Au printemps, dans le Nouveau-Brunswick et la Nouvelle-Écosse, plusieurs familles produisaient assez de *sucre d'érable* pour subvenir à leur dépense de l'année. Pendant trois cents ans, le troc de marchandises fournissait les denrées manquantes: on échangeait aux pêcheurs étrangers des légumes, de la viande, du beurre et des œufs, en retour de vêtements mais surtout de sucre, de mélasse et de thé[5].

Louis-Philippe Côté décrit l'arrivée des *traiteurs,* goélettes transformées en magasins flottants, chez les Acadiens de la Côte Nord en 1934. Ces marchands ayant leur port d'attache sur la côte sud, contre du poisson, des *bleuets*, des fourrures, des huiles, troquaient des fruits, des légumes, des animaux, de la lingerie, des armes, des pièges, du tabac[6].

Certaines coutumes relatives à la nourriture sont bien particulières, telle celle rapportée par Évariste-L. Léger qui, en parlant du genre de vie du XIXe siècle, dit qu'on avait l'habitude à Saint-Antoine de Kent, Nouveau-Brunswick, de s'emprunter du sucre et de se servir d'un canon de fusil pour le mesurer[7]. Au début du siècle, le lard salé constituait la viande de toutes saisons, mais l'été, on mangeait assez régulièrement du hareng. L'automne était la période où l'on consommait les œufs sauvages cueillis sur les rochers. Au Madawaska, les crêpes de sarrasin furent si populaires en toutes saisons que les habitants de la région se sont mérité

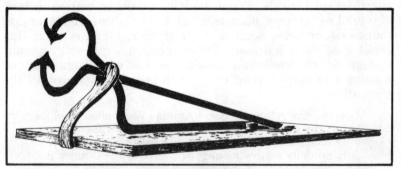

Pinces à casser le *sucre d'érable. Dessin* d'après un spécimen dans l'église au Parc historique national de Grand-Pré, N.-É.

---

4. Donat Robichaud, *op. cit.,* p. 21.
5. Paul Hubert, *op. cit.,* p. 163.
6. *Op. cit.,* pp. 59 à 66.
7. *Op. cit.,* p. 24.

les surnoms de «mangeurs de *plogues*» et de «mangeurs de *buckwheat*».

Partout en Acadie, la tradition du *morceau du voisin* était respectée:

> L'automne lorsque quelqu'un tuait un porc, il en salait une bonne partie, mais il en envoyait toujours un morceau chez les voisins. Les voisins faisaient de même, alors on avait de la viande fraîche pendant tout l'automne[8].

La chasse, en automne, fournissait une occasion de s'échanger de la viande de chevreuil, des canards, des *perdrix*, des lièvres.

A. La transformation et la conservation

Par nécessité ou par mesure d'économie, la transformation des céréales de consommation s'accomplissait souvent à la maison. Ainsi, l'orge, émondée dans une *ribleuse,* devenait l'orge perlée que l'on dégustait sous forme de *soupe au barley*. La *ribleuse* consistait surtout en un mortier de bois ou de pierre dans lequel on battait avec un pilon de bois un demi-gallon (environ 2,3 l) d'orge ayant au préalable trempé dans l'eau chaude. L'orge se pilait aussi dans une auge de bois au moyen de mailloches, généralement deux ou trois, maniées par autant de personnes. Pratiqué à l'extérieur durant l'été, le *riblage* avait lieu dans la maison durant l'hiver. Les grumes nourrissaient les volailles et les grains blancs décortiqués séchaient au grenier, étendus entre des feuilles de vieux journaux. De même, avant que soit répandu l'usage de se rendre au moulin, le blé et l'avoine étaient moulus à la maison pour en tirer la farine nécessaire à l'alimentation:

> Les anciens colons de Saint-Antoine récoltaient bien du blé et du sarrasin, mais ils avaient de la difficulté à le faire moudre. Ils construisaient de petits moulins à bras, faits de deux petites meules de pierre taillées, mues par une manivelle. Une personne pouvait moudre au plus une couple de minots (54 kg) de blé par jour[9].

Cette *moulange* manuelle dont nous retrouvons la trace ici et là en Acadie est très ancienne; les Palestiniens, vers

---

8. S. Adelma Leblanc, 53 ans en 1967, Fox Creek, West., N.-B.
9. D. Allain, *op. cit.*, p. 24.

Ribleuse ou mortier à décortiquer l'orge pour en faire du *barley* à soupe. Récipient en pierre, dim.: haut. 10½ pouces (27 cm); larg. 16½ pouces (42 cm); et long. 12½ pouces (32 cm). Mailloche de chêne, dim.: haut. 18 pouces (46 cm).

l'an 2000 avant Jésus-Christ, en possédaient des spécimens consistant en deux pierres circulaires posées par terre. Les anciennes *moulanges* manuelles, au Québec, par exemple, probablement semblables à celles d'Acadie, sont posées sur une table sur laquelle s'accumule la farine.

Le *blé d'Inde essivé,* c'est-à-dire les grains de maïs gonflés par l'action de la lessive de bois franc, s'intégrait surtout à la *soupe au blé d'Inde* et à la *soupe aux pois,* mais on le consommait également comme dessert, alors assaisonné de mélasse ou de sucre. Selon les traditions familiales, le *blé d'Inde* se lessive en laissant d'abord séjourner la céréale pendant deux heures, ou une journée, dans un récipient rempli d'eau additionnée de *lessi,* dans la proportion de deux cuillères ou une tasse. Si les procédés varient d'une famille à l'autre, tous les informateurs s'entendent lorsqu'il s'agit de la dernière étape, celle du lavage: «Il faut ensuite laver le *blé d'Inde* dans deux seaux[10].»

Les Acadiens disposaient de caves enfouies sous terre pour conserver les pommes de terre, les légumes du jardin, de même que les fruits du verger[11]. Presque dans toutes les

---

10. Mme Edmond Belliveau, 58 ans en 1973, St-Paul de Kent, N.-B.
11. Quelques informateurs ont mentionné qu'au temps de la Déportation, des Anglais ouvraient les caveaux acadiens en hiver pour y faire geler la nourriture; — J.-A. Beaulieu dans *Centenaire de Saint-Alexis de*

Meules manuelles sur table. Dim. de la table: haut. 27 pouces (72 cm); diam. du plateau: 38 pouces (96 cm); dim. des meules; épaisseur 4 ½ pouces (11,5 cm); diam. 21 pouces (54 cm). (*Photo* AFUL, J.-C. D. 535.)

maisons, des caves sous le plancher de la maison conservaient aussi des légumes et des aliments (lard, poisson, herbes salées). En été, les laiteries renfermaient du beurre, des œufs, des bocaux de confitures, du lait, des cailles, de la crème, du fromage. Bien d'autres techniques de conservation, déjà en usage au XVIIIe siècle, comme le rapporte Dièreville, continuèrent de l'être longtemps encore par la suite:

> Ils laissent les choux dans le champ après les avoir arrachés, la tête en bas & la jambe en haut: la neige qui vient les couvrir de cinq à six pieds (1,5 à 1,8 m) d'épais les conserve bien. L'on n'en tire qu'à mesure qu'on en a besoin; on ne laisse pas d'en mettre aussi à la cave[12].

B. Le pain

Le pain, généralement, jusqu'aux années 1940, était cuisiné à partir d'un levain à base de houblon. Voici ce qu'en dit madame Alma Leblanc, 59 ans en 1973, de Grande-Digue, au Nouveau-Brunswick:

> Aujourd'hui on se sert de *yeast cake* pour faire le pain, mais il y a à peu près 20 ans passés, ma mère faisait encore son levain. Elle prenait trois *patates* qu'elle mettait cuire dans l'eau, leur ajoutait une cuillère à thé de sel et une tasse de fleur de houblon sauvage qui rampait sur les clôtures. Quand c'était cuit, elle coulait cela à travers un linge et il en restait un jus jaune. Elle mettait ce mélange dans une grosse cruche de grès qu'elle plaçait dans un grand plat, et elle déposait le plat dans un endroit chaud pendant deux jours, tout près du poêle. Le contenu de la cruche gonflait et débordait dans le plat. Lorsque le débordement s'arrêtait, on mettait un bouchon sur la cruche. Le levain qui restait dans la cruche était bon à être utilisé pour faire assez de pain pour nourrir une famille pendant une semaine.
>
> Mais il faut laisser une tasse de levain dans la cruche pour donner de la force au prochain levain qu'on mettra dedans.

Matapédia, p. 317, relatant certains faits relatifs à la grande famine de 1861 rapporte qu'Alban Gallant, étant parti faire une «tournée de battage» pour se gagner un peu d'argent, à son retour au printemps, trouva son caveau de pommes de terre vide. Les responsables, des Acadiens, avaient cependant laissé leur nom ainsi que la quantité de *patates* prise.

12. *Relation du voyage du Port-Royal de l'Acadie 1699-1700*, pp. 96-97.

Grand sas à farine. Le cadre est en bois de frêne.
Dim.: haut. 4 pouces
(10 cm); diam. 15 pouces
(38 cm).

Baril à farine. Il est creusé
à même un tronc d'arbre,
probablement un chêne. Il
fait partie de la coll. du Musée historique acadien de
Miscouche, Î. P.-É. Dim.:
haut. 32 pouces (82 cm);
diam. 20 pouces (52 cm).

C'était ça du levain à pain blanc et à crêpe de sarrasin.

Une autre dame, qui vécut dans un village situé à une
cinquantaine de milles (80 km) plus au sud, nous donne la
recette dont se servait sa mère pour préparer le levain; et
cette recette diffère passablement de la précédente:

On plantait du houblon le printemps le long des clôtures
et on mettait des perches pour le faire ramer. Le houblon
fleurit au mois d'août et on arrache les fleurs pour les
conserver dans un endroit sec, souvent sur le plancher
d'en haut vis-à-vis du poêle. Ma mère prenait une tasse
de fleur de houblon et cinq *patates* bien lavées et non
pelées et les faisait cuire dans l'eau. Ensuite, elle les
pelait et les *mâchait* dans le bouillon de cuisson. Elle

248

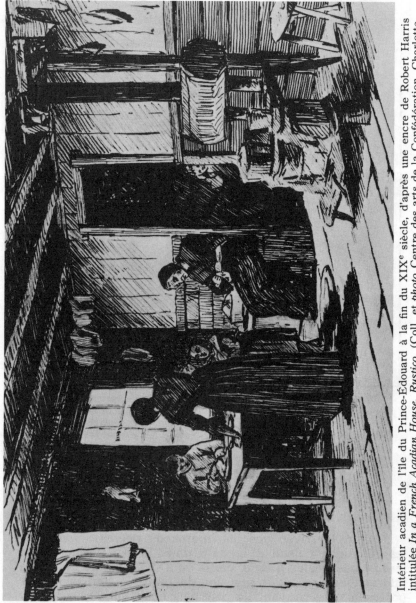

Intérieur acadien de l'île du Prince-Édouard à la fin du XIXᵉ siècle, d'après une encre de Robert Harris intitulée *In a French Acadian House, Rustico.* (Coll. et *photo* Centre des arts de la Confédération, Charlotte-town, Î.-P.-É.)

« C'est la *maçoune*, avec ses landiers, ses jambages, sa crémaillère, son manteau, où l'on faisait la cuisine, l'hiver, et autour de laquelle la famille se réunissait, le soir, pour jaser ». Pascal Poirier, *Le Parler franco-acadien et ses origines*, p. 228. Ce dessin fait d'après une *maçoune* reconstituée à l'habitation de Port-Royal, Annapolis, en N.-É., montre un âtre élaboré; celui des Acadiens, aux XVIIIe et XIXe siècles, était beaucoup plus rudimentaire.

ajoutait une demi-tasse de farine à ce liquide et elle le coulait dans un linge et le laissait refroidir[13].

Avant l'arrivée des cuisinières ou poêles à *fourneau,* les Acadiens cuisaient le pain dans la partie supérieure fermée des poêles à deux corps ou à deux ponts. Selon les informateurs: «C'était plaisant de cuire le pain avec ces poêles-là.» Auparavant, le pain se cuisait dans la *maçoune,*

---

13. Madame Alice Auffrey, 82 ans en 1973, Pré-d'en-Haut, West., N.-B.

grand foyer de maçonnerie de pierre des champs bâti dans la *grande chambre* ou la cuisine.

Madame Violetta Léger, âgée de 55 ans en 1973, de Robichaud, Nouveau-Brunswick, a vu cuire du pain dans une *maçoune* lorsqu'elle était très jeune:

> Ils préparaient la pâte de pain et la faisaient lever à la chaleur. Ensuite, ils plaçaient la pâte dans un grand chaudron. Auparavant, ils avaient fait un gros feu dans la *maçoune,* du bois sec et du bois vert, pour que la braise dure longtemps. Puis ils creusaient dans la braise pour faire une place où ils mettaient le chaudron qu'ils enterraient ensuite dans les braises. Même le dessus du chaudron était recouvert de tisons et de cendre. Le pain cuisait et ça sentait bon.

Lorsque l'on manquait de pain, on pouvait détremper de la pâte sans levain et la faire cuire en l'étendant sur les ronds du poêle ou sur une tôle placée au-dessus du feu dans la *maçoune*[14]. Les Acadiens de la Beauce au Québec, ont aussi connu les galettes de farine d'avoine cuites sur le *rumeur* du poêle, et voici ce qu'en disait monsieur Roméo Vigneault, 75 ans en 1963, de Saint-Théophile:

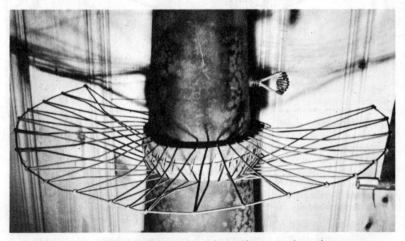

Grille-réchaud qu'on fixait au tuyau du poêle et sur lequel on conservait les aliments chauds. Don de la famille Damien Deveau de Chéticamp, Inverness, N.-É. (Coll. et *photo* Musée acadien de l'Univ. de Moncton, 74.53.121.)

---

14. Jean-Claude Dupont, *Le Pain d'habitant,* pp. 54 à 59, donne d'autres procédés de cuisson du pain.

«À défaut de pain, c'est des *torteaux* ou galettes de sarrasin qu'on cuisait. La méthode était très élémentaire: sur le poêle un cercle de tonneau était déposé à plat qu'on emplissait de pâte, incapable ainsi de déborder, et on cuisait lentement; mangé chaud, c'était succulent». Anselme Chiasson, *Chéticamp, Histoire et traditions acadiennes*, p. 47. Dans le nord du Nouveau-Brunswick, le *torteau* est une pâtisserie constituée de pâte à levain que l'on fait frire dans de la graisse de porc ou de *loup-marin*.

Ces galettes-là, on appelait ça des *torchons* et ça se mangeait surtout le matin. Quand un *torchon* était trop rassis, on le trempait plus longtemps dans du sirop ou du lait.

Habituellement, c'est au souper et au déjeuner que l'on consommait les *plogues* ou crêpes à la farine de sarrasin.

252

Cette pâte était préparée une journée ou une nuit à l'avance, et déposée dans un bol ouvert, sur le réchaud ou les *palettes du poêle* à bois. La chaleur faisait gonfler la pâte à base de levain comme le mélange à pain; il suffisait de conserver un peu de pâte de la veille et de la laisser surir pour que ce reste puisse servir de levain dans la pâte du lendemain. La préparation était également simple: le soir, par exemple, on détrempait de la farine de sarrasin avec de l'eau, dans le plat contenant le reste de pâte surie, on laissait reposer à la chaleur du poêle pendant la nuit; le matin, on ajoutait

Pilon et râpe à *patates*. Coll. du Musée historique acadien de Miscouche, Î. P.-É. Dim. du pilon:° 17 3/4 pouces de long. (45 cm); la râpe en tôle mesure: 7 1/4 pouces (19 cm) de larg. et 14 pouces de long. (35 cm). (*Photo* AFUL, J.-C. D. 169.)

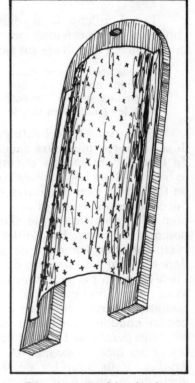

Râpe à *patates* faite de pin et de tôle trouée au moyen d'une pointe de clou; façonnée par Albert Thibodeau, 73 ans en 1973, Richibouctou, Kent, N.-B. Dim.: larg. 6 pouces (15 cm); long. 15 1/2 pouces (40 cm).

253

un peu de *soda* et d'eau. Au moyen d'une large couenne de lard, on graissait les ronds ou *rumeurs* du poêle à bois et l'on y versait directement la pâte. Les *plogues* se mangeaient chaudes avec du beurre ou de la mélasse:

> Le monde récoltait leur sarrasin et chacun le faisait moudre; nous autres, on allait à Bouctouche. La farine servait pour faire les crêpes et la grume pour engraisser les cochons[15].

C. Les pommes de terre

Les Acadiens de la région de Madawaska, tant du côté canadien qu'américain, ont toujours accordé une grande importance à la culture du sarrasin et des pommes de terre:

> Les *patates* étaient cuites de différentes manières qui faisaient croire à une nourriture variée; on y ajoutait la *soupe aux patates,* le *pâté à la râpure,* les *poutines râ- pées,* les *poutines en sac,* les *fricots,* les *tailles*[16].

Dans une étude intitulée *Héritage d'Acadie,* nous avons déjà rapporté plusieurs façons de consommer les pommes de terre; mentionnons encore qu'elles remplaçaient parfois le beurre, dans les familles pauvres; voici de quelle manière: on fondait un peu de beurre que l'on mélangeait à une boule de pommes de terre pilées, et toute cette boule prenait le nom de «beurre» que l'on consommait avec d'autres pommes de terre. Les *tailles* étaient cuites sans l'usage de récipient; des tranches de pommes de terre crues étaient déposées sur les *rumeurs* du poêle ou collées sur ses parois vis-à-vis de la partie contenant le feu. On mangeait les *tailles* avec du sel, du beurre ou de la *graisse de rôt.* Le navet et la pomme de terre non pelée cuisaient parfois enterrés dans la cendre chaude; et le *blé d'Inde* en épi grillé sur la braise[17].

Les *patates* se transformaient même en pâtisseries, telles les *crêpes aux rampages,* les *beignets à la râpure* et les *bor- douilles.* Pour apprêter des *crêpes aux rampages,* on mélan- geait de la râpure de pommes de terre crue à de la farine et l'on jetait un peu de sel sur la pâte pendant la cuisson

---

15. Éloi Gaudet, 77 ans en 1973, Memramcook, West., N.-B.
16. J.-Médard Léger, « Miettes d'histoire sur Caraquet », *L'Évangéline,* 3 mai 1953, p. 16.
17. Coll. J.-Claude Dupont, doc. ms. 1429, Inf. Ella Arsenault, 28 ans en 1966, Bathurst, Gloucester, N.-B.

de la crêpe dans un poêlon. Le *gâteau aux rampages* se préparait de la même façon, mais il cuisait au four[18]. Les *bordouilles* que l'on consommait avec du beurre, du sirop ou du sucre brun, existaient au Québec sous le nom de *galette à l'eau;* en Acadie, elles se préparaient ainsi:

> Faire cuire des *patates* et les piler en ajoutant un peu de sel. Étendre ensuite cette préparation sur une couche de farine et la recouvrir de farine. Avec un rouleau à pâte, transformer la pâte en abaisses. Découper en petites galettes et mettre bouillir dans l'eau[19].

Une autre informatrice[20] donne plutôt le nom de *beurdouilles* à ce mets acadien et sa recette varie légèrement. Elle ajoute de la *porlache* à la pâte qu'elle fait cuire dans de l'eau salée bouillante; elle rapporte que le bouillon dans lequel on ajoute de la mélasse vers la fin de la cuisson se consomme avec les pâtes. Ce mets prend aussi le nom de *petits cochons en sac*, la pâte étant partagée dans des petits sacs de coton au moment de la cuisson[21].

Pour cuisiner des *beignets à la râpure,* on conservait la râpure et le jus de six grosses *patates;* on assaisonnait une livre (0,45 kg) de bœuf salé *(corn beef)* d'une cuillère à table d'échalotes salées, d'un peu de sel et de poivre, et d'un

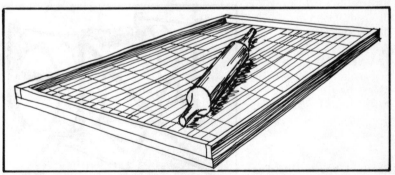

Planche et rouleau à étendre la pâte. Dim. de la planche: larg. 18 pouces (46 cm); long. 24 pouces (60 cm).

---

18. Marie-Thérèse Aucoin, 45 ans en 1973, Cross-Point, Inverness, N.-É.
19. Mme Frédéric Fougère, 75 ans en 1973, (Villa Providence), Shediac, West., N.-B.
20. Coll. J.-Claude Dupont, doc. ms. 2183, Mme Ludivine Daigle-Richard, 50 ans en 1967, Saint-Louis de Kent, N.-B.
21. Mathias Hébert, 79 ans en 1973, Rogersville, North., N.-B.

oignon haché finement; on incorporait ensuite la viande à la
râpure et la préparation cuisait sous forme de crêpes rôties[22].

Les Acadiens fabriquaient encore du vin avec des pommes de terre:

> 8 *patates* pelées et deux livres (0,90 kg) de raisins secs
> sont finement hachés et mélangés à un gallon (4,5 l)

Baratton ou *ribotte* à faire le beurre. Cette baratte se retrouve un peu partout en Acadie. Un récipient identique servait à baratter la laine; seule la batte était différente. Le Musée de Richibouctou au N.-B. conserve des spécimens du genre. La batte posée sur le récipient servait à faire le beurre; les deux autres sont des battes pour la laine.

Baratte à beurre faite d'un baril suspendu que l'on balance. Coll. du York-Sunbury Historical Society Museum, Fredericton, N.-B., qui a aménagé une salle acadienne.

---

22. Marie LeBlanc, 58 ans en 1973, Moncton, West., N.-B.

d'eau tiède contenu dans une jarre de grès. Trois livres (1,35 kg) de sucre blanc sont ajoutées à la préparation et une galette de levure à pain est jetée dans la jarre placée derrière le poêle vis-à-vis du feu.

Lorsque ce vin a travaillé pendant deux semaines, on le coule doucement et on le met en bouteilles que l'on bouche solidement[23].

D. Le beurre et le fromage

Jusqu'aux années 1940, le beurre était fabriqué à la maison. La baratte, contenant de bois dans lequel on battait la crème pour la transformer en beurre, était de modèle différent selon l'époque où elle était en usage. L'une des plus anciennes, le *baratton,* appelée *ribotte* au Québec, consistait en un baril semblable au *boucaut de sucrerie,* soit un contenant de tonnellerie plus évasé du bas que du haut[24]; le *baratton* était cependant plus haut et de plus petit diamètre que le *boucaut.* Dans cette baratte, la crème se transformait en beurre par un mouvement de haut en bas imprimé dans le contenant par un battoir de bois. Les clous du battoir, en cuivre pour éviter la rouille, conservaient au beurre goût et qualité. Utiliser ce procédé se disait: «battre la crème»; la méthode typiquement acadienne que nous décrivons par la suite était désignée par les expressions: «*ballotter la crème*» et «*borcer la crème*».

Il existait donc aussi une baratte constituée d'un véritable baril ventru, comme celui dont on se servait pour le transport du poisson; ce baril suspendu à un cadre décrit un mouvement de va-et-vient identique à celui de la *galance,* balançoire acadienne. En Acadie, comme on parle souvent de la mer qui *ballotte* les *barques de pêche* et les pêcheurs, le terme *ballotter* en est venu à s'appliquer à deux gestes apparentés à l'action des vagues: la mère *ballotte son enfant* pour l'endormir et elle *ballotte la crème* pour la transformer en beurre (elle dit aussi qu'elle *borce le petit* et *borce la crème).* On dit donc *ballotter la crème* lorsqu'on se sert d'une baratte qui a pratiquement la forme du *ber du petit.* De plus, le mouvement de cette dernière baratte à bercer est le même que celui du petit lit d'enfant, à la seule différence que les bers sont fixés dans le sens de la longueur.

---

23. Inf. anonyme de Bouctouche.
24. Jean-Claude Dupont, *Le sucre du pays*, p. 25.

Baratte à *balloter la crème*; construction en bois de pin. *Dessin* d'après un spécimen provenant de Cap-Pelé, West., N.-B. et conservé au Musée acadien de l'Univ. de Moncton. Dim.: haut. 20 pouces (50 cm); long. 36 pouces (92 cm).

Il existe encore une baratte reposant sur le principe décrit plus haut, elle consiste en un contenant fixé sur une base de chaise berçante ou sur une structure épousant la même forme.

Les petits Acadiens connaissent encore un *vire-langue* se rapportant à la baratte:

> J'ai baratté avec bien des barattes,
> Mais j'ai jamais baratté avec une baratte
> Qui barattait aussi mal
> Que cette baratte-ci baratte[25].

À la fin du XIXe siècle, on fabriquait, à la baie Sainte-Marie, en Nouvelle-Écosse, du *fromage* domestique *blanc*[26].

Madame Mélanie Arsenault, 84 ans en 1973, de Saint-Chrysostome, île du Prince-Édouard, indique la méthode suivante concernant le fromage:

> Après avoir fait du beurre, on prenait le lait qui restait et ça s'appelait du *babeurre*. On le faisait chauffer à petit feu pendant deux heures, soit jusqu'à ce que le lait tourne en petits grains et se sépare d'avec l'eau. On égouttait le *caillé* et on mettait ça dans un sac de toile

25. Coll. J.-Claude Dupont, doc. ms. 2487b, Inf. Irène Gallant, 20 ans en 1967, Grande-Digue, Kent, N.-B.
26. Alphonse Deveau, *La Ville française*, p. 70.

Estampes de moules à beurre; motifs de la rose et du cristal de neige radiés, très répandus en Acadie.

Baratte sur berces provenant de Memramcook; West., N.-B., construction en bois de pin. Dim.: haut. 37 pouces (94 cm); long. du récipient: 25 ½ pouces (66 cm).

à fromage. On suspendait le sac sur la corde à linge dehors, et on laissait égoutter aussi longtemps qu'il y avait de l'eau: des fois, ça prenait deux jours. Ensuite, on vidait ce qui restait dans un plat et on mélangeait le fromage avec de la crème fraîche. Ceux qui aimaient le sucre pouvaient en mettre. On mangeait la *caillette* avec du pain ou on s'en servait comme dessert.

E. Le poisson et les crustacés

Occupant toujours une place de choix dans l'alimentation domestique, le poisson, à la portée de toutes les familles, se conservait bien surtout salé et se consommait sans trop de préparation:

Les gens pauvres mangeaient du petit hareng salé. Ceux qui en mangeaient ne le disaient pas aux autres, car ils avaient honte de cela. Quand ils avaient de la visite, ils s'assuraient que le seau de hareng salé était caché[27].

Le hareng s'apprêtait encore fumé. On le fumait au moyen de cabanes coniques ou de fûts de fer-blanc. Une autre technique, décrite par les informateurs, était celle de

---

27. Philippe Babineau, 78 ans en 1973, Robichaud, West., N.-B.

Table penchée servant à expurger l'eau et le *petit lait* du fromage. Coll. privée.

la tranchée creusée dans le sol. Un treillis de fil de fer placé à l'égalité du sol et auquel le hareng était suspendu par les ouïes recouvrait la tranchée. La fumée qui se dégageait d'un feu de copeaux de bois qui brûlaient quelques pieds plus bas fumait le poisson.

La morue fraîche, salée ou séchée, diversement apprêtée selon le bon goût des ménagères, parfois même avec de la viande d'animal, n'est pas dédaignée des fourchettes. Citons la *chôde* bouillie, une préparation à base de cubes de morue fraîche et de tranches de *patates* assaisonnées de poivre et de sel; la *morue de cabane*, un mets semblable qui se complète d'un morceau de lard salé[28]; la *quiante de morue*, apprêtée avec des *patates*, du lard et du bœuf salés (*corn beef*), de la morue découpée en cubes et de la farine grillée[29].

---

28. Marie-Thérèse Aucoin, 45 ans en 1973, Cross-Point, Inverness, N.-É.
29. Coll. Gilles Landry, doc. son. LG-138, AFUL, Héliodore Vigneault, 78 ans en 1959, Sept-Îles, Duplessis, Qué.

Les fruits de mer ont toujours fait les délices des Acadiens qui se sont transmis des recettes de pâtés aux *bucarnes*, de bisques au homard, de soupe aux huîtres, de *fricots aux coques*. Quelques publications basées sur des recherches ethnographiques présentent des relevés divers sur des recettes acadiennes utilisant les fruits de mer et les poissons[30].

Les mets traditionnels acadiens louisianais ont fait l'objet de nombreux livres de recettes illustrant à quel point ils sont friands de *gumbo* et de *jambalaya*, deux préparations culinaires populaires aussi chez les créoles. Ce sont, généralement, les hommes qui préparent cette nourriture ; d'ailleurs, à l'occasion des fêtes populaires ou religieuses de l'année, il est de tradition que ce soient les hommes qui préparent les repas[31]. C'est aussi un homme, Joseph-Carrignan Fontenot de Mamou, qui livre ici les secrets du *gumbo* :

Faire un roux d'huile et de farine. Y verser de l'eau froide lentement et laisser bouillir à petit feu. Ajouter de la dinde, du poulet, des tranches de saucisse, ou toute autre viande ou des crustacés.

Le mélange de viande et de crustacés est très apprécié ; par exemple : du poulet ou du canard avec des huîtres et des crabes, ou toute autre combinaison de viande et de crustacés.

Quand la viande est tendre, on assaisonne avec des queues d'oignon vert, du persil, du céleri, du piment rouge, du sel et du poivre.

À la toute dernière minute, on ajoute du sassafras séché et pilé, ce qui donne un bon goût.

On ajoute aussi du *gumbo*.

On prépare le *gumbo févi* en faisant brunir des *gumbos* en petits morceaux dans une sauce aux tomates contenant un peu de sucre et d'ail. Cette préparation peut être ajoutée au *gumbo* (dont il a été question auparavant). On y joint des crevettes fraîches et séchées.

Pour préparer du *jambalaya*, on prépare un roux de farine et de graisse. On y met des oignons, du céleri, des piments doux, du persil, de l'ail, des tomates et de la viande de volaille. On peut y mettre aussi du jambon, du saucisson, des crevettes et des huîtres. On ajoute de l'eau et on fait bouillir.

---

30. Marielle Boudreau et Melvin Gallant, *La cuisine traditionnelle acadienne*, 181 p. ; — Anonyme, *La cuisine acadienne, Acadian Cuisine*, 83 p.
31. Antoine Bernard, *Histoire de la Louisiane de ses origines à nos jours*, p. 49. ; — Louise Hanchey, *How Men Cook*, 10 p.

On peut cuire le riz à part ou dans la même marmite. Il faut couvrir le récipient et faire bouillir le tout à feu doux. Brasser tout le temps jusqu'à ce qu'il soit prêt[32].

F. Les breuvages

Outre les vins de *bleuets*, de blé, de framboises, de *patates*, de betteraves, les Acadiens préparaient aussi du thé,

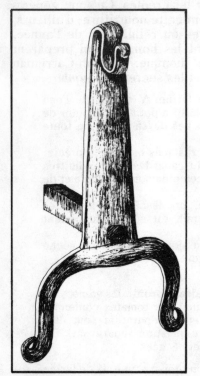

Exemplaire d'une paire de chenets de cuisine munis de crochets sur lesquels on appuie les broches à tourner la viande. Ces hâtiers faisaient partie d'une exposition présentée à l'école de Saint-Antoine de Kent, N.-B., lors d'un festival d'été en 1973.

Batterie de cuisine suspendue près d'une cheminée. Le support en fer forgé peut être abaissé ou élevé au moyen d'une poulie. Coll. du LSU Rural Life Museum, Baton Rouge. (*Photo* AFUL, J.-C. D. 2529.)

32. Coll. J.-Claude Dupont, doc. ms. 9021, Inf. cité. (25 ans en 1975).

du café et de la bière domestique. Il y avait plusieurs façons d'infuser du thé et, avant le milieu du XIXᵉ siècle, la tisane chaude de rameaux de *pruche* et d'épinette le remplaçait régulièrement[33]. Dans l'eau, les extrémités de branches de mélèze ou des feuilles de tamarin portées à ébullition donnaient aussi un substitut du thé. Le café, de même, connaissait un processus de remplacement, une tisane de saveur identique, préparée en versant de l'eau bouillante sur de l'orge auparavant grillée au feu. On tirait encore un café domestique de la croûte de pain brûlée dans un *fourneau* de poêle et recouverte d'eau bouillante. La bière d'épinette ou de sapin était préparée dans un baril de bois contenant du levain et de la mélasse[34]. Pour la fabriquer, on emprison-

Peigne à bleuets confectionné à partir d'une boîte vide de conserve. Il fut utilisé par S. Stella Thébeau de Saint-Ignace de Kent, N.-B.
Mme Henri Scofield, 81 ans en 1967, des îles de la Madeleine, Qué., prépare ainsi son vin de *bleuets* :
2 gallons de *bleuets* crus
1 pinte de salsepareille
5 livres de sucre blanc
1 chopine d'eau
1 galette de levure
Après dix jours de fermentation à la chaleur, embouteiller.

---

33. J.-Médard Léger, « Caraquet », *L'Évangéline*, 19 nov. 1953, p. 4.
34. Sieur de Dièreville, *Relation du voyage du Port-Royal de l'Acadie 1699-1700*, pp. 71-72.

nait des rameaux de ces conifères dans un baril contenant de l'eau, de la mélasse et des carrés de levure à pain. Lorsque le malt concentré arriva sur le marché, il était beaucoup plus facile, et avec de bien meilleurs résultats, de se faire une *battée* de *petite bière*. «Avec du vin et de la bière bien faits, on pouvait virer *une tannante de brosse*[35]. »

G. Les herbes sauvages

Des plantes sauvages récoltées sur les grèves, en terrains marécageux, en forêts ou dans les champs, étaient cueillies en saison et consommées comme des plantes potagères. La passe-pierre, la *tétine de souris*, la *tête de violon* et la *chicoutée* sont au nombre des herbes et fruits sauvages figurant dans l'alimentation traditionnelle.

La passe-pierre, petite plante non ligneuse dont on consomme les parties aériennes (semblables à l'herbe des champs), pousse dans les terrains marécageux. Parfois, après avoir enlevé les racines, on déposait les tiges dans un chaudron d'eau froide et on les portait à ébullition. Cette première eau jetée, on recouvrait une seconde, puis une troisième fois d'eau froide, additionnée de *soda* dans la proportion d'une cuillère à thé, et l'on portait les tiges à ébullition pendant une heure. La passe-pierre ainsi apprêtée se consommait

Peaker servant à cueillir les *pommes de prés*. Cet instrument de fer-blanc a été fait par le père de Gérard Daigle, 56 ans en 1973, de Pointe-Sapin, Kent, N.-B.

---

35. Julie-D. Albert, *op. cit.*, p. 70.

couverte de beurre à la façon des épinards[36]. Elle se cuisait aussi étendue sur du porc salé et des pommes de terre[37].

Seules les feuilles engainantes de la *tétine de souris* sont comestibles. Lors de l'arrachage et de la cuisson, on conservait les racines. Ces plantes soigneusement lavées, déposées dans l'eau bouillante salée légèrement et quelque peu vinaigrée, étaient portées à ébullition jusqu'au point de transparence et de tendreté indiquant la cuisson. La *tétine de souris* se déguste en la retenant des doigts, par la racine, et en pressant les lèvres sur la tige; la partie ligneuse se détache alors facilement puis elle est jetée.

Ces deux plantes sauvages, cueillies vers la fin des mois de mai et de juin, se consomment surtout vertes, mais parfois elles étaient conservées dans la saumure, dans des seaux de bois ou des jarres de grès[38].

La *tête de violon*, partie spiralée de la tête de fougère, se cueille dans les sous-bois (surtout près des cours d'eau),

Récipients de boissellerie servant aussi bien à la conservation des aliments qu'au transport des liquides. Le plus grand a pour dimension: haut. 12 pouces (31 cm); diam. 10 pouces (25 cm) et est plus étroit du fond; tandis que le plus petit a pour dimension: haut. 9 pouces (23 cm); diam. 6 pouces (15 cm) et est plus étroit d'ouverture. Coll. privée. (*Photo* AFUL, J.-C. D. 218.)

36. Mme Héloïse Gaudet, 75 ans en 1973, Memramcook, West., N.-B.
37. Cyrille Gautreau, 70 ans en 1973, Pré-d'en-Haut, West., N.-B.
38. Marie LeBlanc, 58 ans en 1973, Moncton, West., N.-B.

vers la fin du mois de mai. Portée au point d'ébullition dans deux eaux légèrement salées, jusqu'à ce qu'elle présente une chair tendre, on la mange assaisonnée de beurre, à la façon des épinards, ou bien on la présente en salade.

Les Acadiens de la Côte Nord faisaient bonne provision de *chicoutée*, ou *plaquebière*, ou *margot*, dans les plaines de la région de Havre-Saint-Pierre. Ce fruit *(rubus chamaemorus)* ressemble à une framboise de couleur jaune-orange et il a un goût délicieux pour faire des confitures et de la *tartonnerie*, comme on le dit à cet endroit.

SIXIÈME PARTIE

Agriculture et élevage

De constantes relations humaines, surtout caractérisées par des ententes mutuelles, de l'assistance au travail, visant à assurer la vie matérielle, ont régulièrement marqué aussi bien l'ouverture de nouvelles *terres* que tout le reste de l'existence. Les descendants d'une même famille s'installaient souvent dans l'entourage immédiat de leur souche; le legs aux fils de parties du bien paternel fut à l'origine de l'établissement des enfants, surtout des garçons, dans le voisinage des parents. Le petit lopin de terre, suffisant pour fonder un foyer, marquait le point de départ d'une *terre* qui s'agrandissait ensuite par le défrichement de sections de terrains familiaux boisés, ou par celui de *terres* de la couronne. Dans certaines régions, à tour de rôle, lorsque les fils se mariaient, ils vivaient pendant quelques années dans la maison paternelle, en attendant de pouvoir se construire une maison. Aux îles de la Madeleine, à cet effet, on avait l'habitude de construire une rallonge à la maison, et lors du départ du «jeune ménage», l'annexe que l'on déménageait constituait la première maison d'établissement des jeunes époux.

Très souvent l'entente verbale tenait lieu d'actes légaux; les recours aux services des représentants officiels devenaient inutiles et très rares:

> Les premiers habitants qui vinrent s'établir à Saint-Antoine furent Basile Thibodeau, Joseph et Anselme Goguen et Rémi Caissie. C'était en 1834, (...) Au printemps de 1832, Joseph et Anselme et leur beau-père sont allés *faire du sucre,* où se trouve le *Grub Road.* Un beau matin les trois femmes accompagnèrent leurs maris à la *sucrerie,* et comme il faisait beau à marcher sur la neige gelée, elles s'aventurèrent plus en avant dans la forêt (...) Comme le terrain était élevé et que le bois était de bonne qualité, les voyageurs jugèrent que la terre serait fertile si elle était cultivée. Marguerite, qui conduisait la marche, planta dans la neige son bâton, disant: «Ceci est ma *terre,* vous autres, mes sœurs prenez vos *terres* en suite»[1].

---

1. Évariste-L. Léger, *op. cit.,* p. 5.

Une mésentente s'élevait-elle au sujet de la possession d'un terrain, le conflit se réglait au consentement des parties en cause; par exemple, dans toutes les régions de l'Acadie, des terrains en litige furent tirés au sort par les intéressés ou adjugés par un *sage,* surtout un prêtre ou un vieillard reconnu pour son esprit de justice. Un document, daté du 24 octobre 1799, faisant état d'un «code d'entente» entre les habitants de la paroisse de Sainte-Anne du Cap-Sable (Pointe-de-l'Église, Nouvelle-Écosse) et rédigé par l'abbé Sigogne, contient vingt-huit articles différents exposant les conditions de ce règlement qui sera régi par:

> (...) quatre anciens, chefs de famille, hommes d'une probité, d'une piété et d'une vertu assurée, comme Arbitres (*sic*), pour décider et accommoder à l'amiable et par charité, sans prétendre à aucune rétribution, conjointement avec le Curé ou Prêtre (*sic*) résidant dans la paroisse (...)[2]

Les Acadiens emportèrent avec eux, au Québec, ces méthodes d'exercice de la justice[3]; mais ils en subirent parfois, par la suite, de malheureuses conséquences. Dans le comté de Kent, pour s'assurer légalement des terres défrichées, on dut, au début du XIXe siècle, faire reconnaître officiellement les droits de propriété par les administrateurs gouvernementaux[4]. Les habitants des îles de la Madeleine furent assez malheureux lorsqu'à la fin du XVIIIe siècle, Isaac Coffin, de Londres, se fit remettre en cadeau, par le gouverneur du Canada, toutes les îles de la Madeleine:

> Quand les fils des martyrs y abordèrent, ces îles étaient une *terre* vacante de la Couronne. Ils s'y fixèrent sans ordre au bord de la mer et se taillèrent de petits domaines qu'ils agrandirent et multiplièrent au besoin (...) Ils étaient les maîtres du lieu: Chacun prenait la pointe de terre qui lui convenait et tout était dit. Quand l'admiral Coffin, en 1781, sollicita de Dorchester la concession de cet archipel, il apprit que ces Îles n'étaient pas comme les autres *terres* de la Couronne. Mais les insulaires l'ignorant ne firent aucune démarche pour régulariser leur situation et prendre des titres de possession[5].

2. P.-M. Dagnaud, *Les Français du Sud-Ouest de la Nouvelle-Écosse,* pp. 265 à 274.
3. Guy Courteau et François Lanoue, *op. cit.,* p. 50.
4. Louis-Cyriaque Daigle, *op. cit.,* p. 17.
5. Paul Hubert, *op. cit.* p. 70.; — Robert Rumilly dans *Les Îles de la Madeleine* consacre un chapitre à ce sujet; — Voir également L.-J.-D. et G.-E. Marquis, *Monographie des Îles de la Madeleine,* pp. 11 à 16.

C'est ainsi que l'on dut consentir à payer une rente annuelle ou abandonner la *terre* cultivée. Certaines familles passèrent alors sur la côte nord du golfe Saint-Laurent. Les habitants des îles de la Madeleine devaient encore subir les inconvénients de droits de concessions jusqu'en 1895.

En Acadie, les prêtres jouèrent un rôle social et économique de premier plan, leurs conseils prévalurent souvent dans l'organisation de l'agriculture et de l'élevage, même sous les formes les plus élémentaires: «Partout, les curés se faisaient agronomes, éleveurs, défricheurs[6].» Souvent aussi les prêtres devenaient les artisans d'organismes d'entraide soit en matière de récoltes, soit en matière d'élevage, et ils se chargeaient eux-mêmes du bon fonctionnement de ces ententes.

La «banque d'avoine» organisée en 1883, fonctionna avec beaucoup de succès pendant 38 ans. Elle fut d'un grand secours aux cultivateurs, non seulement de notre paroisse, mais aussi de toutes les paroisses environnantes. D'après les règlements, on ne prêtait l'avoine qu'au printemps et elle devait servir pour les semailles. Pour chaque quatre minots (environ 61 kg) empruntés au printemps il fallait en remettre cinq (environ 77 kg) à l'automne[7].

Certains instruments agricoles appartenaient à la communauté, on les utilisait à tour de rôle. Par exemple, aux îles de la Madeleine et chez les Français et Acadiens de Terre-Neuve, dans le premier quart du XXe siècle, fréquemment, dans un village, la charrue appartenait à trente familles[8].

Dans de telles conditions, le travail en corvées s'imposait, il était exécuté selon des traditions qui avaient presque force de règlements. Ainsi, coupait-on du bois chez le voisin, ce dernier devait servir le dîner ou le souper aux travailleurs, même si ceux-ci demeuraient tout près de chez lui. De même, lors des journées de battage du grain, on servait quatre repas par jour et le déjeuner se prenait là où se trouvait la batteuse le matin.

---

6. Jean-Claude Dupont, «L'apport du curé dans le développement économique et social de l'Acadie», *Revue économique de l'Université de Moncton,* février 1967, pp. 28-32.
7. Louis-Cyriaque Daigle, *op. cit.,* p. 62.
8. Anselme Chiasson, *La Vie populaire des Madelinots,* CEA, Univ. de Moncton, 1966, man. p. 9.; — Jean-Claude Dupont, *Contribution à l'ethnographie des côtes de Terre-Neuve,* CEN, n° 22, 1968, p. 48.

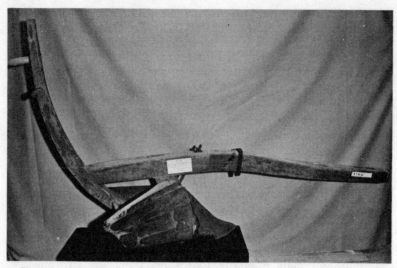

Charrue en bois à soc bardé de fer; elle aurait été la première charrue utilisée pour labourer les terres le long de la rivière Saint-Jean, N.-B. (Coll. et *photo* Musée acadien de l'Univ. de Moncton, 50.4.19.)

Les charrues de bois étaient généralement façonnées par un fermier adroit. Il arrivait aussi que le charron ou le forgeron en soit l'artisan. La charrue de gauche d'une dimension totale de 90 pouces (2,28 m) servant à labourer a été fabriquée il y a 125 ans dans du bois de bouleau et elle est assemblée au moyen de chevilles de bois. Celle de droite d'une dimension totale de 58 pouces (1,48 m) est une charrue à enchausser les pommes de terre. Elles font partie du Musée historique acadien de Miscouche, Î.P.-É (*Photo* AFUL, J.-C. D. 13.)

272

A. Outils et techniques agricoles

Dans chacune des maisons, on façonnait soi-même le plus possible d'outils de travail et ce sont les fermiers les plus adroits qui fabriquaient les instruments agricoles plus complexes. Le forgeron du village participait à la fabrication des pièces nécessitant à la fois des connaissances et un outillage particulier à ce métier[9].

Jusqu'aux années 1875, les fabrications industrielles furent presque inconnues et à partir de cette époque, l'outillage agricole importé, surtout des États-Unis, de l'Ontario et des grands centres des provinces Maritimes, s'est répandu peu à peu. Le javelier fit son apparition vers 1850, mais rares furent les cultivateurs qui l'utilisèrent avant la fin du XIXe siècle[10].

Selon des informateurs, vers 1820, les outils et les instruments manufacturés furent assez connus. Antérieurement, et longtemps par la suite, chez certains cultivateurs, on s'était surtout servi d'outillage de bois, en général de plus petites dimensions que celui en usage dans les aires seigneuriales du Québec. Les recherches effectuées sur le terrain et dans les musées, de même que la lecture de monographies, nous permettent d'affirmer que l'évolution des techniques relatives à l'agriculture et à l'élevage fut plus lente qu'au Québec.

Le *bâton-à-planter,* instrument de la *culture en butte,* était surtout utilisé au XIXe siècle. En 1970, cependant, des informateurs des îles de la Madeleine se souvenaient de cet instrument, et certaines personnes âgées du Nouveau-Brunswick pouvaient encore en expliquer le mode d'utilisation. C'était un bâton de bois d'un peu plus de trois pieds (0,9 m) de longueur sur lequel une cheville mortaisée permettait qu'on appuie avec le pied. Henry-J. Blanchard écrit qu'à l'île du Prince-Édouard, au tournant du siècle:

> Les instruments de culture sont des plus rudimentaires. Généralement on se sert seulement d'un plantoir avec lequel on fait des trous dans la terre, on y jette les graines et le seul soin donné après cela, c'est de faire un peu de sarclage[11].

---

9. Adolphe LeBlanc, 93 ans en 1973, Memramcook, West., N.-B.
10. Louis-Cyriaque Daigle, *op. cit.,* p. 48.
11. «Petite histoire de l'Île du Prince-Édouard», *L'Évangéline,* 25 avril 1958, p. 5.

Voiture traînante des îles de la Madeleine, Qué. On y attelait un cheval ou un bœuf. L'attelage est des plus rudimentaire: on utilise ni la sellette, ni l'avaloire. Il suffit d'une bourrure, d'un collier à couplets et d'une bride. (Edwin Smith, *op. cit.*, p. 337.)

Voiture montée d'un panier à foin et provenant de la région de la baie Sainte-Marie, Digby en N.-É. Coll. du Parc historique national de Grand-Pré. (*Photo* AFUL, J.-C. D. 2605.)

Voiture servant au transport du fourrage à la baie Sainte-Marie, Digby en N.-É. (*Photo* Centre acadien de l'Univ. Sainte-Anne, Pointe-de-l'Église, N.-É.)

Banneau de la région acadienne de la baie Sainte-Marie, Digby en N.-É. On y attelle deux bœufs. Coll. du Parc historique national de Grand-Pré. (*Photo* AFUL, J.-C. D. 2607.)

Aux îles de la Madeleine, Qué., les chemins glacés sur les routes exposées au vent exigeaient que le traîneau soit muni d'un couteau qui en empêche le louvoiement. En appuyant avec le pied sur ce dispositif placé sur un côté de la voiture, celle-ci se déplaçait en ligne droite.

Charrette à chien. C'est souvent avec un chien que l'on recueillait sur la *côte* le bois de mer et le bois d'épave utilisé pour chauffer sa maison. «Voiture d'enfant et de vieillard, la charrette servait en outre à transporter du magasin général la marchandise qu'on achetait ou qu'on troquait contre les produits de la pêche. Un jeu d'enfant aussi, d'atteler le chien pour se rendre au bureau de poste, pour aller cueillir chez le voisin un colis trop lourd ou tout bonnement pour se rendre à l'école». (Richard Gauthier, *La Charrette à chien*, 5 min., court métrage couleur 16 mm.)

276

Voiturette d'enfant. Souvent c'est le grand-père qui la fabriquait.

Les *patates* et le maïs qu'on plantait en butte, à la mode indienne, pouvaient aussi l'être à la bêche. Dans les *brûlis,* on étendait d'abord du foin puis, au moyen d'une bêche, on renversait une *couenne* sur le germe. La *culture en butte* a été relevée au nord (à Saint-Raphaël-sur-Mer) et au sud du Nouveau-Brunswick (Memramcook), de même qu'aux îles de la Madeleine (au Québec), et à l'île du Prince-Édouard.

Pour engraisser la terre et obtenir une meilleure récolte, les engrais utilisés étaient surtout le *boudrier,* le hareng, l'éperlan, les coquillages de homard, le fumier. L'Acadie partage avec les habitants des régions maritimes, dont l'Angleterre, les méthodes d'amendement de la terre par l'incorporation d'engrais tirés des cours d'eau, la fumure de poissons et de lichens[12]. Au début du XXe siècle, dans le nord du Nouveau-Brunswick, une famille moyenne étendait sur son terrain, chaque printemps, de deux à trois cents barils de harengs préalablement gâtés[13], et ensemençait généralement trois barils de germes de *patates.*

12. A.M. Hocart, *Les progrès de l'Homme,* p. 138.
13. Coll. D. Gauthier, doc. son. 330, AFUL, Inf. Jos-T. Bulger, 74 ans en 1953, Le Goulet, Gloucester, N.-B.

Javelier. Il était spécialement réservé au fauchage du blé; les tiges s'empilaient sur les dents de bois et étaient ensuite assemblées en gerbes. (Coll. du fort Anne, Annapolis Royal, N.-É.)

Les femmes surtout travaillaient à la *culture en butte*. Elles accumulaient la terre en mulons, uniquement au moyen de la *pioche à palette*, aussi appelée *grob*. Des pommes de terre, du *blé d'Inde*, des betteraves et des navets, la plupart du temps se cultivaient ainsi. Trois germes de *patates* étaient déposés dans une butte, et l'on plaçait trois harengs autour de chacun des germes qu'on *abriait* ensuite à la pioche. Ce genre de culture s'effectuait surtout dans la *terre neuve* que préparaient les hommes. Le défrichement débutait par l'abattage des arbres dont on dégageait les racines des souches. Les défricheurs introduisaient sous la souche un tronc d'arbre (la *prague*), d'au moins un pied (30 cm) de diamètre, servant de levier; ce dernier était ensuite chargé de *lisses*

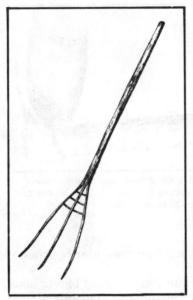

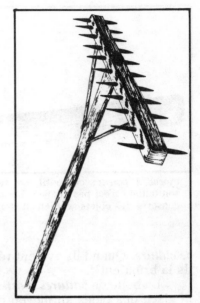

Fourche de bois pour manipuler le foin.

Râteau de bois à deux côtés.
Il servait surtout à ramas-
ser le grain sur le champ.
(*Dessin* d'après coll. du Vil-
lage acadien de Caraquet,
N.-B.)

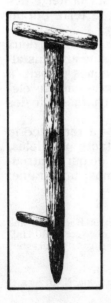

Bâton-à-planter comme il en exista un peu partout en
Acadie.

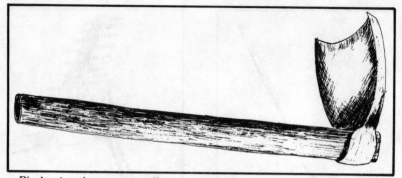

Pioche à palette; cet outil est semblable à une herminette, mais son taillant n'est pas aiguisé. Le Miramichi Natural History Museum conserve des objets acadiens de fer des plus anciens.

de clôture. Quand ils avaient réussi à faire basculer la souche, ils la brûlaient[14].

La boue de *battures mortes,* que l'on récoltait l'hiver sous la glace des baies au moyen d'un *mud-digger* (ou *pelle à terre morte,* ou *pelle de batture,* ou *pelle de marais*), s'avéra un excellent engrais. Ce dépôt, constitué de vase et de coquillages morts (de la chaux) depuis une dizaine d'années, présentait une épaisseur de trois à quatre pieds (0,9 à 1,2 m). Une couche de boue de *battures mortes,* étendue sur la neige des champs et des jardins en hiver, engraissait la terre durant une période d'une vingtaine d'années[15].

La pelle-levier alors utilisée était actionnée par deux chevaux et deux hommes et elle consistait en une grue installée sur la glace. La pelle dirigée par les hommes puisait, à travers un trou pratiqué dans la glace, la boue ensuite élevée par un cabestan mû par les chevaux et chargée sur des traîneaux également à traction animale[16].

Un semoir inspiré du «bâton fouisseur» a remplacé le *bâton-à-planter*; il se compose de deux montants parallèles, liés entre eux à un pied (30 cm) de la base, et qui s'entrouvrent une fois entrés en terre pour laisser tomber une graine.

14. Coll. D. Gauthier, doc. son. 354, AFUL, Inf. Pierrot Haché, 78 ans en 1953, Shippagan, Gloucester, N.-B.; — *Ibid.,* doc. son. 330, Inf. Jos-T. Bulger, 74 ans en 1953, Le Goulet, Shippagan, Gloucester, N.-B.
15. Jérôme Brault, 61 ans en 1973, Néguac, North., N.-B.
16. Raymond Cormier, 60 ans en 1973, Notre-Dame de Kent, N.-B.

Mud-digger ou *pelle à terre grasse*. Cette pelle actionnée par deux chevaux circulant autour d'un axe était guidée par deux hommes qui en retenaient le manche. On s'en servait pour prélever de la *terre grasse* que l'on épendait ensuite sur les jardins pour les engraisser. (*Dessin* d'après une maquette conservée au Musée acadien de l'Univ. de Moncton.)

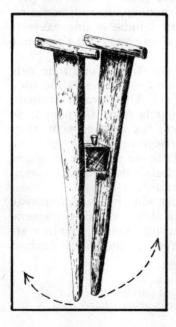

Semoir inspiré du *bâton-à-planter*. Lorsque les pointes de bois sont entrées dans le sol, il s'agit de presser sur les poignées pour les réunir; les graines contenues dans un récipient sont alors libérées et elles tombent dans la terre. Dim.: haut. 7 pouces (18 cm); long. 32 pouces (82 cm). (*Dessin* d'après un spécimen conservé au Musée acadien de l'Univ. de Moncton.)

Semoir fait dans un vieux baril. Ce contenant pourvu d'une courroie que l'on passait sur le cou pouvait aussi servir à transporter le poisson de la barque au hangar là où la grève ne permettait pas d'atteindre la rive. (D'après des informateurs de l'Î. P.-É.)

Semoir fait dans une partie de tronc d'arbre évidé. Le semeur le porte au cou. (Coll. et *photo* Musée acadien de l'Univ. de Moncton, 66.82.366.)

Le plus rudimentaire des semoirs portés au cou est le «sac de semeur», soit une *poche* de jute retenue au moyen d'une courroie. Mentionnons encore un semoir suspendu au cou et qui a été fabriqué dans un tronc d'arbre creusé ou dans un baril. D'autres types du même genre sont un peu plus élaborés et ils se complètent d'un mécanisme rudimentaire. L'un de ces semoirs consiste en une longue et fine cassette de bois à fond troué que l'on suspend au cou et qui s'actionne à la main.

La *roue à semer* est un semoir constitué d'une roue vide et perforée que l'on remplit de graines et qui les laisse tomber lorsqu'on la fait rouler sur le sol. Une chaîne traînant à l'arrière enterre le sillon creusé par la roue. Un semoir de même type est la *barouette à semer*; les graines sont alors placées dans un récipient fixé en arrière de la roue qui creuse le sillon. «La roue *filait* sur le faîte du sillon et la graine tombait dedans. En arrière, une chaîne qui traînait *abriait* la graine. Ensuite, on *roulait* le terrain[17].»

Un autre instrument des plus simples fut le râteau manuel creusant des sillons dans la terre; c'était un assemblage de quatre dents de bois mesurant chacune environ six pouces (15 cm) de longueur et fixées à une pièce de bois perpendiculaire[18].

17. Georges Arsenault, 57 ans en 1973, Mont-Carmel, Prince, Î.P.-É.
18. Albert Thibodeau, 73 ans en 1973, Richibouctou Village, Kent, N.-B.

Panier façonné avec des lanières de frêne tressées. Le semeur passe la courroie dans son cou et de sa main gauche il tient le semoir en équilibre; de la main droite, il lance les volées de grains sur le labour. (D'après coll. du Musée historique acadien de Miscouche, Î. P.-É.)

Semoir à grain de mil; il mesure approximativement 95 pouces (2,4 m) de longueur et fut en usage ici et là au N.-B. et en Gaspésie, Qué.

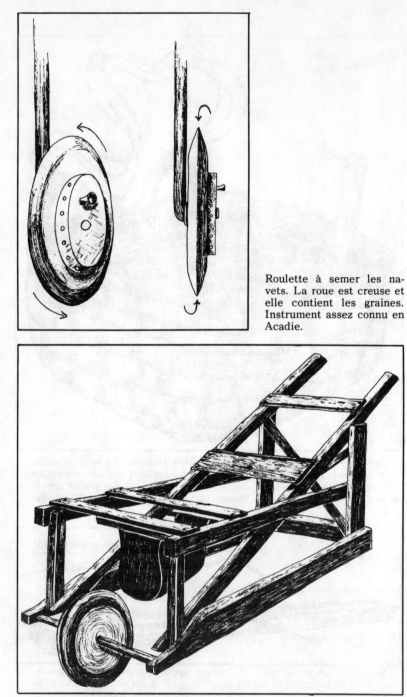

Roulette à semer les navets. La roue est creuse et elle contient les graines. Instrument assez connu en Acadie.

Brouette à semer les navets. La roue trace un léger sillon dans lequel tombe la graine contenue dans un petit récipient. Une chaîne (parfois une pièce de bois) traînant sur le sol à l'arrière de la brouette enterre les graines. (Spécimen des coll. du Musée acadien de Caraquet, N.-B.)

Râteau à *appareiller la terre*. Cet instrument servait surtout pour remuer la terre de jardin et pour tracer les sillons dans lesquels on jette ensuite les graines de semence. Le râtelier mesure app. 20 pouces (50,8 cm). (Spécimen conservé par monsieur Albert Thibodeau, 73 ans en 1973, Richibouctou Village, Kent, N.-B.)

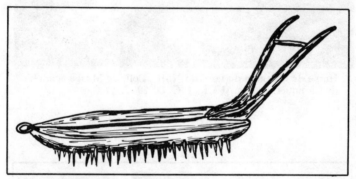

Herse à *brûlis* façonnée vers 1783 par Simon LeBlanc dans une partie de tronc d'arbre évidé. (*Dessin* d'après un spécimen conservé au Musée acadien de l'Univ. de Moncton.)

Vers 1940, des herses de bois de modèles divers étaient encore en usage un peu partout en Acadie; elles furent remplacées par des herses de bois et de fer d'abord, puis par des herses, totalement en fer, fabriquées par les forgerons. Une herse constituée d'un tronc d'arbre fendu en deux, puis évidé et hérissé à l'extérieur de chevilles pointues, hersait les champs et les jardins.

Herse de la région du nord du N.-B., Coll. du Musée acadien de Caraquet. (*Photo* AFUL, J.-C. D. 1932.)

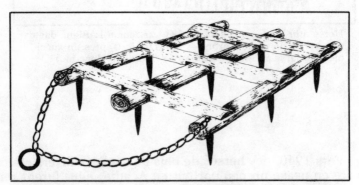

Herse née de l'assemblage de trois troncs d'arbres hérissés de tiges de fer. Une herse semblable, mais plus rudimentaire, consistait en des troncs d'arbres auxquels on conservait des branches en guise de dents. Longueur app. de 10 pouces (25 cm). (*Dessin* d'après le témoignage de madame Julienne Comeau 80 ans en 1973, Saint-Louis de Kent, N.-B.)

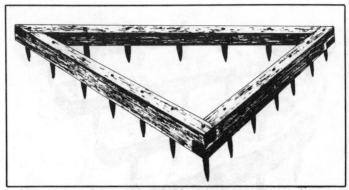

Herse triangulaire mesurant 63 pouces (1,6 m) sur chacun de ses trois côtés (bois d'épinette). Les dents d'une longueur de 8½ pouces (22 cm) sont en bois de frêne. Coll. du Musée historique acadien de Miscouche, Î. P.-É.

Herse rectangulaire en pièces de bois mortaisées. (Coll. Paddée J. Aucoin, 79 ans en 1973, Grand-Étang, Inverness, N.-É.)

Les *coupe-varnes* pour couper les aulnes sont de deux types; le premier est lancé à la façon d'une hache et son taillant en forme de demi-lune allongée est parallèle au manche; le deuxième est manié comme une faux, sa lame perpendiculaire au manche est couchée par terre. C'est surtout pendant la période de la *lune déclinante* du mois d'août que l'on coupait les *varnes*, « c'est la meilleure période pour les empêcher de repousser[19] ». Signalons ces autres instruments agricoles tels les vans, la brouette à ramasser les *bêtes à patates*...

---

19.   Arthur Léger, 50 ans en 1973, Barachois, West., N.-B.

Herse en bois datant probablement du XIXᵉ siècle. Les deux branches centrales sont mobiles. Dimension approximative: 5 pieds (1,5 m) de longueur par 3 pieds (,9 m) de largeur. (*Dessin* d'après coll. du York-Sunbury Historical Society Museum, Fredericton, N.-B.)

Herse triangulaire en bois à dents de fer. Elle se replie si l'on n'y attelle qu'un animal. Elle a été fabriquée vers 1875 par le grand-père de M. Éloi Gaudet âgé de 77 ans en 1973, de Memramcook, West., N.-B. (*Photo* Bernice Gaudet, Memramcook, N.-B.)

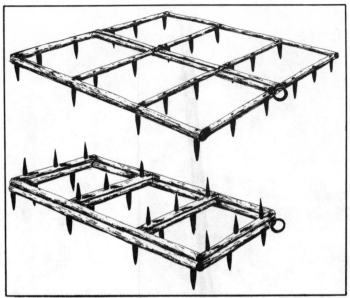

Herse rectangulaire en fer; une partie se replie lorsqu'on fait usage d'un seul animal de trait. Coll. Théodore Harvey. 92 ans en 1969, Fatima, îles de la Madeleine, Qué.

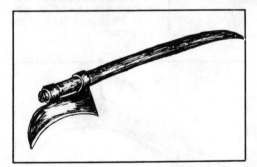

Coupe-varne des années 1880. Région de Barachois, West., N.-B.

B. Outils et techniques d'élevage

Le bœuf, comme animal de trait, fut surtout délaissé par les Acadiens du Nouveau-Brunswick vers 1910, mais, tout au long du XIXe siècle, il y avait deux bœufs d'attelage pour un cheval. Les familles pauvres continuèrent encore longtemps à utiliser les bœufs de préférence aux chevaux; on les attelait au joug de cornes d'abord, puis au joug de gar-

289

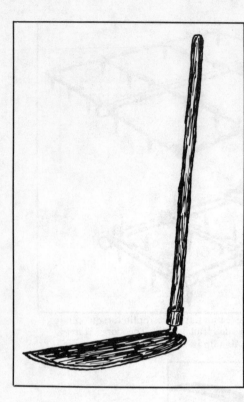

Coupe-varne provenant de la région de Moncton. Le taillant est couché et mesure 18 pouces (43 cm) de longueur.

Vanoué en bois de hêtre dont on se servait pour vanner le grain. Coll. Éloi Gaudet, 77 ans en 1973, Memramcook, West., N.-B.

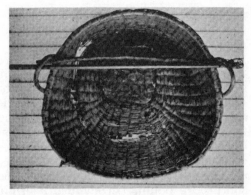

Van de vannerie et fléau à battre le grain. Le fléau se compose de trois parties: le *maintien*, le tourillon et le bat. (Raymond P. Gorham, «Birth of Agriculture in Canada» *Canadian Geographical Journal*, vol. IV, no 1, janv. 1932, p. 13)

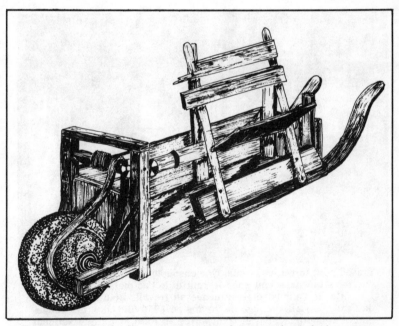

Brouette que l'agriculteur promène entre les rangs de pieds de pommes de terre dans le champ et qui ramasse les *bêtes à patates*. Un mécanisme actionné par une courroie reliée à la roue fait tourner un battoir qui projette les mouches dans la brouette. (*Dessin* d'après un spécimen fait par Ovide Allard de Pockemouche, Gloucester, N.-B., en 1903 et conservé au Musée acadien de l'Univ. de Moncton.)

rot (ou *joug à baux* ou *joug à tirants*), enfin au *joug de cou*[20]. Ces différents types de jougs se retrouvent encore sur le terrain.

Dans les *prés,* les *bois* et les *terres hautes,* là où ni clôture, ni enfarge ne retenaient les animaux, quand l'automne arrivait, les fermiers démêlaient leurs troupeaux, selon des *marques* de leur cru. Le procédé est désigné par l'expression *marquer sa main* et il consistait à couper, à poinçonner ou à fendre les oreilles des animaux. Même si la région, comme c'était le cas à Chéticamp, en Nouvelle-Écosse, comptait plus de deux cents propriétaires, chaque fermier possédait sa *marque* lui permettant, à l'examen des oreilles, d'identifier son propre bétail. Un manuscrit original donnant la *marque* propre à chacun des habitants de Chéticamp est conservé au Centre d'études acadiennes de l'Université de Moncton; nous reproduisons plus loin cette liste complète. (pp. 297 à 301.)

Travail pour ferrer les bœufs. Une ensouple raidissait deux grosses courroies qui passaient sous le ventre de l'animal et le soulevait. La patte de l'animal était attachée au travail. Boutique de forge de François LeBlanc, âgé de 96 ans en 1956 (décédé), de Wedgeport, Yarmouth, N.-É.; et transportée au Parc historique national de Grand-Pré. (*Photo* AFUL, J.-C. D. 2616.)

---

20. Dosithée Léger, 77 ans en 1973, Robichaud, West., N.-B. et Adolphe LeBlanc, 94 ans en 1973, Memramcook, West., N.-B.

Intérieur de la boutique de forge de monsieur François LeBlanc décédé à l'âge de 96 ans en 1956, de Wedgeport, Yarmouth, N.-É. Elle fut transportée au Parc historique national de Grand-Pré. On y retrouve encore le feu de forge alimenté par un soufflet de cuir. (*Photo* AFUL, J.-C. D. 2613.)

Joug de garrot pour l'attelage d'un bœuf. Spécimen conservé par monsieur Filmon Goguen, 55 ans en 1973, Notre-Dame de Kent, N.-B.

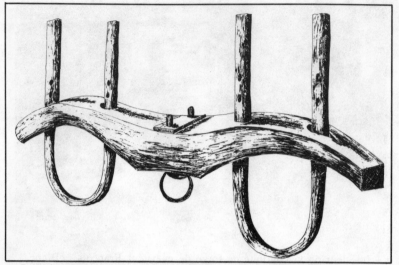

Joug de garrot pour atteler deux bœufs; il est conservé chez monsieur
Laurie Bourque, 45 ans en 1973, Robichaud, West., N.-B.

Bœufs attelés au joug de cornes. (*Photo* du Centre acadien de
l'Univ. Sainte-Anne, Pointe-de-l'Église, N.-É.)

294

Vache attelée à un banneau au moyen d'un *joug de cou* aux îles de la Madeleine, Qué. vers 1930. (Edwin Smith, *op. cit.*, p. 341.)

Bœufs servant au travail de la ferme; région de la baie Sainte-Marie, N.-É. Clôture de perches ou *clayon*. (*Photo* Centre acadien, Univ. Sainte-Anne, Pointe-de-l'Église.)

Auge servant à abreuver les animaux dans les champs chez les Acadiens de Saint-Côme de Beauce, Qué. Autre façon de dresser des clôtures de bois. (*Photo* AFUL, J.-C. D. 1844.)

Enfarge ou tribart que l'on fixe au cou de l'animal (bœuf, vache et cheval, surtout) pour empêcher de sauter les clôtures et aussi parfois pour empêcher l'accouplement. Coll. de monsieur Adolphe LeBlanc, 94 ans en 1973, Memramcook, West., N.-B.

Dans le nord du Nouveau-Brunswick, à Shippagan chaque fermier devait déposer au *greffe* sa *marque* signée. Chacun des macarons avait la forme d'une tête d'animal à oreilles différemment marquées. Le Musée acadien de Cara-quet conserve les *marques* de ce village, pour l'année 1925.

	Droite Gauche		Droite Gauche
Au Coin Ned C.		Au Coin Charles C.	
Au Coin Willie L.		Au Coin Eusèbe (du lac)	
Au Coin Simon		Au Coin Joseph Julien	
Au Coin Charles M.		Au Coin Job	
Au Coin Hypolite M.		Au Coin Laurent	
Au Coin Lubin M.		Au Coin Julien	
Au Coin Anthony M.		Au Coin John (Julien)	
Au Coin Eustache M.		Au Coin Padez (Amable)	
Au Coin William M.		Au Coin Ben	
Au Coin Henry		Au Coin Clément	
Au Coin Lazare		Au Coin Edward	
Au Coin Hypolite J.		Au Coin Jérome	
Au Coin Christophle M.		Au Coin William A.	
Au Coin Lubin J. (district Plateau)		Au Coin Padez E.	
Au Coin Didiez		Au Coin Charlot	
Au Coin Denis		Au Coin Irénée	
Au Coin Charles		Au Coin François (Vve)	
Au Coin Lubin B.		Boudreau Lubin V.	
Au Coin Padez B.		Bourgeois Charles L.	
Au Coin Charles M.		Brassard Charles	
Au Coin Norbert		Bourgeois Arsène Job	
Au Coin Ludger		Bourgeois Charles V.	

Nom	Droite	Gauche	Nom	Droite	Gauche
Bourgeois David M.			Chiasson Damien G.		
Bourgeois Marcellin			Chiasson John G.		
Boudreau John E.			Chiasson Charles L.		
Boudreau Caliste E.			Chiasson Emilien		
Bourgeois Daniel V.			Chiasson Placide T.		
Bourgeois Arsène U.			Chiasson Lubin T.		
Boudreau Eusèbe			Chiasson Germain		
Boudreau Charles			Chiasson Janvier		
Boudreau Antony			Chiasson Firmain		
Boudreau Joo			Chiasson Lubin J.		
Boudreau Théophile			Chiasson Thimothée L.		
Bourques David			Chiasson Joseph (Fils)		
Bourques Ubald			Chiasson Luc		
Bourques Caliat			Chiasson Lubin Thomas		
Bourgeois Charles G.			Chiasson Lubin B		
Boudreau Gabriel			Chiasson David B		
Bourgeois Philippe			Chiasson Simon B.		
Bourgeois Calist			Chiasson Eugras		
Brun Denis			Chiasson Charles F.		
Boudreau Placide			Chiasson John L.		
Boudreau Hypolite			Chiasson John J.		
Bourgeois Venant			Chiasson Eusèbe Z.		
Brun Ned			Chiasson Sylvin G		
Chiasson Georges D.			Chiasson Hubert		
Chiasson Félicien			Chiasson Séverin F.		
Chiasson Patrice U.			Chiasson Laurent T		
Chiasson Joseph E.			Chiasson Théophlite F.		
Chiasson Hyacinthe L.			Chiasson Laurent S		

Nom	Droite	Gauche	Nom	Droite	Gauche
Chiasson Simon C			Desveau Daniel F		
Chiasson Benjamin			Desveau Victor C.		
Chiasson John J			Desveau David		
Chiasson Michel F.			Desveau Nestoire M.		
Chiasson Hyacinthe			Desveau Filin		
Chiasson Hypolitte C.			Desveau Emilien		
Chiasson Jen Timothy			Desveau Nestor		
Chiasson E Marcellin			Desveau Michel		
Chiasson John Laurent			Desveau Fred		
Chiasson John Suzanne			Desveau Patrick		
Chiasson Padee z.			Desveau Celestin M.		
Chiasson Eusèle P.			Desveau William		
Chiasson Placide M.			Desveau Fred D.		
Chiasson Emilian Luc			Desveau John C.		
Chiasson Lalien			Desveau Simon J.		
Chiasson Philip z			Desveau Elie		
Cormier Daniel J.			Desveau Fred F		
Cormier Emédée			Desveau Eusèle		
Cormier Philippe z			Desveau Placide D.		
Cormier Thom A.			Desveau Jean D.		
Cormier John Eustache			Desveau Eusèle G		
Cormier Padée M.			Desveau Eloi		
Cormier thomas M			Desveau Delphin		
Comeau Emédée			Desveau Bélone		
Comeau Daniel			Desveau Joseph Lulin		
Comeau Emédé			Desveau Jean S		
Chapdelaine Pierre			Desveau Joseph		
Desveau Raphaël J.			Desveau Daniel		

Nom	Droite	Gauche
Desveau Thomas M.		
Desveau Nectaire Dan.		
Desveau Francis N.		
Doucet Arsène		
Doucet Pierre		
Doucet Marcellin P.		
Doucet William		
Haché Moïse P.		
Haché Charles C		
Haché Alex G.		
Haché Pascal		
Haché Clément		
Haché Gilbert		
Le Blanc Joseph		
Le Blanc Médrick S.		
Le Blanc Patrick		
Le Blanc Placide L.		
Le Blanc Séverin E.		
Le Blanc Marcellin		
Le Blanc Egrilac P.		
Le Blanc Fidelle E		
Le Blanc Lazare		
Le Blanc Joseph S		
Le Blanc Siméon		
Le Blanc Placide E.		
Le Blanc Elléas F.		
Le Blanc Placide S		
Le Blanc Séverin Men		

Nom	Droite	Gauche
Le Blanc Jos M.		
Larade Thomas		
Larade Médrick		
Lelièvre Lazare		
Lelièvre Dominique		
Lelièvre Hypolite		
Le Fort Patrice		
Le Fort Baptiste		
Lapierre Victor		
Lapierre Samuel		
Massé Fred M.		
Massé Lubin M.		
Massé Johny C.		
Massé Charles C.		
Massé Siméon		
Maillet Policarpe		
Maillet Marcellin		
Maillet Clément		
Maillet Michel		
Odo Victor P.		
Odo Hypolyte		
Odo Placide P.		
Poirier Léon R		
Poirier Johny F		
Poirier Charles B		
Poirier Charles		
Poirier John O.		
Poirier Lazare A.		

Droit Gauche		Droit Gauche
Poirier Hubert	Roach Joseph T	
Poirier William	Roach Jonatan N.	
Poirier Marcellin	Roach Thomas M.	
Poirier Fred	Roach Pit Polet	
Poirier Lucian	Roach Hypolite A.	
Poirier Emédée	Roach Stanislas	
Poirier Elie	Roach Hypolite	
Poirier Joseph A	Roach William	
Poirier Alexandre	Roach Alexandre	
Poirier Emilien	Roach Thomy	
Poirier Benjamin	Romard Michel J.	
Poirier John Hubert	Romard Charles J.	
Poirier Placide H.	Romard Michel J.B.	
Poirier Amédey P.	Romard Charles W.	
Roach Patrick	Romard Edward	
Roach Sanda W.	Romard Thimothée	

Marques des animaux de Chéticamp, N.-É., datant probablement du début du XXe siècle. Manuscrit original déposé au Centre d'Études acadiennes de l'Univ. de Moncton.

C'est chez le doyen ou l'aïeul de la communauté, quand ce n'était pas chez le curé, que le *greffe des marques* était conservé. La coutume de *marquer sa main* semble avoir disparu vers les années 1935. À Cap Caissie, au Nouveau-Brunswick, on adopta l'attache de tôle brochée à l'oreille vers 1920[21].

En Louisiane, les Acadiens marquaient les animaux avec des estampes de fer rougi au feu. Un manuscrit intitulé *Brand Book for Opelousas and Attakapas District, 1739-1888* contient 28 000 marques diverses de bestiaux ainsi que le nom des propriétaires louisianais pour les années 1761 à 1810 (conservé aux Archives de l'Université Southwestern).

21. Coll. J.-Claude Dupont, doc. ms. 9020, Amédée Després, 82 ans en 1973, Notre-Dame de Kent, N.-B.

301

Cette tradition existait aussi au Québec; le Musée de l'Hôtel-Dieu de Québec conserve un fer portant les initiales « HD » et ayant servi à identifier les animaux de l'Hôtel-Dieu.

Chaque habitant se suffisait à lui-même en matière alimentaire de base, viande, lait, œufs; même si le nombre d'animaux par catégorie était minime on faisait l'élevage des

Fer à marquer les animaux en Louisiane. Coll. du The LSU Rural Life Museum, Baton Rouge. (*Photo* AFUL, J.-C. D. 2534.)

vaches, de quelques porcs, des poules, de *pirounes*, parfois de lapins.

C. Les marais endigués

Là où la mer a le plus contribué à la mise en place de procédés agricoles particuliers, c'est certainement dans la formation des marais qu'ont endigués les hommes: ces terrains bas ont fait apparaître des fermiers *endigueurs* plutôt que des défricheurs de terre. Ces digues prirent un demi-million d'acres (200 000 ha) de terre sous le niveau de la mer. Lauvrière écrivait: «(...)» autrefois, on ne défrichait de *terres hautes* que pour les jardins[22]». Faucher de Saint-Maurice,

Cabane pour abriter la poule et ses poussins; elle est faite d'un vieux baril.

---

22. *Op. cit.*, tome I, p. 161.

lors d'un voyage qu'il fit dans les provinces Maritimes en 1888, releva les techniques de construction des *aboîteaux* acadiens[23]. Ce riche terrain formé d'alluvions marines a influencé l'homme dans le choix successif d'une *terre* à cultiver et l'a obligé à développer une technologie agricole appropriée.

1. Description

En vieux français «abot» désignait une entrave de fer ou de bois qu'on mettait aux pattes des chevaux. En Normandie, on parlait d'«abat-eau» et en Saintonge d'«aboteau». En Acadie, le nom d'*aboîteau,* qui au XVIIe siècle désignait exclusivement le mécanisme (clapet) qui permet à la digue de laisser passer l'eau, en vint à désigner la partie de la digue où se situe la porte-clapet, et parfois aussi tout le *pré* endigué. C'est probablement de Saintonge et de La Rochelle que les Acadiens ont emprunté le terme, puisque les premiers spécialistes des digues des rives atlantiques arrivèrent de ces régions en 1636; Sandre, Pierre Gabory, Jehan Provost, François Beaudry et Pierre Proult, tous sauniers[24].

L'endiguement des *terres* n'est pas né au Canada français, puisqu'on connaît les «polders hollandais» depuis le VIIIe siècle de notre ère. C'est surtout aux XIIIe et XVIIIe siècles qu'on érigea des digues en Europe et bien qu'elles aient été presque toutes détruites lors de la dernière guerre mondiale, on les a presque toutes reconstruites depuis[25]. Rabelais fait mention des «écluses de Vienne près de Poitiers, sur la Loire». Les marais pontins, au sud de l'Italie, furent asséchés dès l'Antiquité sous Auguste; et Mussolini fit de nouvelles tentatives d'assèchement. Plus près de nous, les digues de Kootenay, en Colombie canadienne, 30 000 acres (12 000 ha) de terrain, donnent soixante-quinze boisseaux de blé l'acre, alors qu'on récolte quinze boisseaux l'acre dans les Prairies[26].

---

23. *En route; sept jours dans les provinces Maritimes,* pp. 25-26 et 37-38.
24. Anonyme, «Le Rôle du *Saint Jehan,* navire qui mit à voile de La Rochelle le 1er avril 1636, et aborda à la Hève», *Mémoires de la Société généalogique,* janvier 1944, pp. 19-30.
25. Alain Lafitte fait l'étude de marais endigués en France, voir «Les Barthes du nord de L'Adour, de Sainte-Marie-de-Gosse à Tarnos», dans *Ethnologie française,* tome 7 n° 2, 1977, pp. 167 à 176.
26. Archibald William Currie, *Economic Geography of Canada,* pp. 264-265.

Canal d'écoulement des eaux dans une levée de la région de Memramcook, West., N.-B. Un clapet en ferme l'entrée. (*Photo* Bernice Gaudet, Memramcook.)

La levée ou digue que l'on désigne presque toujours maintenant sous le nom d'*aboîteau* consiste en un rempart en bordure des eaux pour empêcher ces dernières de monter sur la terre alluviale appelée *pré*. Selon l'endroit où s'élève la digue, elle sera haute de six à vingt pieds (1,8 à 6 m), et si le courant est fort, elle peut avoir dix à douze pieds (3 à 3,6 m) de largeur à la base. En général, le sommet de la levée, la *chaussée,* doit être assez large pour qu'une voiture à traction animale puisse y circuler:

> Ils plantent cinq ou six rangs de gros arbres tout entiers aux endroits où la mer entre dans les marais, et entre chaque rang ils couchent d'autres arbres le long les uns des autres et garnissent tous les vides si bien avec de la terre glaise bien battue, que l'eau n'y sçauriont (*sic*) passer. Ils ajustent au milieu de ces ouvrages un esseau de manière qu'il permet à la marée basse, à l'eau des marais de s'écouler par son impulsion, et défend à celle de la mer d'y entrer. Un travail de cette nature qu'on ne fait qu'en certain temps que la mer ne monte pas si haut (...)[27].

27. Sieur de Dièreville, *Relation du voyage du Port-Royal de l'Acadie ou de la Nouvelle-France,* p. 77.

Ferrée et *broque à levée* utilisés pour construire les levées. Coll. du Musée acadien de l'Univ. de Moncton. (*Photo* AFUL, J.-C. D. 246.)

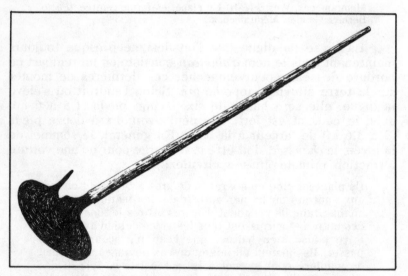

Pelle circulaire utilisée lors de la construction des levées. Un instrument semblable, en Europe, est la houlette de berger. Dim.: long. du manche: 60 pouces (1,5 m); diam. de la spatule: 6 pouces (15 cm). Conservée au Musée historique acadien de Miscouche, Î. P.-E.

À travers ces arbres, on dresse un treillis de *sapinage* et de terre glaise fortement battu avec les pieds et entremêlé de *harier* et de *couennes* de quinze pouces de longueur par cinq pouces de largeur (38 × 13 cm). La technique d'assemblage des troncs d'arbres enchevêtrés prend le nom de *bois mariés* et les parties couchées sont les *slabes*. Chaque longueur de levée que font quatre hommes dans une journée de travail s'appelle une *rode* et elle mesure normalement seize pieds (4,8 m) de longueur. Le parement est formé de *pleures herbées,* de chiendent et de grandes herbes. Ces parements servent de murs de chaque côté pour retenir les mottes et chaque *couenne* est coupée avec une *ferrée* selon une figure géométrique uniforme et placée de bas en haut comme on le fait lorsqu'on couvre une toiture de maison avec du bardeau: on parle alors de *bardocher* la digue; ni l'eau de mer, ni l'eau de pluie n'y entreront. Après une année ou deux, les herbes se sont solidifiées et le rempart est devenu aussi solide qu'une petite colline naturelle. Lorsqu'on termine une levée, si l'eau qui la frappe est claire, elle est réussie et si l'eau devient brouillée, la levée ne tiendra pas, *l'aboîteau boit.*

La *ferrée* que l'on vient de mentionner était conçue spécialement pour le travail des digues, mais souvent l'on découpait une pelle pour la rétrécir et l'adapter aux besoins. Les autres outils accompagnant la *ferrée* étaient la fourche ou *broque à levée* et les *crocs* à terre glaise.

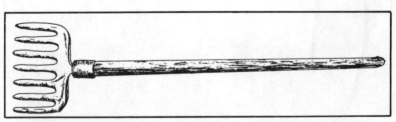

Longue fourche servant à la construction des levées le long des *prés*. Dim.: long. des dents: 11 pouces (28 cm); long. du manche: 50 pouces (1,3 m). Coll. de l'église au Parc historique national de Grand-Pré, N.-É.

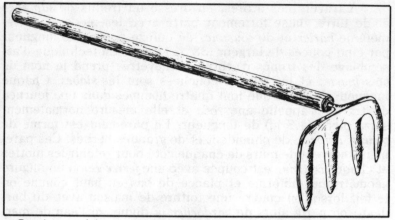

Croc à terre glaise servant à la construction des digues. Dim. du manche: 60 pouces (1,5 m) de long.; dents, 8 pouces (20 cm).

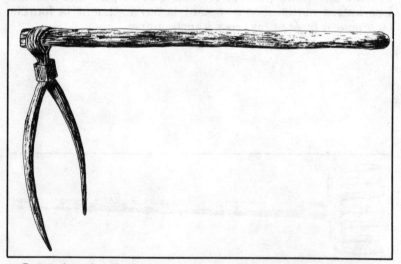

Croc à deux fourchons. Dim.: long. des dents: 12 pouces (30 cm); espace entre les dents: 4½ pouces (11,5 cm). Coll. de l'église du Parc historique national de Grand-Pré et du Musée acadien de l'Univ. de Moncton.

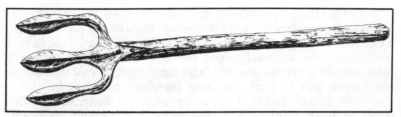

Bêche à fourchons servant jadis à travailler la terre lors de la mise en place des digues.

Vue en coupe d'une levée d'*aboîteau*. En haut, la marée est haute et le clapet est fermé pour empêcher l'eau de monter sur le terrain; en bas, la marée est basse et l'eau du terrain retourne à la mer par le clapet qui est ouvert.

Cette digue, percée au ras du sol, vis-à-vis des rigoles asséchant les *terres*, par des clapets, laisse passer l'eau d'égouttement. Ces conduits de bois, fermés du côté de la mer par une porte suspendue par le haut, ne s'entrouvrent que pour laisser sortir le *doucin,* l'eau des *terres.* L'eau de mer ne peut donc pas y pénétrer pour inonder les *prés*; le clapet s'ouvre à marée basse, sous la pression de l'eau venant des *terres* et il se referme à marée montante. Quand on posait une digue, on laissait le marais se dessécher pendant deux ans, après quoi la terre était labourée. Après quelques années de récolte, on ouvrait tout grand les clapets pour laisser passer l'eau salée: on engraissait les marais. À l'automne, on examinait soigneusement les avaries survenues aux *aboîteaux,* surtout dans la partie des clapets. Durant l'hiver, on sciait et l'on équarrissait de larges planches qui répareraient les caissons ou dalots, communications entre les rigoles des *terres* et la mer. Au printemps, on réparait les *aboîteaux* qui n'avaient pas résisté aux grandes marées de l'automne ou du printemps et aux rigueurs de l'hiver.

Chaque habitant entretenait sa *hart,* c'est-à-dire, la partie de digue qui bordait sa *terre* près de la mer ou de la rivière. Dans chaque région, un homme était désigné pour surveiller l'état des levées; on le nommait le *sourd du marais.* Ce dernier, en mai, réunissait les propriétaires pour faire les réparations nécessaires. Les digues regroupaient tous les habitants de la paroisse dans le travail d'irrigation et créaient de solides liens communautaires. Des tempêtes exceptionnelles détruisirent parfois, en une nuit, presque toutes les digues de certaines régions; les Acadiens ont entendu raconter par leurs vieux parents que, le 3 novembre 1759, l'eau monta d'une hauteur de six pieds (1,8 m) au-dessus des plus hautes marées, et que presque toutes les levées furent rompues; les plus âgés savent aussi qu'à l'automne de 1869, le long de la rivière Petitcodiac, presque toutes les levées furent emportées par la marée[28].

2. Trois types de digues

Ces immenses terrains pris à même les eaux se distribuent selon deux zones topographiques; le long des rivières et ici et là en bordure de l'océan. Cette répartition est à la source de trois types de levées. Celles qui bordaient les rivières étaient longues et basses et servaient à retenir les eaux

---

28. Placide Gaudet, « Les *aboîteaux* », *La Nation,* 14 mars 1929, p. 4.

des hausses printanières, alors que sur le bord de l'océan, de courtes mais hautes digues luttaient contre chaque marée. Comme exemple du premier type de construction, il faut citer la levée du village de Grande-Digue, tandis que le deuxième type serait bien représenté par celle de la région de Grand-Pré, en Nouvelle-Écosse.

Un troisième type d'endiguement, celui qui faisait face à l'océan et retenait sur un de ses côtés une rivière, devait avoir à la fois les caractéristiques de la *levée de mer* et de la *levée de rivière* (les rives d'entrée de la rivière Petitcodiac illustrent bien ce dernier type).

Chez les Français des rives atlantiques on distingue deux grandes époques de construction de levées. La première va de 1640 à 1755, soit un peu plus d'un siècle de lutte pour empêcher l'eau d'envahir les terres basses. La deuxième époque dure près de deux siècles[29]. Le littoral fut fréquenté peu de temps après la Déportation par quelques-uns des fugitifs errant dans les bois. La crainte d'être surpris les empêchait de se montrer durant le jour; ils profitaient des nuits claires pour s'aventurer au bord de la mer. C'est là qu'ils ensemençaient des pommes de terre dans de petits *prés* entourés de hautes *herbes-outardes,* dans lesquelles ils se cachaient. L'automne arrivé, ils revenaient aux mêmes heures de la nuit recueillir le fruit de leurs travaux[30].

En raison d'incidences historiques, trois régions comptent des digues importantes. Les premières *terres* choisies le furent en Nouvelle-Écosse (Grand-Pré d'abord, puis un peu partout dans cette province, sauf au Cap-Breton). On se dirigea ensuite vers la frontière sud du Nouveau-Brunswick, dans la région du fort Beauséjour, et dans le comté d'Albert et de Westmoreland. Enfin, les *endigueurs* montèrent au nord du Nouveau-Brunswick jusqu'à Caraquet, dans la baie des Chaleurs. À l'époque de la Dispersion, ce sont probablement les Acadiens qui apportèrent jusqu'en Louisiane la tradition des levées qui bordent le Mississipi[31].

3. Une technologie appropriée

Les hommes travaillaient généralement en rangée de six, lorsqu'ils faisaient la récolte dans les marais endigués;

29. Samuel Arsenault et Jean Daigle, *op. cit.* planche 15.
30. H.-R. Casgrain, *op. cit.,* p. 353.
31. Corinne-Lelia Saucier, *History of Avoyelles Parish in Louisiana,* p. 152; — Antoine Bernard, *Histoire de la Louisiane de ses origines à nos jours,* p. 399.

ils s'efforçaient de ne pas briser le rythme, tant en fauchant qu'en aiguisant leurs faux. Ils étaient presque toujours accompagnés de leurs femmes qui raclaient et emmeulaient le foin[32]. La *petite faux,* en usage pour couper le foin ou le grain, était plus courte que la faux utilisée généralement sur les *terres hautes,* les tiges poussant sur les *terres basses* offrant plus de résistance. Cette *petite faux* possédait une lame plus épaisse et plus large que celle de la faux habituellement utilisée.

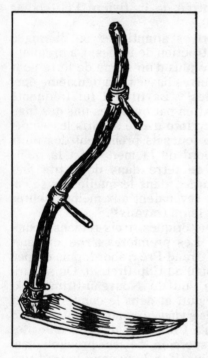

Faux à couper le foin des terrains endigués.

Constitués de terrains mous, les marais endigués n'offrent pas toujours la possibilité des moyens de transport ordinaires des fermes; le cheval lui-même, à certaines périodes, ne pouvait s'y engager que chaussé de *raquettes à prés* que l'on fixait au sabot du cheval au moyen de courroies.

32. J.-Médard Léger, « Les *aboîteaux* », *La Société historique acadienne,* 2e cahier, 1962, pp. 61 à 67.

Raquettes à cheval surtout utilisées dans les marais au XIXᵉ siècle. Des spécimens semblables sont conservés au Musée acadien de l'Univ. de Moncton, au Musée historique acadien de Miscouche et à The Provincial Archives of N.-B., Fredericton. Le Service d'Archéologie et d'Ethnologie du Ministère des affaires culturelles du Québec en conserve quelques paires en bois et en fer ayant servi au Québec.

Un instrument agricole employé dans les marais était la *guimbarde* ou *djimbarde,* brancard consistant en deux perches que l'on passait sous une petite meule de foin pour la transporter:

> Ceux qui n'avaient pas le moyen de se procurer un bœuf ou un cheval pour charroyer le grain devaient faire ce travail avec des *guimbardes,* brancards formés de deux longues perches parallèles sur lesquelles on entassait le grain fauché. Cette méthode primitive n'a pas disparu complètement, car on l'utilise encore aujourd'hui (1948) dans les marais (...)[33].

Les informateurs nous parlent aussi du *travouil,* sorte de *guimbarde* tirée par un cheval; cette voiture fabriquée de deux troncs d'arbres était chargée d'un panier à foin. La charrette n'était pas absente des *prés,* elle transportait la terre glaise lors de la construction des digues, elle charroyait le foin au moment de la récolte; mais on dut lui fabriquer des roues à large diamètre afin que le poids se répartisse sur une plus grande surface du sol.

---

33. Louis-Cyriaque Daigle, *op. cit.,* p. 48.

313

Chafauds à foin construits sur les *prés* du Village historique acadien de Caraquet, N.-B. Ce genre de construction s'élève sur les terrains bas qui deviennent humides même pendant la saison chaude. Cette plate-forme distancée du sol d'un pied (30 cm) permet d'y retirer le foin sans qu'il soit gelé au sol lorsque vient le temps d'aller le chercher pendant l'hiver. (*Photo* fournie par le Village historique acadien de Caraquet.)

Voiture traînante utilisée pour transporter le foin sur les terrains endigués. Le cheval tire au moyen de couplets fixés au prolongement des patins.

314

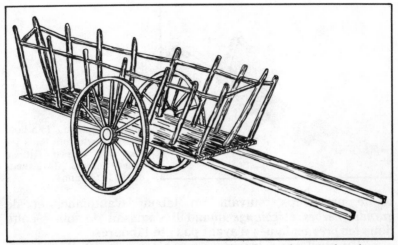

Grande charrette servant à transporter le foin sur les terrains rive-rains. Région du sud du N.-B.

Un instrument accompagnait souvent cette charrette dans les *prés*, le *diable*, cric destiné à soulever une voiture embourbée; il soutient encore la voiture, lors du graissage des roues.

Lorsque le *foin salé* (ils appellent ainsi la récolte venant des *prés* pour la distinguer de celle du *foin doux* des *terres hautes*) a été amoncelé dans les *tasseries* de la grange, il devient difficile d'en extraire des brassées, car les longues tiges s'entremêlent entre elles. Une scie spéciale, longue de trois pieds (0,9 m), entre alors en fonction. Quand il n'y avait plus de place dans la grange, on empilait le *foin de prés* en gros mulons; et ces immenses veillottes que l'on désignait sous le nom de *barges de foin* s'élevaient souvent près de la *grange de marais,* construction que l'on bâtissait dans les *prés.* Ces barges que l'on utilisait avant le foin des granges, étaient parfois retenues au moyen de vieux filets de pêche[34]. Au moment de faire manger le *foin de prés,* on le mêlait à du *foin de terres hautes* et à de la paille d'avoine et l'on désignait ce mélange sous le nom de *mizotte*[35]. Pour déprendre le foin des *tasseries*, on utilise aussi, parfois, le *crochet à foin*, un outil de bois semblable à une canne pour marcher. On parlait encore de *foin doux des prés* lorsqu'on désignait le foin récol-

34. Exelda LeBlanc, 84 ans en 1973, Memramcook, West., N.-B.
35. Philippe Babineau, 78 ans en 1973, Robichaud, West., N.-B.

Scie ou couteau à foin pour déprendre le foin dans les *tasseries*. Relevé fait au Musée national du Canada et sur le terrain.

té le printemps, suivant un labour d'automne, et de *grandes herbes* et *salange* quand il s'agissait de foin récolté dans les *prés* endigués n'ayant pas été labourés.

Un outil agricole qui ne semble pas avoir été très répandu en Acadie est la *gratte-à-varech,* genre de râteau à dents superposées, tiré par un cheval et conduit par deux hommes. Lorsque les dents d'un côté étaient remplies de *guémon,* on retournait le râtelier pour lui laisser échapper les algues accumulées et l'on pouvait, tout en laissant avancer le cheval, remplir l'autre côté du râteau. Ces algues marines étaient utilisées comme engrais.

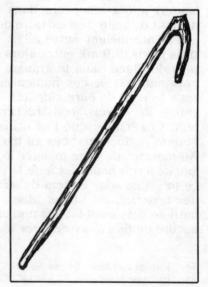

Bâton à tirer le foin en bas de la *tasserie*. Spécimen retrouvé à Saint-Louis de Kent, N.-B.

316

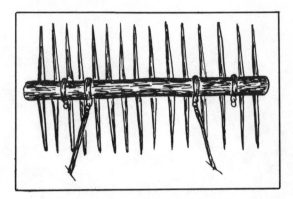

Gratte à varech conservée au Musée historique acadien de Miscouche. Î.P.-É.

4. La formation des *prés*

Les marais acadiens se caractérisent par un fond de terre rougeâtre de même couleur que les eaux qui les bordent. La boue gluante des rivages, formée par des alluvions marines entassées sous la poussée des eaux, forme une couche ferme aussi solide que le sol des *terres hautes*. La composition de ce fond de particules très fines réunit du sable de grès rouge, de l'argile, du limon et des matières organiques dont quelques déchets de poisson, mais surtout des algues, des débris de coquillages et du sel. Toutes ces particules sont déposées par les eaux qui exercent une forte érosion sur les rocs friables des rives lors des marées. Environ deux pouces (5,2 cm) de ces débris couvrent, chaque jour, les lieux abrités du courant; il suffit qu'une seule marée brise la digue pour recouvrir le sol d'une couche de limon. Ce travail d'accumulation continue toujours et l'on peut constater un curieux phénomène: dans les vieux marais cultivés depuis longtemps, le niveau de sol est plus bas qu'à l'extérieur où il subit sans cesse l'influence des marées.

Les marais endigués sont abandonnés presque partout depuis les années trente, parce que leur culture n'est plus rentable. Ces digues sont devenues très difficiles à entretenir, la tradition s'est perdue avec la disparition des spécialistes qui auraient pu diriger des travaux d'endiguement. En 1972, on n'y prélève plus de taxes municipales.

SEPTIÈME PARTIE

Le travail en mer

A. Moyens de transport

1. La goélette

Les Acadiens ont toujours été des *hommes de mer*; leurs activités de pêcheurs les ont obligés à devenir marins et constructeurs de bateaux de toutes sortes. Souvent, jusqu'au début du XXe siècle, ils durent parcourir de longs trajets tantôt pour se ravitailler, tantôt pour s'adonner au commerce du poisson et du bois, en particulier.

Privés de communication à l'intérieur des *terres*, les Acadiens de la côte nord du Saint-Laurent, au XIXe siècle, se rendaient, à l'automne, échanger leurs produits contre des vivres et des vêtements, d'abord à Halifax, et plus tard à Québec[1].

Dès le milieu du XIXe siècle, des commerçants jersiais possédaient de grosses goélettes à trois mâts qui naviguaient régulièrement du Nouveau-Brunswick vers l'Europe. Ces navires partaient chargés de morue sèche et de poisson salé pour revenir porteurs de denrées et autres objets d'échange. Une trentaine d'années auparavant, à Caraquet, une activité intense régnait au Cap des Dugas; en témoigne encore l'excavation creusée par le cap pour y aménager une cale sèche[2].

Vers 1875, le commerce du bois traverse une ère de prospérité sans précédent au sud du Nouveau-Brunswick. Parfois, dix ou douze trois-mâts chargeaient des cargaisons de bois à destination de l'Angleterre. Dans un voyage de trois jours, des *radeaux* de bois s'amenaient depuis Shemogue et Aboujagane jusqu'à Pointe-du-Chêne, près de Shediac. Soixante ans plus tôt, dans son journal daté du 17 juin 1812, monseigneur Plessis remarque:

> L'année dernière, la région de Miramichi a exporté entre trois ou quatre mille tierces de saumon; et 105

---

1. Anonyme, *La Paroisse acadienne de Havre-Saint-Pierre célèbre*, p. 134.
2. J.-Médard Léger, «Au temps des goélettes», *L'Évangéline*, s.d., s.p. (au CEA).

Ancien chalutier transformé en réplique du *Santa Maria* dans les chantiers maritimes A.-F. Thériault, de la baie Sainte-Marie, Digby, N.-É., en 1975. (*Photo* Centre acadien de l'Univ. Sainte-Anne, Pointe-de-l'Église, N.-É.)

vaisseaux, *brigs,* et navires, en sont sortis chargés de bois[3].

Au sud du Nouveau-Brunswick, à la fin du XIXe siècle, on faisait le commerce des *patates* avec les Antilles britanniques; et la première cargaison aurait été expédiée par Alexander J. Tait, en 1877: «Tait dirigeait lui-même un bâtiment construit à Shediac[4].»

À l'île du Prince-Édouard, en Nouvelle-Écosse, sur la côte nord du Saint-Laurent, au Nouveau-Brunswick, aux îles de la Madeleine, partout les Acadiens pouvaient, de tradition, construire de bonnes et belles goélettes. Le pêcheur James Lanteigne, âgé de 93 ans en 1965, de Caraquet, au Nouveau-Brunswick, racontait ainsi l'origine de ses connaissances:

Je bâtissais des beaux bateaux qui étiont (*sic*) vifs sur l'eau, i' aviont (*sic*) de la marche. Pour savoir que dans le milieu du bateau, la courbure doit être faite de telle

---

3. Désiré-F. Léger, «Historique de Shediac», *L'Évangéline,* 17 octobre 1935, p. 5.
4. Anonyme, «Universitaires de Shediac», *L'Évangéline,* 18 juillet 1952. p. 7.

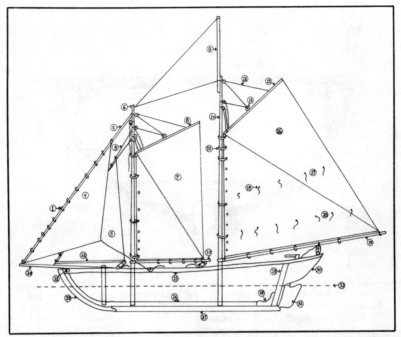

Goélette *La Castellenna* construite en 1912 par James Lanteigne, 93 ans en 1965, de Bas-Caraquet, Gloucester, N.-B., pour la compagnie Robin Jones & Withman, et conservée au Musée acadien de Caraquet. Les différentes parties de la goélette, d'après son constructeur sont:

1. Bagues du *jib*
2. *Petite été*
3. *Grosse été*
4. Petit foc
5. *Jib*
6. Mât de misaine
7. Voile de misaine
8. Corne de misaine
9. *Top mast*
10. Grand mat
11. Cercles de voile
12. Palan
13. Poulie
14. *Arganots*
15. Corne de grand'voile
16. Grand'voile
17. Deuxième ris
18. Premier ris
19. Grand *baume*
20. Beaupré
21. Ecubier
22. Étrave
23. *Baume* du *jib*
24. *Baume* de misaine
25. Lisse
26. Carlingne
27. Quille
28. *Courbe*
29. Etambot
30. *Revers*
31. Gouvernail
32. Ligne d'eau

(Edith Butler, *Les connaissances d'un vieillard*, AFUL, 1969, man., p. 6.)

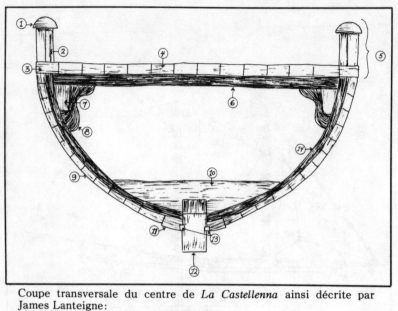

Coupe transversale du centre de *La Castellenna* ainsi décrite par
James Lanteigne:

1.	*Couronnement*	8.	*Courbe*
2.	*Appentis*	9.	Bordages
3.	*Coiffe*	10.	Varangue
4.	*Pontage*	11.	*Gabord*
5.	Lisse	12.	Quille
6.	Baux	13.	*Jarlot*
7.	*Clamp*	14.	Membre

(Edith Butler, *op. cit.*, p. 7.)

façon et non pas d'une autre, c'est maman qui m'a montré
ça[5].

Voici, selon Paul Hubert, comment on s'y prenait aux
îles de la Madeleine, pour construire deux ou trois goélettes
par hiver aux environs de 1825:

> Ils coupaient et préparaient le bois un an d'avance; ils
> utilisaient tout ce que les Îles pouvaient fournir, tout ce
> que le flot charroyait de convenable et tout ce qu'on pou-
> vait acheter ou sauver des naufrages. Ce bois devait
> être transformé à la main (...), tout l'hiver, dans l'aire
> de leur grange (...) L'année suivante, ces vieux Acadiens
> tenaces (...) élevaient la carène, à l'abri, dans un *bois*;

---

5. Édith Butler, *op. cit.*, p. 13.

et bientôt, l'on voyait se dessiner sur la neige le flanc puissant, la proue élancée et la poupe échancrée du nouveau bâtiment. Si bien qu'en 1830, on comptait 27 goélettes de 30 à 60 tonneaux dont dix pêchaient au Labrador et les autres commerçaient avec Pictou, Halifax et surtout Québec. En 1851, il y avait 37 goélettes et 101 barques employées à la pêche[6].

À l'île de Shippagan, au début du siècle, on procédait ainsi dans la construction d'une goélette:
— Au moyen de planchettes chevillées, on façonnait d'abord une demi-maquette démontable.
— Puis, commençant le travail sur le chantier, on assemblait la quille, l'étrave et l'étambot.

Goélette des îles de la Madeleine, Qué., vers 1930. (Edwin Smith, *op. cit.*, p. 332.)

6. *Op. cit.*, p. 131.

- Entre la poupe et l'étrave, on fixait ensuite les formes à la quille.
- Pour lors, les membrures et les courbures étaient mises en place.
- On procédait alors au bordage, de l'étrave à la poupe.
- Venaient s'ajouter les solives destinées au support du pont.
- Le pontage du navire constituait l'étape subséquente.
- Suivait le calfeutrage du bordage.
- Et les mâts et les haubans prenaient leurs places.
- Enfin, les voiles ourlées et munies de leurs cordages étaient fixées aux mâts[7].

De la même façon qu'il existait des secrets de science populaire pour la construction des bateaux, les Acadiens, de tradition, possédaient un ensemble de connaissances relatives à la navigation.

Pour mesurer la vitesse d'une goélette, on jetait un copeau de bois à l'eau en avant du bateau. Puis, en comptant ses pas tout en marchant vers l'arrière, on calculait combien de temps on avait mis pour suivre le copeau de l'étrave à la poupe. Monsieur Augustin Gallant, âgé de 67 ans en 1973, de Baie-Egmont à l'île du Prince-Édouard, rapporte de quelle façon il s'y prenait pour connaître le fond de la mer où il pêchait:

> Avant, j'avais une *weight amarrée* au bout d'un câble. Je mettais de la *cup-grease* sur le bas de la *weight* et je la laissais aller au fond de la mer. Quand je la montais, s'il y avait du sable sur la *grease,* j'étais sur un fond de sable, c'était pas utile de tendre là; je cherchais à tendre sur un fond de roches.

Le même informateur affirme encore qu'en temps de brume, il s'orientait vers la *côte,* guidé par le soleil, et que l'arc-en-ciel avait les significations suivantes:

> *Rainbow in the morning,*
> *Sailor's warning,*
> *Rainbow at night,*
> *Sailor's delight.*

2. Le bateau à voiles

Le traditionnel bateau à voiles à l'usage des pêcheurs serait disparu peu à peu, à partir des années 1915. Sa voilure

---

7. Donat Robichaud, *op. cit.,* pp. 21-22.

comportait un *jib* avant, retenu au beaupré, et une voile arrière, fixée à un unique mât situé un peu plus avant que le milieu de la barque. Deux à quatre rames ajoutaient au gréement du bateau. Ce dernier avait un bordage en planche à clins et sa quille de 4 pieds (1,2 m) de profondeur et alourdie de pierres mesurait de 18 à 30 pieds (5,4 à 9 m) de longueur. Ce bateau servait surtout pour la pêche au hareng, au homard, à la morue et au maquereau. Antoine Bernard parle sans doute de ce même bateau lorsqu'il dit que l'ancienne *barge* de Caraquet était «munie d'une voile à *balestan* ou *livarde* qui, la nuit, servait de couverture au pêcheur resté en mer[8]».

Un autre bateau à voiles de la même époque comportait une voilure également à un mât, mais il était muni de trois voiles et sa longueur variait entre 25 et 38 pieds (7,6 et 11,5 m) de longueur. Il était alors gréé en chasse-marée, c'est-à-dire propulsé par une grande voile arrière, une voile avant ou foc et un *jib*.

À la fin du XIXe siècle, les pêcheurs utilisèrent ce bateau pendant six ou huit ans. Vers 1875, trois hommes y travaillaient: le patron, son *moitié de ligne* et un mousse. Lorsqu'ils pêchaient la morue à la ligne, chacun d'eux, sauf le mousse, employait deux lignes d'une quarantaine de brasses (72 m), une de chaque côté de la barque. Deux *crocs* appâtés, selon la saison, de maquereau, de hareng, de *capelan,* d'encornet ou de coques, étaient attachés à chacune des lignes.

Nos relevés font état du bateau à moteur vers 1914 à l'île du Prince-Édouard, tandis qu'en moyenne, il en est fait mention vers 1917 au Nouveau-Brunswick. De 1917 à 1935, la longueur moyenne du bateau à moteur passait de 23 à 50 pieds (7 à 15 m) et il servait surtout à la pêche à la morue et au homard. Les bateaux des pêcheurs de la baie des Chaleurs sont de plus grandes dimensions que ceux des pêcheurs de la Gaspésie, parce qu'à ce dernier endroit, point n'est besoin de s'éloigner autant du rivage pour pêcher. Ces bateaux pontés ont une cale.

Un vieux pêcheur, au cours de sa vie, a fait successivement usage de la barque à voiles, du bateau à voiles, puis du bateau à moteur; il a d'abord débuté comme salarié sur une barque qui ne lui appartenait pas, pour en venir à posséder son propre bateau à moteur.

---

8. *Histoire de la survivance acadienne, 1725-1925*, p. 100.

Flan d'un bateau de pêche mesurant app. 40 pieds (12 m) de long. par 9 pieds (2,7 m) de larg. Installé à l'entrée du village du Richibouctou, Kent, N.-B. Il sert à souhaiter la bienvenue. (*Photo* AFUL, J.-C. D. 2344.)

Proue du même bateau à moteur de Richibouctou, Kent, N.-B. (*Photo* AFUL, J.-C. D. 2345.)

Le bateau à voiles servait aussi de moyen de transport pour se rendre voir les filles des villages voisins le dimanche après-midi. (*Photo* prise vers 1920 et fournie par Alberta Thibodeau-Maillet de Richibouctou, Kent, N.-B.)

3. La barque

Dans chacune des régions acadiennes visitées, il existe encore une variété d'embarcations jadis propulsées par des rames ou des voiles, mais actuellement mues par un moteur. Ces *barques de pêche* de petites dimensions mesurant parfois, en Gaspésie, jusqu'à 17 pieds (5,2 m) de longueur, peuvent accommoder deux pêcheurs de hareng. Ce *botte à rames* (île du Prince-Édouard) ou *bateau à hareng* (Nouveau-Brunswick) ou *barchette* (Nouvelle-Écosse), d'un tonnage d'une quinzaine de barils de hareng, se particularise d'une région à l'autre. Mentionnons seulement qu'une embarcation du genre, retrouvée dans la région de Aulac au Nouveau-Brunswick, possède deux patins lissés fixés sous sa coque. Les pêcheurs de cette région caractérisée par de grands *barachois,* devaient descendre souvent de leur barque pour la pousser à force de bras, ils avaient donc pris l'habitude de poser des lisses ferrées sous leurs barques. Ces deux patins parallèles de l'avant à l'arrière, épousant la courbure de la coque, mesurent à peu près 1 pouce (2,54 cm) de hauteur à l'avant pour atteindre près de 8 pouces (20,3 cm) de hauteur à l'arrière.

329

Bateau de pêche abandonné sur un quai à Chatham, North., N.-B. (*Photo* AFUL, J.-C. D. 2340.)

Le même bateau vu de la proue. (*Photo* AFUL, J.-C. D. 2341.)

4. Le *doré*

Parmi les petites embarcations, le *doré* est bien connu; on le signale un peu partout sur les côtes atlantiques, tant chez les pêcheurs anglophones que francophones. C'est un canot à fond plat mesurant à peu près 15 pieds (4,5 m) de

Bateau à proue en biais. À l'arrière, ce qu'il reste d'un support à faire sécher le filet à hareng pendant le jour. (*Photo* AFUL, J.-C. D. 2343.)

Maquette de la barque de pêche à homard aux îles de la Madeleine, Qué. Long.: 17 pouces (44 cm). Conservée au Musée de la Mer à Havre-Aubert. (*Photo* AFUL, J.-C. D. 490.)

Barque à patins conservée au Musée du fort Beauséjour, à Aulac, N.-B. D'une longueur de 12 pieds (3,6 m) elle était employée en hiver pour pêcher dans les régions de *barachois* dans le détroit de Northumberland. (*Photo* AFUL, J.-C. D. 1800.)

longueur et dont les deux extrémités sont pointues. Les bancs s'enlèvent permettant d'empiler ces canots l'un dans l'autre. Le *doré* est manié à la rame par deux personnes qui s'y installent pour pêcher généralement la morue et le maquereau, tout en rayonnant autour d'une plus grosse embarcation. Le *doré* jouit de qualités nautiques remarquables; il peut parfois essuyer une tempête et ramener ses occupants intacts sur la grève. En une vingtaine de minutes, deux hommes aux rames pouvaient autrefois franchir une distance de deux ou trois milles (3,2 ou 4,8 km) pour aller lever des *trappes* à homard. Le pêcheur le construit en bois de cèdre ou d'épinette.

5. La pirogue

La pirogue est-elle plus ancienne que le canot d'écorce? On ne saurait le dire; peut-être sont-ils contemporains, étant l'un et l'autre le moyen de transport propre à un groupe amérindien. Chose certaine, tout comme au Québec, les Acadiens, assez longtemps, utilisèrent aussi ces deux moyens de transport. De vieux informateurs se souviennent d'avoir pêché les huîtres en eau peu profonde au moyen de la pirogue, il n'y a pas si longtemps. De leur côté les textes relativement anciens font assez souvent mention de l'usage que firent les Acadiens de ces deux types d'embarcations. Charles Robin, dans son journal, en date du 28 juillet 1767, relate qu'à Tracadie les habitants usent du canot d'écorce et du

Doré de la Nouvelle-Écosse. À fond plat et ayant des sièges amovibles, il est généralement peint en jaune. On les empile l'un dans l'autre sur un chalutier. (Détail d'une photo par H. Davis & Co., Ltd., Yarmouth, N.S., 67816.)

canot taillé dans un billot, et, ajoute-t-il, « seules embarcations des habitants[9]. »

La pirogue, renommée pour sa sécurité et sa solidité, est, dans le nord du Nouveau-Brunswick, construite au moyen de deux troncs d'arbres évidés et réunis par des chevilles et des taquets de bois mortaisés. Une bordure, également chevillée, complète la partie supérieure des côtés.

Dans le sud du Nouveau-Brunswick, Clément-G. Cormier a relevé un procédé de construction faisant usage d'un seul tronc d'arbre de pin creusé à l'herminette. Pour allouer une épaisseur uniforme, au fond de la pirogue, on perçait, de l'extérieur, des trous d'un quart de pouce (0,63 cm) de profondeur à tous les deux ou trois pouces (5,2 à 7,6 cm), et on les bouchait avec des chevilles de bois d'érable sec. Ces chevilles marquaient le point d'arrêt lors du creusage à l'intérieur; de plus leur propriété d'augmenter de volume empêchait la pirogue de laisser filtrer l'eau[10].

9. *Journal de Charles Robin, 1767-1787*, ANC, mic. A-539.
10. «Ste-Marie de Kent», dans *La Société Historique acadienne*, 12e cahier, 1966, p. 33.

6. Le *scow*

Le *scow* fut longtemps en usage au nord du Nouveau-Brunswick et dans la région de Madawaska. Lorsque, durant l'hiver, les bûcherons travaillaient en forêt, ils emportaient avec eux poêles et victuailles. Pour effectuer le déménage-

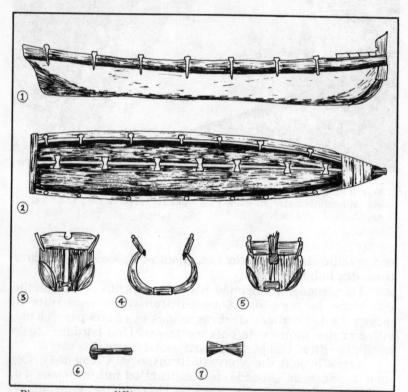

Pirogue vue sous différents angles. Cet artefact pèse app. 300 livres (135 kg) et est conservé au Musée acadien de Caraquet. Il y a deux techniques de construction d'une pirogue: l'une consiste à utiliser un seul corps d'arbre et l'autre à se servir de deux corps d'arbres. Lorsqu'un seul arbre est utilisé, on aplanit à la hache le côté qui constituera le fond extérieur de l'embarcation, et on creuse l'intérieur à l'herminette comme on le fait pour façonner une auge.

1. Vue de côté: long. 25 pieds (7,6 m); haut. 2 pieds (0,6 m).
2. Vue du dessus: larg. 2½ pieds (0,76 m).
3. Arrière. 4. Coupe du milieu. 5. Avant.
6. Cheville de bois: long. 6 pouces (15,2 cm).
7. Joint de bois: long. 6 pouces (15,2 cm).
(Edith Butler, *op. cit.*, p. 8).

ment de ces articles, ils fabriquaient une plate-forme semblable à la *gabare* encore efficace pour le transport du poisson sur l'eau aux îles de la Madeleine. On y embarquait deux chevaux avec les hommes et tout le matériel nécessaire en forêt. Sur l'eau, les hommes ramaient, dans les portages, ils descendaient les chevaux sur la rive pour les atteler au bateau et le tirer[11].

Au XXᵉ siècle, le *scow* du sud du Nouveau-Brunswick est plutôt un bateau-passeur à fond plat. Il mesure environ 35 pieds (10,5 m) de longueur par 8 pieds (2,4 m) de largeur. À Cap-Pelé, on le désignait sous le nom de *ratte* et une vingtaine de personnes à la fois l'empruntaient pour se rendre le dimanche à l'église de Barachois. Les derniers *scows* de la rivière Petitcodiac étaient motorisés, possédaient une cabine et mesuraient jusqu'à 45 pieds (13,5 m) de longueur par 18 pieds (5,4 m) de largeur.

7. Le *radeau*

L'Acadie eut aussi ses *raftmen* qui faisaient flotter des *radeaux* de bois sur les cours d'eau. À l'île du Prince-Édouard, dans la région de Mont-Carmel, au début du XXᵉ siècle, le *raft* ou *radeau* transportait encore du bois de construction. À cet endroit, des hommes le dirigeaient à la perche, tandis que les chevaux tiraient de la rive.

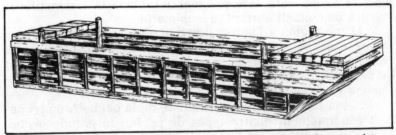

Gabare des îles de la Madeleine, Qué. Cette plate-forme flottante s'attache à l'arrière d'un bateau de pêche; elle sert à transporter le poisson lorsqu'on revient de lever les filets de pêche. Elle mesure app. 20 pieds (6 m) de long. par 12 pieds (3,6 m) de larg.

---

11. Alexandre Savoie, *op. cit.*, pp. 12-13.

Désiré-F. Léger raconte que vers 1875, de nombreux *radeaux* de bois de charpente s'amenaient vers Shediac, au Nouveau-Brunswick, où l'on chargeait des trois-mâts qui repartaient vers l'Angleterre:

> Il fallait souvent trois jours pour haler ces *radeaux* à la Pointe du Chêne, à deux milles (3,2 km) de Shediac. Au moyen de grands câbles on tirait les *radeaux* avec une couple de paires de chevaux qui marchaient sur le rivage ou dans l'eau peu profonde, et des hommes munis de grandes perches tenaient le *radeau* à distance du rivage et dans la bonne direction. À l'embouchure des rivières, on se servait d'ancres et de treuils et les chevaux montés de leurs guides traversaient à la nage[12].

Les vieux Acadiens des rives de la rivière Pokemouche racontent, avec force détails, avoir vu sur ce cours d'eau des *trains de bois* ou des *rattes* de 400 pieds (120 m) de longueur tirés de la rive par huit ou dix paires de bœufs.

B. La pêche

Parmi les poissons, crustacés et mollusques des côtes atlantiques, d'eau salée et d'eau douce, mentionnons dans le premier groupe la morue, le hareng, l'anguille, l'éperlan, le *capelan*, le maquereau, le thon, le gaspareau, le saumon, la sardine, le flétan; dans le deuxième, le homard, la crevette, le crabe; dans le troisième, le pétoncle, la coque, le clam, la palourde, le calmar, l'encornet. Toutes ces espèces ne sont pas également appréciées sur la table et elles n'ont pas, non plus, le même caractère commercial. Chez les mammifères marins, on connaît surtout le *loup-marin*.

D'une région à l'autre, il arrive que la présence de certaines espèces soit plus rare, voire même absente, et la technologie traditionnelle associée à la capture d'un poisson en particulier peut varier en raison des courants et de la profondeur de l'eau.

Selon Louis Bérubé, spécialiste de la pêche[13], on reconnaît généralement quatre types de pêche: la grande pêche, la pêche de surface, la pêche de rivage et la pêche fluviale. La «grande pêche» se pratique sur les bancs du large ou sur

---

12. «Historique de Shediac», *L'Évangéline,* 17 octobre 1935, p. 5.
13. *Poissons, crustacés et mollusques pêchés dans la province de Québec,* La Pocatière, 1940, man. p. 1.

les *bancs de terre* situés de un à trois milles (1,6 à 4,8 km) de la *côte*; on y utilise la ligne à main, des lignes de fond et des *rets*, pour pêcher la morue et la plie. La «pêche de surface», du hareng, du maquereau, se pratique avec des *rets* et des seines. On exécute ces deux types de pêche au moyen des *barges*. La «pêche du rivage», du *capelan*, de l'éperlan, du homard, et du hareng à certaines périodes de l'année, emploie la barque. La «pêche fluviale» ou de «rivière» est surtout celle de l'anguille et du *poulamon*; on se sert alors du casier en *fascine* ou bien du dard.

La pêche à la morue, celle du homard et celle du hareng nous ont semblé les activités les plus importantes parmi les travaux en mer, chez les Acadiens. Nous décrirons surtout ces procédés de pêche et nous présenterons quelques éléments associés à d'autres types de pêche cités plus haut.

Nous avons sciemment mis de côté certains procédés modernes, tels les grandes *trappes*, les épuisettes et les dragues mécaniques, les chaluts à panneaux, la plupart du temps opérés en haute mer au moyen de chalutiers. De même, nous nous arrêterons surtout à la pêche côtière, celle qui permettait de revenir à terre tous les soirs.

Donat Lacroix a fait l'étude de la pêche ancienne et de la pêche moderne chez les Acadiens du Nouveau-Brunswick[14], Marcel Moussette a produit un travail bien documenté sur les engins de pêche des rives du fleuve et du golfe Saint-Laurent[15]. Aliette Geistdoerfer, de la Maison des Sciences de l'Homme et attachée de recherche au Centre National de la Recherche Scientifique de France, dans le cadre d'un Doctorat d'État, a poursuivi une importante recherche sur la pêche aux îles de la Madeleine.

Il semble que, jusqu'aux années 1915, d'une région à l'autre, les pêcheurs étaient rétribués de façons diverses par leur capitaine selon le type d'engagement conclu. Par exemple, à Pokesudie, au Nouveau-Brunswick, le capitaine d'un bateau se réservait les deux tiers de la prise et il séparait l'autre tiers entre les pêcheurs qui l'aidaient; à Bas-Caraquet, le capitaine gardait la moitié de la prise et le reste était

---

14. *Inventaire et description des engins de pêche commerciale en usage dans la province du Nouveau-Brunswick,* Univ. Laval, thèse de bacc. ès sciences, mai 1962, 130 p. man.
15. *Répertoire des méthodes de pêche utilisées sur le fleuve et le golfe Saint-Laurent,* avril 1968, travail inédit n° 83, 343 p. On consultera aussi avec profit les études publiées sous la direction de Marc-Adélard Tremblay et Gérald Louis Gold, *Communautés et culture,* 428 p.

séparé entre ses associés. De leur côté, les marchands ont toujours eu la réputation de payer à très bas prix le poisson qu'ils revendaient ensuite beaucoup plus cher en Angleterre, en Allemagne, en Italie, aux Antilles, dans les colonies espagnoles, en Amérique du Sud, aux États-Unis. La plupart des compagnies anglaises ou jersiaises établies en Acadie échangeaient des vivres, des vêtements, des agrès de pêche contre la prise des pêcheurs et ces derniers empruntaient souvent pour la saison à venir, se liant ainsi à un marchand qui n'aurait pas à craindre la concurrence d'autres marchands.

> Le monopole, avec le système de crédit qui l'a accompagné d'abord, n'a produit qu'un commerce mesquin; ces principes rétrécis tiennent les habitants assujettis et écrasent leur énergie[16].

Le père Anselme Chiasson rapporte que ce n'est qu'en 1911 que les Acadiens du Cap-Breton échangèrent pour la première fois leur poisson contre de l'argent[17].

Même si l'on en vint à délaisser le paiement en marchandises ou en jetons, reconnus uniquement par la compagnie émettrice, les prêts d'argent, par les marchands qui, en retour, s'assuraient des futures prises, liaient encore les pêcheurs. Cette coutume semble s'être perpétuée jusqu'aux années 1950. Lors d'une assemblée des pêcheurs de Tracadie, en avril 1947, le gérant général d'une compagnie vint les rencontrer pour leur rappeler ceci:

> La compagnie Gorton Pew est prête à faire les avances nécessaires en vue de la nouvelle saison de pêche (...) Tout ce que l'on vous demande, c'est 20 pour cent de ce que vous ferez chaque jour jusqu'à parfait paiement[18].

Un bon nombre de pêcheurs, jusqu'au milieu du XXe siècle, possédaient une *terre* qu'ils cultivaient avec plus ou moins de succès, leur premier métier étant surtout la pêche, en raison de ses revenus immédiats. Cet état de chose fut souligné à plusieurs reprises et voici ce qu'en dit le curé du village de Saint-Joseph de Carleton au début du siècle:

> À Carleton, où le poisson abondait, ce fut durant plusieurs années le seul commerce productif. Aussi les habi-

---

16. Paul Hubert, *op. cit.,* p. 132.
17. *Chéticamp, histoire et traditions acadiennes,* p. 76.
18. Anonyme, «Assemblée des pêcheurs», *Tracadie News,* April the 19th, 1947, p. 1.

tants négligeaient-ils le défrichement de leurs *terres,* et il ne faut pas s'étonner, lorsque la pêche manquait, d'y voir régner la gêne et quelquefois la misère noire. C'est ainsi que monsieur (le curé) Painchaud se plaignait, dans une lettre à son frère Joseph, de n'avoir reçu, une année, que quarante minots[19] de dîme et quelques quintaux de morue[20].

Les multiples secrets du travail en mer relèvent à la fois du savoir traditionnel transmis et de l'expérience familiale. Certaines connaissances ont des fondements scientifiques, tandis que d'autres sont basées sur les croyances populaires. On dit ainsi:

Les huîtres se pêchent au râteau en hiver.

Les huîtres se pêchent aux pinces en automne.

Le hareng est bon aussitôt que la glace porte.

Le hareng et le maquereau se prennent dans le même filet.

Quand les anguilles bossues arrivent, la saison est finie (anguilles qui se seraient prises dans des barrages ou des turbines).

Si la chaleur arrive tôt le printemps, le hareng passera près de la *côte.*

Si les glaces portent tard, le hareng passera loin des *côtes.*

Si le vent ne vient pas de la terre le printemps, le hareng, le maquereau et la morue passeront en eau profonde.

Si le printemps est tard, le homard engourdi n'entrera pas dans les *trappes.*

Le 15 mars, c'est le moment de partir vers l'est chasser le *loup-marin.*

Le meilleur hareng à *boucaner* se pêche pendant la troisième semaine d'avril.

Le hareng gras se *boucane* mal.

Pour conserver un tas de sel dehors, on le recouvre de paille et on y met le feu. Sur le côté opposé au mauvais temps, on perce une ouverture dans la croûte qui s'est formée sur l'amoncellement et on y retire le sel à la pelle[21].

---

19. 1 minot d'avoine correspond environ à 15 kg, 1 minot de blé à 27 kg, 1 minot d'orge à 22 kg, 1 minot de sarrasin à 22 kg, 1 minot de seigle à 25 kg.
20. E.-P. Chouinard, *op. cit.,* pp. 55-56.
21. Coll. Gilles Landry, doc. son. LG-138, AFUL, Inf. Héliodore Vigneault, 78 ans en 1959, Sept-Îles, Duplessis, Qué.

1. La pêche à la morue

À propos de l'évolution de la pêche à la morue, monsieur Émile Giasson, 67 ans en 1972, de Cap-des-Rosiers, en Gaspésie, au Québec, livre ainsi sa pensée:

> C'est pas une vie de pêche comme avant; aujourd'hui, c'est rien que le *bob*. Avant, quand on pêchait à la *bouette,* on sortait le soir pour prendre notre *bouette* pour le lendemain. On *ancrait,* on *mouillait* et on pêchait la morue toute la journée à la même place.

Si la préparation du poisson ne semble pas avoir tellement changée, sauf en ce qui concerne le poisson séché, les techniques de prise ont évolué. Les différentes méthodes de pêche à la morue s'identifient aux engins suivants:

— la ligne à main;
— la ligne dormante;
— la *trôle*;
— le *jigger*;
— le filet maillant.

a) La ligne à main

Un procédé vieilli, la ligne à main, ou à bras, ou *handline,* est considéré comme le plus rudimentaire; il consiste en une ligne d'où partent des *avançons* munis d'un hameçon appâté. Ces hameçons sont *bouettés* avec du foie de hareng, des coques ou des palourdes, au nord du Nouveau-Brunswick, ou du hareng au sud de la Gaspésie. À défaut de ces appâts, on utilise le *capelan,* la plie, l'encornet ou la tête de morue. La grandeur de l'hameçon varie; de plus petite dimension pour la *morue de rivage,* il est plus résistant pour la *morue de large*, le poisson étant plus gros, pêché en profondeur.

L'utilisation de la ligne à main se veut des plus simples: le pêcheur laisse descendre au fond de l'eau l'hameçon lesté d'un plomb et il attend que la morue morde. À la moindre secousse sur la ligne, il remonte l'hameçon d'un mouvement continu afin de ne pas laisser échapper sa prise. Une même ligne peut être dotée de deux hameçons, parfois même davantage, fixés à environ 6 pieds (1,8 m) l'un de l'autre. De cette façon, lorsque la morue est en banc, on en attrape plus d'une à la fois.

La ligne à main descend parfois à des profondeurs atteignant cent brasses (180 m). On donne encore à ce genre de pêche les noms de *ligne fine* ou de *pêche au pinou*, du nom de la *cale.* Lorsque le pêcheur a appâté un hameçon et qu'il le lance à l'eau, il dit qu'il *coupe.*

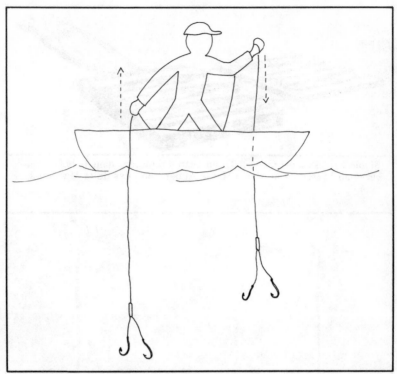

Pêcheur muni de lignes à main pour la pêche de la morue.

b) La ligne dormante

La ligne dormante, de fond ou de surface, consiste en un filin auquel se rattachent les hameçons au moyen de l'*avançon*, long de 12 à 18 pouces (30,4 à 45,7 cm) environ. On fixe ainsi autant d'hameçons qu'on le veut, généralement quelques centaines, mais parfois jusqu'à 3 000 distribués à tous les 4 à 6 pieds ou 1,2 à 1,8 mètres sur une même ligne. Cette dernière est lestée à chaque bout d'une ancre et des *orins* retiennent des bouées à la surface de l'eau, marques qui permettent au pêcheur de repérer ses agrès. Des bouées rouges indiquent aussi parfois que ce pêcheur a élu un député libéral, tandis que des bouées bleues identifient un pêcheur ayant voté conservateur. Cette longue ligne peut être *bouettée* de harengs, de coques, de palourdes.

Le pêcheur visite sa ligne tous les jours, à moins de mauvaise température. À ce moment, il ne la remonte pas à

341

Moule à *cales*; il est signé A.D. en lettres sculptées dans le bois. Conservé au Musée de la Mer à Havre-Aubert, aux îles de la Madeleine, Qué.

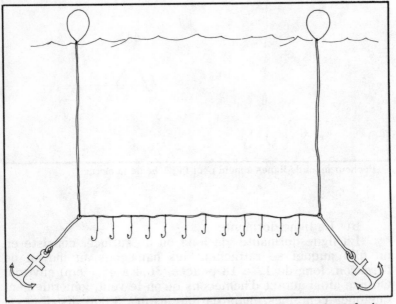

Palangre à morue ou ligne dormante. Les hameçons reposant au fond des eaux sont distancés d'une dizaine de pieds (3 m) entre eux.

bord du bateau; il en lève une partie à la fois, récolte la prise sur chacun des hameçons et les *bouette* immédiatement, puis il rejette cette partie à l'eau. Il ne lève complètement la ligne que pour la changer de place ou pour la ramener à terre. Il faut environ une heure et trente minutes, à deux bons pêcheurs, pour tendre une ligne dormante de 2 700 hameçons.

c) La *trôle*

La *trôle* est une longue ligne flottante que l'on fixe à l'arrière d'une chaloupe et que l'on tire tout en se déplaçant à vitesse réduite sur l'eau. Cet agrès de pêche, physiquement, est semblable à la ligne dormante. Au repos, la *trôle* est *cordée* sur un *rack à trôle* consistant en un support garni de petites barres de fer disposées horizontalement. Ces parties métalliques servent à accrocher les hameçons pour empêcher qu'ils s'entremêlent au moment de jeter cette ligne à l'eau.

d) Le *jigger*

Le *jigger,* ou *barbette,* ou *bob,* une faux à morue, permet de dissocier la *bouette* de la pêche à la morue, puisque ce procédé fait usage d'un appât artificiel métallique comportant deux ou trois *haims* ou *crocs* qui n'ont pas besoin d'être appâtés. Il existe des faux de poids différents selon la profondeur de l'eau et la force du courant où elles sont utilisées.

Le *rack à trôle* sert à fixer la palangre au repos. Les hameçons s'accrochent sur des tiges de métal.

343

Pour *jigger* ou *bobber* la morue, on laisse descendre la ligne au fond de l'eau, puis d'un geste assez rapide on la remonte de 2 à 5 pieds (0,6 à 1,5 m) en répétant ces mouvements de bas en haut jusqu'à ce qu'un hameçon accroche une morue par la gueule ou le ventre. À ce moment, il faut alors remonter la ligne très vite mais sans contrecoup. Cet appât métallique en forme de hareng est brillant ou peint en rouge.

Le pêcheur *ligne sa ligne* quand il la tire de l'eau et l'enroule sur le caret, dévidoir contenant normalement cinquante brasses (90 m) de ligne.

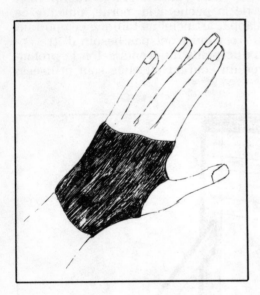

Le manigot en cuir s'enfile dans la main lorsque l'on manipule une palangre.

e) Le filet maillant

Le filet utilisé pour prendre la morue est constitué, en hauteur, d'environ 25 mailles mesurant chacune 4 à 5½ pouces de largeur (10,2 à 14 cm). Des *ralingues* inférieures et supérieures bordent ce filet facile à tendre soit au fond soit en surface de l'eau. Il est ancré à chacun de ses bouts; ainsi, ni le courant ni la marée ne peuvent l'emporter.

Tendu en travers du courant, ce filet qui ne requiert pas de *bouette* n'a pas de dimensions fixes, mais il peut s'étendre sur une largeur de 50 brasses (90 m). Des *cales* sur la *ralingue* inférieure et des flottes sur la *ralingue* supérieure,

344

À droite, moule à *jigger,* poisson de plomb ou d'étain muni d'hameçons utilisé pour pêcher la morue à la faux; il s'emploie sans appât. Au centre, moule à turlutte ou *squid jigger.* On peut aussi se servir d'un moule en carton pour couler cette turlutte de plomb ou d'étain qui sert au couchant ou au lever du soleil, pour prendre l'encornet ou le calmar à *bouetter* la morue. À gauche, moule à turlutte. Il est en fonte. (Coll. et *photo* Robert-Lionel Séguin, Rigaud, Vaudreuil, Qué.)

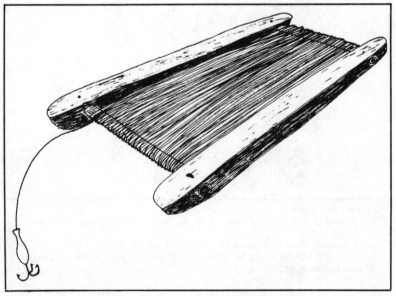

Caret pour enrouler la ligne de pêche à la morue.

les unes et les autres fixées à tous les 6 pieds ou 1,8 m, maintiennent le filet bien tendu. Le pêcheur dit que son *filet* est *plombé* lorsque les *cales* sont en place, et qu'il flotte au moyen des *suspends*, cordages qui maintiennent les flottes.

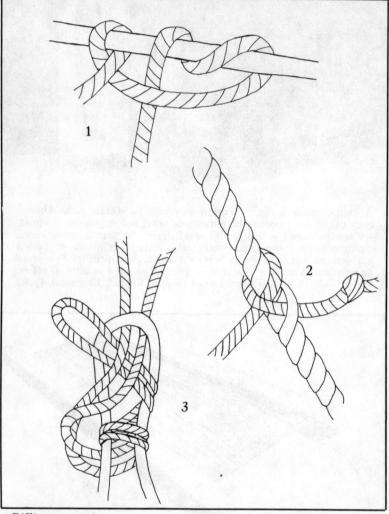

Différents nœuds:
1. Nœud d'attache de l'*avançon* de la cage à homard au filin principal;
2. Façon de fixer la flotte à la palangre à morue;
3. Nœud à boucle entre le câble d'ancrage et le bas du filet à morue.
(Donat Lacroix, *op. cit.*, p. 31.)

Pour le tenir ouvert, le filet, à ses bouts, est fixé en haut par le *guindineau* ou *bacul,* cordage enroulé à *demi-clef* sur la tête d'un piquet de bois, et en bas par un *nœud à boucle* qui le rattache au câble d'ancrage.

La levée des filets doit se faire tous les jours parce que le poisson maillé meurt presque aussitôt et devient impropre à la consommation s'il a séjourné plus de vingt-quatre heures dans l'eau.

f)   La préparation de la morue

La morue déchargée de la barque au moyen du *piquoi,* fourche à deux dents, est ensuite placée sur une table de 5 pieds (1,5 m) de longueur par 2½ pieds (0,75 m) de largeur. La tête du poisson est tournée du côté de l'*ouvreur* (en Gaspésie) ou du *piqueur* (Nouveau-Brunswick) qui, armé d'un *couteau de pêcheur,* tranche la gorge de la morue et l'éventre. Une autre personne, le *décolleur* au Nouveau-

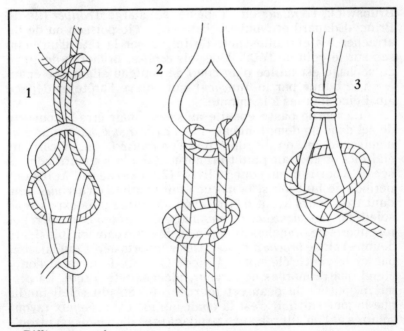

Différents nœuds:
1.   Nœud pour rassembler deux ralingues inférieures de filets à maquereau;
2.   Nœud de palangre à morue;
3.   Nœud de réunion de la ligne dormante à l'ancre.
(Donat Lacroix, *op. cit.,* p. 31.)

Piquoi, fourche à décharger la morue. Long. du fer: 14 pouces (36 cm); distance entre les dents: 3½ pouces (9 cm). À cette fin on peut aussi se servir d'un crochet consistant en une seule dent courbée en demi-cercle. (*Photo* AFUL, J.-C. D. 213.)

Brunswick, l'*écrâleur* en Gaspésie, se charge d'*edjiber* (île du Prince-Édouard et Nouveau-Brunswick) le poisson ou de lui arracher les entrailles puis de lui casser la tête d'un coup sec sur le coin de l'étal. Une fois *écrâlée,* la morue destinée au séchage est taillée d'un coup de couteau allant des épaules à la queue par le *trancheur* qui enlève l'arête et dépèce ainsi cinq morues à la minute.

La morue passe ensuite au *saleur* pour être recouverte de sel dans un demi-tonneau. Placée *chair sur chair* pour économiser le sel, on dit alors que l'on *croise le sel.* À certains endroits on mettait plutôt la morue dans la saumure composée de 8 barils d'eau pour 50 livres (22,5 kg) de sel. Après une période de huit jours, la morue était empilée en *arrimes* pendant trois jours avant d'être lavée, égouttée puis exposée au soleil sur des *vigneaux* ou *chafauds*, des tréteaux de perches recouverts de branches de sapin ou de *rets* à saumon (plusieurs doubles) ou de *broche à poulet*. Ces supports aérés qui laissent passer le vent s'élèvent à 4 pieds (1,2 m) de terre et l'on y étend quatre morues de largeur, placées tête à tête. La première journée la peau est tournée du côté du soleil tandis que le jour suivant, c'est la chair qui est exposée aux rayons solaires et l'on alterne ainsi pendant près d'un mois ou jusqu'à ce que le poisson ne plie pas lorsqu'on le tient par la queue.

Si le soleil est très ardent, on retourne la morue plus d'une fois le jour. S'il pleut, on s'empresse de la mettre à l'abri. Le soir, on *arrime* la morue ou on la met en *moutons,* c'est-à-dire en petits tas, peau vers le haut. Une fois bien

Famille du pêcheur Anastase Duguay, âgé de 89 ans en 1950, de
Sainte-Marie-sur-Mer, île de Shippagan, Gloucester, N.-B. Il est ac-
compagné de son fils Patrice et de ses petits-enfants. (*Photo* AFUL,
Luc Lacourcière.)

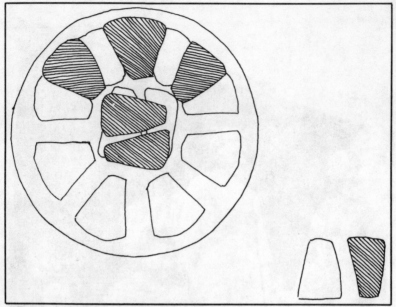

Façon de faire le salage de la morue dans le contenant. Les poissons sont placés *chair sur chair* et chaînés.

séchée on la *met en presse*; à cet effet, on l'empile en *mulons* en Gaspésie ou en *moutons* au Nouveau-Brunswick, en *arrimes* en Nouvelle-Écosse ou en meules ou piles à l'île du Prince-Édouard, abritée sous une toiture rudimentaire en écorce d'arbre. Après une semaine de ce traitement, la morue est entrée dans le hangar à poisson où elle *sue* de nouveau, puis on la sort pour une dernière *mise en presse*.

L'apprêtage de la morue séchée est à peu près disparu depuis les années 1920, sauf dans quelques rares régions françaises comme celle de Terre-Neuve. Maintenant, ce sont les ouvriers des coopératives qui se chargent de tailler la morue en filets, le pêcheur n'a plus qu'à l'ouvrir et à la nettoyer.

En général, jusqu'aux années 1940, la famille du pêcheur consommait elle-même un baril de morue salée ou séchée pendant l'hiver. Il suffisait, selon la tradition de l'île du Prince-Édouard[22], pour préparer la morue séchée destinée à la consommation, de la tenir dans la saumure pendant

22. Mme Mélanie Arsenault, 84 ans en 1973, Saint-Chrysostome, Prince, Î. P.-É.

Vigneaux à sécher la morue chez les terreneuviens de Cap Saint-Georges. Ces installations ne servent plus guère depuis 1925. (Ronald Labelle, *Study in Rural Settlement Geography Mainland, Port au Port, Newfoundland: The Inhabitants and their Environment*, Memorial University Folklore and Language Archives, Saint John's, 1976, man., p. 5.)

vingt-quatre heures, puis de l'exposer au soleil de la façon décrite précédemment. Madame Julienne Comeau, âgée de 80 ans en 1973, demeurant à Saint-Louis de Kent, au Nouveau-Brunswick, conseille, si l'on désire consommer la morue rôtie, de la dessaler dans l'eau et de la suspendre par la queue, à l'ombre, pendant trois semaines. Au moment de la cuisson, enlever la peau du poisson et le laisser tremper dans l'eau froide, la veille au soir précédant le repas du midi.

La morue que l'on voulait consommer salée, sans avoir été séchée, avait la tête et l'arête enlevées, elle était fendue

Morue mise à sécher et dont une certaine quantité a été empilée en meule. Chez un commerçant de la Gaspésie, Qué., vers 1920. (*Photo* de l'Éditeur officiel du Québec.)

en deux et remplie de sel. Entre chaque rang de morue, on étendait une couche de sel.

g) L'huile de foie de morue

Pendant l'hiver, les anciens Acadiens gardaient souvent une marmite d'huile de foie de morue sur le *bôleur du poêle* et ils buvaient une gorgée de ce tonique de temps en temps, à même le récipient. C'est ainsi, disaient-ils, qu'ils se préservaient des grippes et des rhumes.

Les étapes de l'extraction et de la préparation de l'huile de foie de morue destinée à la famille étaient les suivantes:

— Laver les foies de morue dans trois eaux pour bien enlever le sang.

— Utiliser un chaudron d'au moins un pied (30 cm) de profondeur et y verser une pinte d'eau.

— Porter cette eau à ébullition et placer ensuite le chaudron sur la partie la moins chaude du poêle à bois. Jeter les foies de morue dans cette eau qui doit toujours rester tiède. Après quelques jours de repos, l'huile monte à la surface de l'eau et elle est récupérée au moyen d'une louche.

352

— Couler l'huile tiède au moyen d'une pièce de tissu en fibre de lin ou coton fromage et verser ce liquide dans une bouteille que l'on conserve au frais.

— Jeter les foies expurgés sur le sol du jardin pour engraisser la terre.

L'huile de foie de morue était aussi une denrée commerciale et quand, à cette fin, on la préparait en grande quantité, la chaleur des rayons solaires produisait l'extraction. Voici le procédé en usage:

— Fabriquer une *foncière,* grand récipient d'une capacité de quinze gallons environ (68 l). À cet effet, on utilisait généralement un bidon de fer-blanc coupé à mi-hauteur. Au bas du contenant on fixait un robinet et, aux deux tiers de la hauteur de ce vase, on en plaçait un second. Le dessus du bidon découpé et conservé tenait lieu de couvercle.

— Placer cette *foncière* dehors, dans un endroit très ensoleillé et y jeter les foies de morue non lavés. S'il pleut, couvrir hermétiquement la *foncière.*

— Sous un ardent soleil, la décomposition s'effectue en une semaine. Entre-temps, ouvrir le robinet supérieur, extraire l'huile à mesure qu'elle monte à la surface des foies au repos. Ce procédé accélère l'extraction, car les rayons du soleil frappent directement sur le contenu du bidon.

— Quand l'huile est complètement extraite, ouvrir le robinet inférieur pour y faire écouler l'eau mêlée de sang qui s'y est accumulée.

— Retirer les débris de foie de la *foncière* et les garder dans une cuve en vue de la fabrication du savon. L'huile, versée dans un baril, attend le passage des commerçants.

2. La pêche au homard

Avant 1900, aussi bien au Nouveau-Brunswick qu'à l'île du Prince-Édouard, on pêchait le homard durant deux mois et demi à partir du 20 avril. Par la suite, et jusque vers 1916, la durée fut la même, mais la période commençait vers le 24 mai. Pendant deux ans, soit en 1917 et 1918, on dut attendre le 16 août pour installer les *cages* qu'il fallait retirer de l'eau le 16 octobre. Vers 1940, la période fut encore écourtée de 18 jours pour se terminer le 10 octobre. De tradition, on prétend qu'il est plus ren-

353

table de pêcher le homard à l'automne «puisqu'au printemps, il est engourdi et il n'entre pas dans les *trappes*[23]».

a) Le bas de laine

Les *vieux* allaient s'asseoir sur de grosses roches en bordure de la mer et ils revêtaient deux paires de bas de laine (rouges, préciseront certains informateurs) dont les pieds n'étaient pas complètement enfilés, laissant un vide de 2 pouces (5 cm) entre le bout du bas et les orteils. Lorsque l'on mettait les pieds à l'eau, le homard venait mordre le bout des bas et le pêcheur tirait le homard sur la grève[24]. Ce procédé original ne dut pas être très répandu.

b) La *gaffe*

Monsieur Philippe Babineau, âgé de 78 ans en 1973, de Robichaud, au Nouveau-Brunswick, se souvient que vers 1905, des gens de la Pointe-à-Bouleau utilisaient une *gaffe* pour capturer le homard. Le même instrument est en usage aux îles de la Madeleine et consiste en un long bâton muni d'hameçons à morue. Des Acadiens de l'île du Prince-Édouard ont plutôt décrit l'engin comme étant une fouine et d'autres de la Gaspésie ont dit s'être déjà servi du *piquoi* à cette fin.

c) Le *bau*

Le *bau* est un cercle de métal, consistant, dans la majorité des cas, en un vieux bandage de charrette ou un simple câble d'acier courbé en cercle, recouvert d'une pièce de filet, provenant d'une seine à hareng. Quatre câbles fixés à des points équidistants sur le pourtour du cercle permettent de manipuler cet engin de pêche. Une flotte, placée au lieu de rencontre des câbles, les empêchera de se mêler. Le *bau*, déposé au fond de l'eau, a été muni de quelques harengs fixés en son centre. Cette pêche se pratiquait seulement en eau peu profonde, soit environ 6 pieds (1,80 m), puisqu'il fallait toujours avoir le *bau* à l'œil pour le remonter aussitôt que des homards s'y posaient. Sinon, ils repartaient après avoir mangé l'appât. Ce *bau*, appelé aussi *corlet* au sud du Nouveau-Brunswick, aurait servi jusque vers 1915. Selon Théotime Maillet, 95 ans en 1973, de Richibouctou Village, au Nouveau-Brunswick, déjà, vers 1890, les *trappes* de bois s'implantaient.

---

23. Honoré Cormier, 72 ans en 1966, Memramcook, West., N.-B.
24. Alonzo Babineau, 51 ans en 1973, Robichaud, West, N.-B.

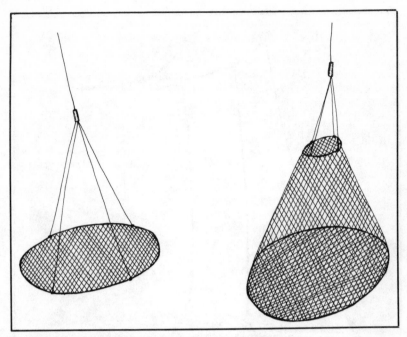

Bau simple et *bau* double pour pêcher le homard.

Les pêcheurs de certaines régions gaspésiennes, dont ceux du Cap-des-Rosiers, de Grande-Grève et de Cap-aux-Os, ont amélioré cet instrument de pêche. Pour n'avoir pas à surveiller le homard qui s'y aventurait, ils construisirent un *bau* double qui se transformait en piège. Au cercle en fer existant ils en ajoutèrent un deuxième, plus petit que le premier, en bois de frêne[25]. Quatre petites flottes le maintenaient entre deux eaux afin qu'il demeure fixé au-dessus du cercle précédent. Ces deux cercles, réunis entre eux par un filet circulaire, formaient une sorte de cage. Le homard, en montant sur le bord du *bau* pour atteindre le hareng, abaissait de son poids le deuxième cercle qui remontait ensuite de lui-même et gardait le homard prisonnier. On pouvait ainsi attraper plusieurs homards à la fois, le piège restant en permanence dans l'eau, comme un casier moderne[26].

25. Amédée Desprès, 75 ans en 1973, Cocagne, Kent, N.-B.
26. Émile Giasson, 67 ans en 1973, Cap-des-Rosiers, Gaspésie, Qué.

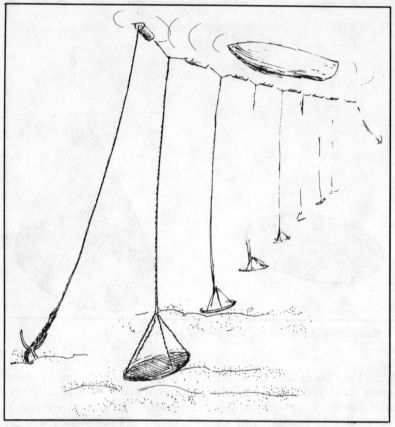

Façon de tendre une ligne de *baux* à homard, telle que décrite par Théotime Maillet, âgé de 95 ans en 1973, Richibouctou Village, Kent, N.-B.

d) Le carrelet

Le carrelet consiste en un filet carré dont les coins sont retenus par deux cerceaux croisés et fixés au bout d'une longue perche. Le pêcheur, debout sur la rive, en eau peu profonde, descend cet instrument appâté dans le fond de l'eau, pour le remonter après quelques instants[27].

e) L'épuisette

La *puisette* est constituée d'un filet en jute, monté sur un cerceau de fer ou de bois, fixé à un long manche. Monsieur

---

27. Théotime Maillet, 95 ans en 1973, Richibouctou Village, Kent, N.-B.

Marcel Daigle, 88 ans en 1973, de Pointe-Sapin, au Nouveau-Brunswick, la décrit ainsi:

Les *vieux* avant moi pêchaient le homard avec une *puisette*. Je l'ai pêché moi-même avec ça. C'était fait avec un cercle en *broche* et une seine y était cousue. Il y avait après ça un manche de 5 à 6 pieds (1,5 à 1,8 m) de longueur. Pour l'*abouetter*, les hommes *amarraient* des corps de homards ou de harengs tout autour de la *broche*. Ils mettaient la *puisette* à l'eau et la relevaient au bout d'une dizaine de minutes. Ils pêchaient avec ça le soir lorsque la mer était calme.

f) Le casier

Selon Donat Lacroix[28], ingénieur en pêcherie, il existe, au Nouveau-Brunswick seulement, sept différents types de casiers à homard, dont cinq sont semi-circulaires, et deux, carrés. À l'intérieur, le casier se divise en deux compartiments qui sont lestés de roches lorsque la *cage* est déposée au fond de l'eau: celui de l'entrée est le *salon,* tandis que le

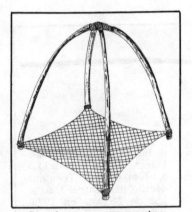

Carrelet servant occasionnellement à pêcher le homard. Fait de vieille seine. Long. app. 34 pouces (86 cm); haut. 29 pouces (74 cm). Il fut surtout utilisé pour prendre le petit poisson servant comme appât ou pour pêcher le *poulamon.*

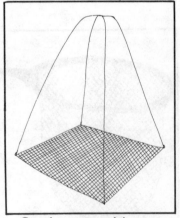

Carrelet rectangulaire servant à pêcher les crabes, écrevisses et *chevrettes* en Louisiane. Filet de corde, support en fil de fer, fabriqué en 1975 par Treville Roy, 68 ans, Lyons Point.

---

28. *Op. cit.*, p. 108.

357

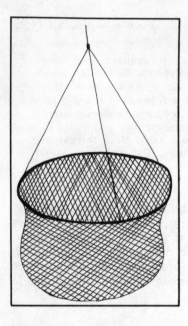

Carrelet circulaire servant aux mêmes usages, et façonné par monsieur Treville Roy, 68 ans en 1975, Lyons Point, Louisiane.

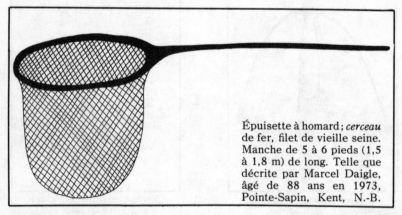

Épuisette à homard; *cerceau* de fer, filet de vieille seine. Manche de 5 à 6 pieds (1,5 à 1,8 m) de long. Telle que décrite par Marcel Daigle, âgé de 88 ans en 1973, Pointe-Sapin, Kent, N.-B.

suivant est la *cuisine*. L'appât est du hareng salé, de la sébaste, de la plie ou des têtes de morue.

Traditionnellement, le bois goudronné qui entre dans les différentes parties du casier est d'essences variées: les montants, en demi-cercle, sont en bois de chêne et ils ont été courbés à la vapeur. Parfois aussi, ils sont tirés de troncs de petits pins rouges ou d'épinettes. Les lattes qui constituent les côtés et le dessus sont en bois d'épinette, les *baux* ou *cerceaux*, en bois de plaine et les pentures en cuir. Le fond, toujours plat, est en bois d'épinette ou de genévrier.

Chaque *trappe* est munie d'un câble et d'une flotte, en bois de cèdre, qui marque son emplacement; elles sont toutes rattachées à un même filin afin qu'elles ne s'emmêlent pas. On laisse cependant une distance assez grande entre chaque casier pour permettre de les remonter individuellement à bord du bateau. À toutes les dix, quinze ou vingt *trappes*, selon la région, on fixe une ancre afin d'obtenir une meilleure stabilité dans le courant.

À mesure que la saison avance, le pêcheur déplace ses *trappes* suivant le homard qui se rapproche de la rive pour y pondre. La profondeur à laquelle sont *mouillées* les *trappes* n'est donc pas toujours la même.

Vers 1930, au Nouveau-Brunswick, voici de quelle façon se tendait et se levait une pêche *d'attrapes* ou de *cages à homard:*

— Tendre le câble: pour réaliser ce premier travail, le pêcheur se rendait à son *lieu de pêche*, y portait des ancres, six troncs d'arbres de sapin, plus rarement de bouleau, et trois grosses *boueilles* en bois de cèdre. Chacune des lignes, d'une longueur approximative de un mille (1,6 km) de *cages*, nécessitait deux troncs d'arbres et deux bouées. Ces dernières, percées de haut en bas, dans le *mitan*, étaient traversées d'un tronc d'arbre qui s'élevait à peu près à cinq pieds (1,5 m) au-dessus de l'eau et descendait à une profondeur de sept à huit pieds (2,1 à 2,4 m). La partie noyée était lestée d'un gros caillou qui tenait la bouée verticale et un *flag d'amorce* placé à la tête de l'arbre signalait la situation des *boueilles*. À chaque bout de la ligne d'une longueur de 600 brasses (1 080 m ou 1,08 km), une ancre était fixée.

— Tendre les *cages*: ce travail consistait à fixer les *cages* aux câbles étendus précédemment. Pour cet usage, on faisait *filer le câble:* cela signifiait le retenir sur la barque au moyen d'un dispositif spécial fixé à cette dernière.

— Lever les *trappes*: lorsqu'il s'agissait de lever les *trappes* ou de les *démailler*, deux hommes debout sur la barque commençaient, à une des extrémités de la ligne, à tirer les *cages* hors de l'eau tout en avançant dans le sens du courant. Si la *mer perdait*, ils attaquaient par l'*ancre du sud;* si la *mer gagnait*, ils débutaient plutôt par l'*ancre du nord*. Cette façon

Le pêcheur Russell âgé de 82 ans en 1952, de Colegan, baie des Chaleurs au N.-B. (*Photo* AFUL, Luc Lacourcière.)

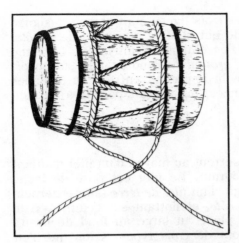

Façon de retenir un baril pour en faire un flotteur. (Donat Lacroix, *op. cit.*, p. 23.)

Boueilles modernes surmontées de bouteilles vides d'eau de javelage chez M. Roy de Richibouctou, Kent, N.-B. (*Photo* AFUL, J.-C. D. 1984.)

de procéder était importante, puisque les pêcheurs, lorsqu'ils s'acquittaient de cette tâche, devaient, tout en levant les *cages*, entraîner la barque avec eux[29].

Ce travail s'accomplissait de la même façon à l'île du Prince-Édouard, vers 1900, soit trente ans plus tôt, et chaque pêcheur avait également trois cents *trappes* distribuées sur trois lignes qu'il *démaillait* chaque jour. On fixait deux *trappes* à 15 pieds (4,5 m) l'une de l'autre à tous les cinquante

---

29. Hector LeBlanc, 69 ans en 1973, Grande-Digue, Kent, N.-B.

pieds (15 m). Chacune des trois lignes était encore désignée de la façon suivante: celle qui était le plus près de la *côte*, l'*en-terre;* tandis que la plus éloignée était la *fée*. La ligne du milieu était la *middle ground*[30]. Pendant une saison ordinaire, vers 1900, un pêcheur prenait entre 4 ou 5 tonnes de homard; certaines années, on arrivait parfois à en capturer 7 tonnes.

3. La pêche au hareng

Le hareng se pêche surtout au moyen d'un filet maillant tendu de nuit avec le courant. Le filet est posé de façon différente, selon qu'il s'agit d'un *filet de terre* (ancré perpendiculairement près de la *côte*, et flottant sur l'eau) ou d'un *filet de large* (non ancré, placé au large au fond de l'eau). Les mailles de ce *rets* sont de trois types, selon que l'on pêche le hareng maigre ou de printemps pour l'engrais (filet ancré au fond de la mer, mailles de 2 1/2 pouces ou 6,2 cm), le hareng gras ou d'automne que l'on veut saler (filet dérivant avec le courant, mailles de 2 3/4 de pouces ou 7 cm), ou le hareng à *bouette* (filet dérivant, mailles de 1 7/8 pouce ou 4,5 cm).

Lorsque le pêcheur tend au large, il tient compte du vent, de la marée et des courants marins. Pour détecter sur les lieux les bancs de harengs, le pêcheur surveille les *rangs de marée*, barres blanches à la surface de l'eau, lieux privilégiés de ces amoncellements. Parfois, le pêcheur qui attend d'avoir assez de hareng pour *bouetter* ses filets à morue doit passer la nuit sur la mer.

Peu à peu, à partir des années 1920, les pêcheurs prirent l'habitude de fixer sur leurs barques deux bâtons appelés *montreaux* et d'y suspendre le filet à hareng pour le faire sécher durant le jour. En revenant de la pêche à la morue le soir, on tendait de nouveau le filet à hareng qui était levé le lendemain matin, en allant en mer. Le filet à hareng ne revenait donc pas à la maison; il était soit tendu pendant la nuit, soit suspendu sur la barque pour sécher durant le jour.

Vers 1900, le chanvre cultivé servait rarement à *brocher* ou mailler le filet, on utilisait plutôt du fil spécial importé d'Angleterre, la *twine* ou *chaîne empesée,* qui arrivait en écheveaux, que l'on ourdissait en 7 ou 8 brins (main) et tordait ensuite au rouet. Le filet à hareng se maillait au moyen d'une

---

30. Arsène-J. Gallant, 87 ans en 1973, Mont-Carmel, Prince, Î.P.-É.

aiguille de bois et d'un *bois à seine* (3 doigts de largeur) sur lequel on exécutait la maille. Une seine de rivière coûtait $1.50, soit le prix de deux paquets de *twine*. « l' faisiont une *nouc* dans la maille *pour* pas *que* la maille se défaisit[31]. »

Quel que soit le type de pêche, on retrouvait toujours des flotteurs en bois de cèdre fixés sur la *ralingue* supérieure du filet. Des *picasses* retenaient le filet. Jadis, le printemps était surtout la saison de pêche du hareng, le filet, alors, mesurait dix-huit brasses (108 pieds ou 32,4 m) de longueur.

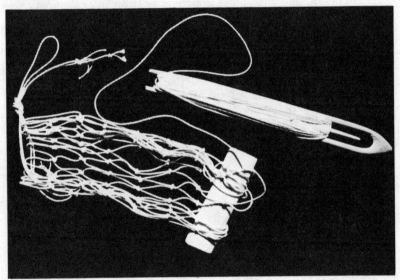

Patron de filet de pêche et navette en bois. (Coll. et *photo* Musée acadien de l'Univ. de Moncton, 69.3.26.)

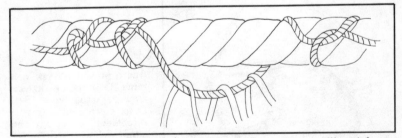

Façon de rattacher la natte du filet à la *ralingue*. Filet maillant à hareng, mailles de 2½ pouces (6,4 cm) d'ouverture.

31. Mme Alice Auffrey, 82 ans en 1973, Pré-d'en-Haut. West., N.-B.

363

En mars, on réparait et l'on façonnait les filets; en avril on restaurait les barques. Au temps du frai, du début d'avril à mai, on pêchait à la salebarde. Aujourd'hui, la *trappe* à hareng, grande nasse utilisée sous la surface de l'eau, a remplacé les filets.

Monsieur Alonzo Babineau, 51 ans en 1973, de Robichaud, au Nouveau-Brunswick, raconte de quelle façon l'on découvrit, au sud du Nouveau-Brunswick, que le hareng n'existait pas seulement dans les baies:

> Au début, on pensait que le hareng se trouvait seulement dans les baies et les anses de Cap-Pelé et de la baie de Shediac. Les gens de ces deux endroits faisaient un feu au bord de l'eau pour avertir le monde de l'Aboujagane quand le hareng était bon; puis ils arrivaient avec leurs *dorés* et leurs filets. Une fois, ils ont fait face à une tempête en venant à Shediac et ils ont été obligés de jeter leurs filets à l'eau et de retourner chez eux. Le lendemain, ils sont revenus pour reprendre leurs filets et ils les ont trouvés remplis de hareng. C'est de cette manière qu'ils ont découvert que le hareng existait aussi en *filant* la *côte* de l'Aboujagane.

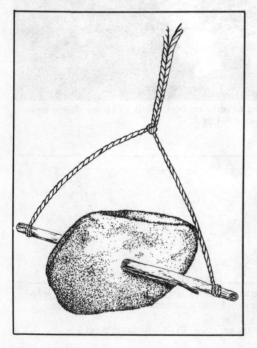

Ancre primitive d'une centaine de livres (45 kg) encore en usage vers 1910. Deux pierres ainsi trouées retenaient le filet par chacune de ses extrémités. Artefact retrouvé chez M. Patrick Cormier, âgé de 77 ans en 1973, Cap-Pelé, West., N.-B.

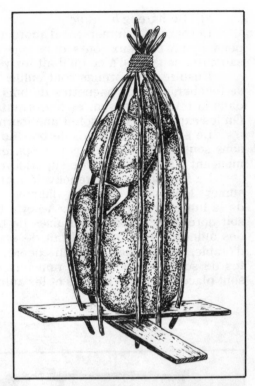

Picasse ou ancre primitive encore occasionnellement en usage chez les Acadiens terreneuviens en 1965. Il s'agit de pierres retenues dans une cage en bois.

Picasse utilisée pour retenir les *cages* à homard. Fabriquée à Chéticamp, N.-É., et don du père Anselme Chiasson. (Coll. et *photo* Musée acadien de l'Univ. de Moncton, 72.63.188.)

a) Le hareng *boucané*

Le hareng à fumer est d'abord vidé, lavé, puis déposé pendant un ou deux jours dans une *vatte* ou un *barrage* de saumure, soit jusqu'à ce qu'il ait les yeux blancs.

Ensuite, les harengs sont enfilés douze par douze, sans se toucher, sur des baguettes de bois entrant, par les ouïes, dans la tête du poisson, et ressortant ensuite par la gueule. On les expose ainsi au soleil une journée entière.

Le soir, les baguettes de bois de cèdre pleines de poissons sont suspendues dans une *boucanière* conique, en commençant à remplir la partie supérieure de la cabane.

Le feu, sur le sol, renouvelé matin et soir, doit se consumer lentement et sans flamme, dégageant seulement de la fumée froide et dense. À cette fin, pour que le hareng soit doré, sur un fond de braises de bois de cèdre, on brûle des aulnes vertes, ou du bran de scie de bois de bouleau, d'érable, de merisier, ou bien encore, des souches recouvertes de sciure de bois. Des rameaux de sapin ou d'épinette sont placés entre les braises et les aulnes (ou le bran de scie).

Support double servant à transporter le hareng enfilé sur des baguettes au moment du fumage. Sur ce *boyard*, on place 40 baguettes contenant chacune 18 harengs. D'après un spécimen utilisé chez M. Fernand Landry en 1968, Étang-du-Nord, îles de la Madeleine, Qué.

Brancard simple pour transporter le hareng à fumer.

Deux perches mobiles peuvent aussi servir à une même fin; on suspend alors 24 harengs à chacune des baguettes garnies de clous.

Le bon fumeur sort le poisson au moment voulu lorsqu'il est bien *grâlé*[32].

La *boucanière* est isolée à cause du danger d'incendie. La couverture est en planches de cèdre non délignées ou disjointes de façon à laisser passer la fumée. C'est pourquoi on lui donne une pente très raide pour empêcher la pluie de trop mouiller le hareng. Cette caractéristique architecturale a aussi l'avantage de concentrer la fumée au sommet de la cabane. Enfin, le pignon étant très haut, le hareng suspendu loin du feu risque moins de chauffer ou de cuire.

Au bout de six à huit jours de fumage, ou davantage si la température est humide, de gris qu'il était, le hareng est devenu doré. Il est prêt pour la consommation: on le mange tel quel, chauffé au four, ou bouilli.

On conserve le hareng dans la *boucanerie* tout l'été. De temps à autre, on vient lui faire «une petite *boucane*» pour le garder bien sec.

---

32. Louis Gionet, 73 ans en 1973, Caraquet, Gloucester, N.-B.

Boucanière: «Après six mois d'hivernage, le premier poisson frais que mange le pêcheur, c'est le hareng. Pour le conserver pendant l'été, on le fume. Monter un feu, dans la petite cabane, de bois de cèdre et d'épinette, qui fasse peu de flamme et beaucoup de fumée, et qui brûle toute la journée sans provoquer d'incendie: voilà un art difficile et délicat. Adéodat Arsenault, un habitant du rang de la rivière Bonaventure, pratique encore aujourd'hui cette technique reçue de ses ancêtres.» (Richard Gauthier, *La Boucanerie*, 10 min., court métrage couleur 16 mm.)

On pouvait aussi fumer le hareng dans la cheminée, en le suspendant au-dessus de la *maçoune* ou dans une tranchée creusée dans le sol et recouverte d'un treillis de fil de fer auquel le poisson était suspendu[33]. Le poisson fumé que l'on vendait était empaqueté dans des boîtes de bois contenant chacune 25 livres (11,5 kg).

b) Le hareng salé

Saler le hareng destiné à la consommation domestique constitue une opération importante. D'abord, on choisit un seau de hareng frais, puis on l'*éjibe* et le *râque* afin de nettoyer l'arête de toute trace de sang. Après avoir séjourné une heure durant dans une petite saumure, les harengs sont remplis de sel, et rangés sur le dos, ils sont entassés dans un seau de bois. Une saumure, composée de quatre parties d'eau pour une de sel, recouvre enfin le poisson dans le seau.

Une pierre plate placée sur le dessus les maintient submergés et garde la fraîcheur[34].

Les œufs de hareng salés contenus dans un *croque,* ou jarre, étaient un mets fort apprécié par les Acadiens qui les consommaient bouillis ou rôtis avec des pommes de terre bouillies.

c) Le hareng séché

Pour faire sécher, on choisit le hareng de petite taille. Une fois *éjibé* et *râqué,* on le lave et on le laisse tremper dans la saumure pendant 24 heures. Ensuite, étendu au soleil, sur les *bouchures,* il passera une partie de l'été. Dans ce travail, l'homme est souvent aidé de sa femme. Le poisson séché se consomme bouilli à partir de la fin de l'automne et jusqu'au printemps; il devient parfois *bouette* à faire la pêche ou appât dans la chasse des animaux à fourrure[35].

d) Le hareng *anciné*

On l'appelle ainsi en raison des incisions pratiquées dans le ventre du poisson, à cinq ou six endroits, allant de la tête à la queue. Ces harengs, trempés dans la saumure pendant 24 heures, sont enfilés par les ouïes sur des fils de fer; on les fait ensuite sécher au soleil, deux ou trois jours durant. Le poisson *anciné* se mange en fricassée dans les jours sui-

33. Anselme Chiasson, *La vie populaire des Madelinots,* CEA, Univ. de Moncton, 1966, man., p. 14.
34. Mme Mélanie Arsenault, 84 ans en 1973, Saint-Chrysostome, Prince. Î.P.-É.
35. Joseph-J. Arsenault, 78 ans en 1973, Saint-Chrysostome, Prince, Î.P.-É.

vants, selon madame Mélanie Arsenault, 84 ans en 1973, de Saint-Chrysostome, île du Prince-Édouard.

4. La pêche à l'anguille

Il ne semble pas que l'anguille ait déjà fait l'objet d'une pêche commerciale importante. Cependant, comme le veut la tradition, l'anguille était appréciée des Acadiens qui la dégustaient surtout rôtie, ou bouillie après l'avoir fumée. Pour *boucaner* l'anguille, on la tranche en bouts de un à deux pouces (2,5 à 5 cm) de longueur, ou bien l'on se contente de la taillader de biais après l'avoir vidée et lui avoir enlevé la tête et la queue. Les parties d'anguille sont montées sur des perches de bois dans une cabane où un feu se consume pendant une quinzaine de jours.

a) La *nigogue*

La *nigogue* est formée de deux mâchoires en bois d'une douzaine de pouces (30 cm) de longueur séparées par une aiguille de fer. Ces pièces sont fixées au bout d'un long manche de 12 pieds (3,6 m) de longueur. Les *nigogueux* utilisent cet outil l'automne, l'hiver et le printemps, alors que l'anguille *se vase* dans le fond des rivières. En hiver, on *nigogue* en pratiquant un trou dans la glace sur les rivières. Le pêcheur enfonce dans la vase la *nigogue* meurtrière et lorsqu'une anguille est atteinte, le pêcheur ressent de durs contrecoups sur son arme. Si la rivière n'est pas gelée, le pêcheur peut *nigoguer* en se tenant debout dans une barque [36]. Les Indiens nous ont appris à manier cet instrument, tout comme le suivant, la fouine.

b) La fouine

Dès les premières gelées de l'automne et jusqu'au dégel du printemps, comme la *nigogue,* la fouine était utilisée. Cet outil est constitué d'un long manche d'une douzaine de pieds (3,6 m) de longueur dont la base est munie d'une griffe de cinq ou six dards composés d'hameçons à morue redressés.

c) La nasse

Cette case en hart lacée que l'on dépose sur les fonds vaseux des rivières en été, prend souvent le nom de *bourne* ou de *bourgne.* Au XVII⁰ siècle, les Indiens utilisaient cette

---

36. Ovila Maillet, 60 ans en 1973, Bouctouche, Kent, N.-B.

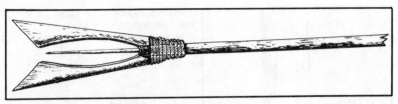

Nigogue à pêcher l'anguille. Les mâchoires de bois mesurent 18 pouces (45 cm) de long. et sont distancées de 6 pouces (15,5 cm).

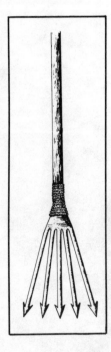

Trident ou fouine en fer forgé pour pêcher le saumon. L'homme, la nuit, debout en avant du canot, harponnait le saumon attiré par un feu placé dans un panier de *broche*. Ancien spécimen conservé au Salmon River Museum, Margaree, N.-É.

Nigogue à anguille. Les pièces latérales peuvent être tirées de vieux ressorts d'automobile. Elle est parfois nommée fouine.

371

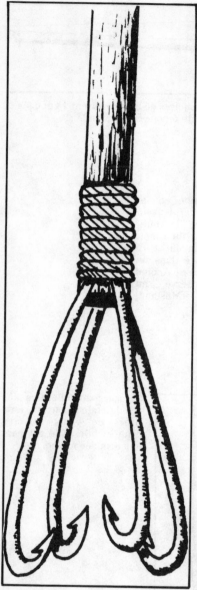

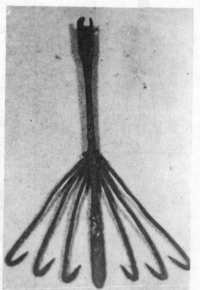

Fouine à anguille. Le grappin est fait d'hameçons à morue redressés.

Fouine à harponner l'anguille. Fer de 12 pouces (31 cm) de long. Coll. Musée Mgr Dufour, Grande-Baie, Saguenay, Qué. (*Photo* AFUL, J.-C. D. 157.)

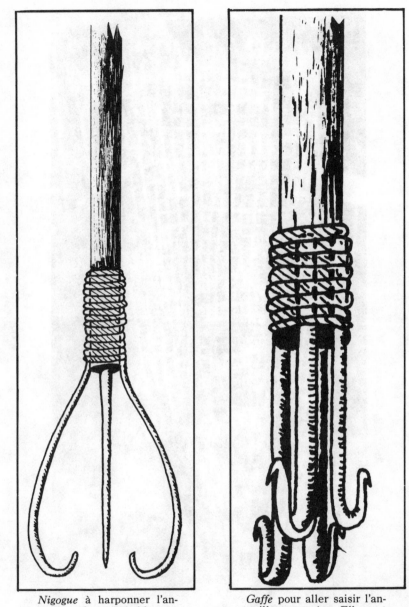

Nigogue à harponner l'anguille; c'est probablement le modèle le plus répandu. On l'identifie aussi sous le nom de fouine.

Gaffe pour aller saisir l'anguille envasée. Elle est constituée d'hameçons à morue redressés. Long. du manche: 5 pieds (1,5 m). îles de la Madeleine, Qué.

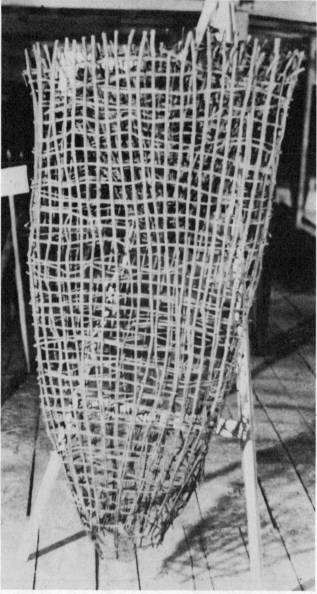

Bourne ou nasse qui se plaçait à l'entrée d'une rivière. Il en fut surtout fait mention en Nouvelle-Écosse. Nattée en hart rouge, elle mesure app. 53 pouces (1,3 m) de long. et 30 pouces (76 cm) d'ouverture. (*Photo* AFUL, J.-C. D. 587.)

technique[37] de même que les pêcheurs des côtes occidentales de la France du XVIIIe siècle[38].

d) La *pêche à fascines*

La *pêche à fascines* fixée en bordure de la mer s'installe à marée basse; elle se compose d'une *aile de chasse* allant de la grève au casier emprisonnant l'anguille. L'*aile de chasse,* une longue clôture installée à marée basse, consiste en un treillis de *fascines* lacées. Le piège lui-même vers lequel l'*aile de chasse* dirige l'anguille est un instrument divisé en trois sections: un premier cornet rectangulaire, l'*ansillon,* conduit à un deuxième, la *bourrole,* qui communique à son tour avec le *coffre* d'où l'anguille ne peut s'échapper. L'*ansillon* et la *bourrole* sont des conduits constitués de *critons* lacés, d'aulnes de 4 pieds (1,2 m) de longueur. Le *coffre* est une caisse de planches.

e) La *trôle*

La *trôle* à anguille, longue ligne flottante, est retenue à deux pieux plantés en terre à marée basse. Rattachées à cette ligne maîtresse, et espacées de 3 pieds (0,9 m) entre elles, de courtes lignes appâtées de barbeaux reposent sur un fond sablonneux[39].

5. La pêche à l'éperlan

a) Le *shanty*

Abrité dans un *shanty,* des premiers jours de décembre à la période de Noël, on pratiquait encore, au début du XXe siècle, la pêche à l'éperlan au moyen d'une *nigogue*. Le *shanty* était cette petite cabane placée sur une *saignée,* ouverture pratiquée dans la glace et ayant 6 pieds (1,8 m) de longueur par 2 pieds (0,6 m) de largeur. La cabane, munie d'une trappe dans un coin, permettait de harponner l'*éplan* au moyen d'une *nigogue* d'une dizaine de pieds (3 m) de longueur. Comme il n'y avait guère plus de 4 à 5 pieds (1,2 à 1,5 m) d'eau sous le *shanty,* on voyait passer le poisson, grâce à un écran d'environ 6 pieds (1,8 m) de longueur par 4 pieds (1,2 m) de largeur. Afin de réaliser une bonne prise, on étendait dans le fond de l'eau, vis-à-vis de l'ouverture, tantôt une toile, tantôt un drap blanc, souvent un vieux tapis

---

37. Jésuites, *Relations des Jésuites,* vol. I, 1634, p. 44.
38. Éric Dardel, *État des pêches maritimes sur les côtes occidentales de la France du début au XVIIIe siècle*, p. 31.
39. Ovila Cormier, 56 ans en 1973, Notre-Dame de Kent, N.-B.

de table, aussi des morceaux de carton. Ce matériel pâle était tenu en place par des pierres ou un cadre de bois lesté[40]. On jetait sur cet écran des pelures de pommes de terre, des restes de nourriture et du poisson en guise d'appâts.

Un jet lumineux produit par le réflecteur d'une lampe à l'huile posée sur une planche, à un pied (30 cm) au-dessus de la trappe, éclairait la toile. On prétendait aussi que la lumière attirait le poisson. Certaines autres techniques de pêche, comme celles pour attirer le saumon, faisaient même usage de torches enflammées. L'éperlan tiré de l'eau était aussitôt placé sur la glace à côté du *shanty*. Le pêcheur, assis sur une chaise, surveillait le passage du poisson puis le libérait de la *nigogue* en le frottant contre un bâton fixé à l'ouverture d'un seau.

Comme on passait parfois une semaine dans le *shanty*, on y plaçait un petit poêle et un lit à deux étages. La nourriture était conservée sur la glace recouverte d'une boîte de bois[41]. En voiture à cheval, les acheteurs de poisson se rendaient, tôt le matin, visiter les cabanes pour recueillir le poisson pêché au cours de la nuit. Parfois même, on pêchait à la ligne dans le *shanty*, mais ce n'était pas coutume.

b) Le *paravent*

Selon les informateurs, l'usage du *paravent* serait plus ancien que celui du *shanty* pour pêcher l'éperlan. Ce procédé, semblable à celui pratiqué par les Esquimaux, consistait à se coucher sur la glace en s'abritant seulement derrière une toile mobile à l'abri du vent. Par une brèche à travers la glace, le pêcheur harponnait l'éperlan. Ce type de pêche, qui débutait tôt l'automne dès que la glace pouvait supporter un homme couché, avait lieu la nuit, surtout au temps de la pleine lune, meilleur moment pour «se charger» de poisson, c'est-à-dire tirer de 25 à 30 livres (11,5 à 13,5 kg) de poisson en une nuit. Une nuit qui rapportait 50 livres (22,5 kg) de poisson constituait une excellente pêche[42].

c) La seine

La pêche au moyen d'une seine placée sous la glace prit de l'importance à partir du début du XXᵉ siècle seulement. Cette *trappe*, que l'on tendait pendant trois semaines,

40. Edmond Robichaud, 79 ans en 1973, Tracadie, North., N.-B.
41. Sœur Marie-Lydia, 67 ans en 1973, Bouctouche, Kent, N.-B.
42. Jérôme-O. Brault, 61 ans en 1973, Néguac, North., N.-B.

consistait en un grand sac en fil maillé de 20 à 30 pieds
(6 à 9 m) de largeur. Elle était fixée à contre-courant, dans
le chenal d'une rivière peu profonde. Par la base, elle était
retenue au fond de l'eau au moyen de pesées. Sa partie
supérieure était maintenue ouverte par des cordages ressortant sur la glace et fixés à des pieux.

    d) Le filet maillant

    Relativement récente est la pêche au filet maillant qui
consiste à placer au fond de l'eau un long filet d'une centaine
de pieds (30 m) de longueur, dont les mailles mesurent
1 1/4 pouce (3,2 cm) de largeur. Les informateurs font remonter cette façon de pêcher à 1916 environ.

6. D'autres poissons pêchés

    Le maquereau se pêche l'été au moyen d'un filet maillant
fixe d'une centaine de pieds (30 m) de longueur et dont les
mailles mesurent environ 3 pouces (7,8 cm) de grandeur au
Nouveau-Brunswick et près de 2 pouces (5 cm) en Nouvelle-
Écosse. Pour repérer ses filets, le pêcheur place vis-à-vis

Espar ou *bouée sonneuse*; elle est munie d'une
clochette et lestée d'une pierre. La pièce de
bois centrale est longue de 6 pieds (1,8 m).
Cet instrument qui se fait entendre de loin
peut servir à retrouver le filet maillant sta-
tionnaire utilisé pour la pêche au maquereau.

une *bouée sonneuse* ou *espar à clochette*. Cette pêche a lieu dès que la glace disparaît, et elle dure environ cinq semaines mais certains la pratiquent tout l'été. Le filet placé à cinq brasses (9 m) de profondeur est muni de flotteurs qui se situent à tous les 3 pieds (0,9 m) sur la *ralingue* supérieure. En Nouvelle-Écosse surtout, le maquereau se pêchait aussi au moyen de la ligne et du *jigger,* comme on le fait pour la morue. Pour attirer le maquereau, on jetait des déchets sur l'eau.

Monsieur Théotime Maillet, âgé de 95 ans en 1973, de Richibouctou Village, au Nouveau-Brunswick, raconte comment se faisait la pêche au maquereau lorsqu'il utilisait un filet mobile fixé à l'arrière d'une *barque de pêche:*

> J'ai *drivé* le maquereau avec mon père. J'étais petit gars dans ce temps-là, j'étais un homme et pas plus. On partait vers trois heures de l'après-midi. On *drivait* des seines. Tu jetais tes seines à l'eau et le vent les emportait. Tu *amarrais* les seines les unes après les autres; il y avait des seines *pour* un mille (1,6 km) de long. Tu laissais toutes les seines aller sur la mer et tu *amarrais* la dernière *après* le *boat.* Lorsque tout était *amarré,* on se couchait, mais on ne dormait pas beaucoup, surtout si le temps était pas beau. Vers minuit, tu *lunchais* et ensuite tu halais les seines. Tu voyais le feu dans l'eau; un maquereau fait du feu dans l'eau. Nous levions les seines et nous décrochions les maquereaux. C'est long, parce qu'il faut démailler chaque maquereau. C'était une belle pêche, la pêche au maquereau.

En Nouvelle-Écosse, le long de la Salmon River, on a pêché le saumon de multiples façons, soit avec des tridents, des hameçons, des *nigeagans*, des filets. Ailleurs, on s'est aussi servi de filets dérivants à mailles de 6 pouces (15,2 cm). De nos jours, des enclos placés à la suite d'un guideau et de grandes *trappes* remplacent les engins précédents.

Le *capelan,* petit poisson semblable à l'éperlan et mesurant de 5 à 6 pouces (12,7 à 15,2 cm) de longueur, fraie le long de la *côte* pendant un mois environ à partir de la deuxième semaine d'avril, au moment des *grandes mers.*

À Margaree, au Cap-Breton, en Nouvelle-Écosse, le gaspareau s'attrape surtout en juin, avec un filet placé à travers les rivières.

La chasse au phoque se pratique encore chez le Acadiens de la Côte Nord et chez ceux des îles de la Madeleine, mais selon des procédés plus modernes. Jusqu'aux années 1945, une fois la glace des baies coupée à la scie, les goé-

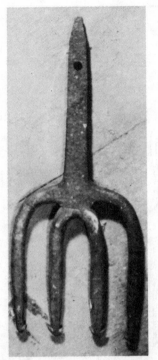

Harpon à petits poissons, de l'éperlan à la truite. Long. du fer; 7½ pouces (19 cm). Coll. du Musée des Cantons de l'Est, Eaton, Compton, Qué. (*Photo* AFUL, J.-C. D. 542.)

lettes se lançaient vers les mouvées de *loups-marins*. On entassait dans les cales les gréements, la nourriture et le bois de chauffage. Les capitaines dirigeaient leurs embarcations vers l'est à la recherche de troupeaux et lorsqu'on en signalait un, on se hâtait de *jeter le pigou* et de se vêtir en blanc. Armés de bâtons à pointe d'acier, les jeunes cernaient les *loups-marins* et, à un signal donné, ils les bâtonnaient. Le carnage fini, on habillait les victimes[43].

7. Quelques fruits de mer

La cueillette des fruits de mer, sauf les huîtres et les pétoncles, se fait sur la grève à marée basse, là où l'on peut aussi déterrer des *mouques* noires de rivage, des coques de vase et de baie.

---

43. Anonyme, *La paroisse acadienne de Havre-Saint-Pierre célèbre*, p. 136; Jean-Claude Dupont, «Les chasseurs de phoques», *Réseau*, vol. 8 n° 4, 1977, pp. 14 à 17.

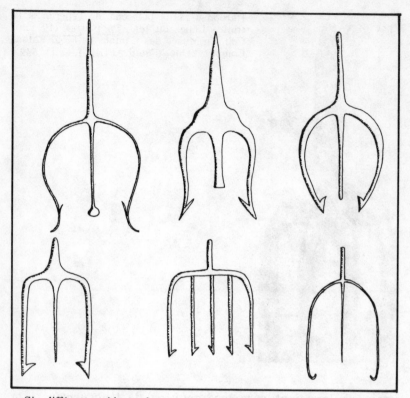

Six différents tridents dont on se servait pour braconner le saumon dans la Salmon River de Margaree Harbour, au Cap-Breton, N.-É. Dans la rangée du bas, celui de droite a été façonné dans une fourche à foin, tandis que celui du milieu a été tiré d'une fourche à fumier. Tous les autres ont été faits sur l'enclume. (Coll. du Salmon River Museum, Margaree.)

a) Les huîtres

Les huîtres se cueillent au moyen du *râteau aux huîtres,* instrument constitué par deux traverses garnies de dents et montées sur deux longs manches d'une dizaine de pieds (3 m) de longueur. L'ensemble forme une grande pince qu'il s'agit d'ouvrir et de fermer pour récupérer autant d'huîtres que le pêcheur peut en tirer de l'eau en été ou de sous la glace en hiver[44].

44. William Francis Ganong, *The History of Caraquet and Pokemouche,* Historical Studies n° 7, 1948, p. 26.

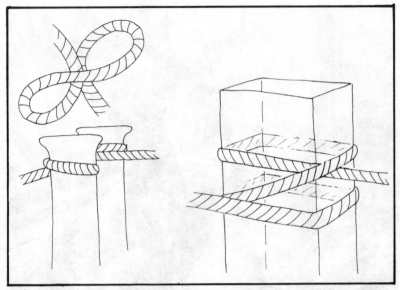

À gauche: *bacul* servant à retenir ouvert un filet à morue; il consiste en un nœud dit en *demi-clef* fait sur la tête de pieux enfoncés en terre dans l'eau. À droite: une autre façon de fixer un filet à un pieu. (Donat Lacroix, *op. cit.*, p. 31.)

L'une de ces traverses dentelées, d'environ 30 pouces (76 cm) de largeur, possède une garde de *broche à poulet* qui retient les huîtres amassées au fond de la mer[45]. Le pêcheur se tient debout dans son embarcation en été, ou sur le bord de l'ouverture qu'il a pratiquée à travers la glace en hiver.

b) Les coques

Différents outils recueillaient les coques sur les battures, à marée basse. Le *pêche-coque* se présente sous deux formes: l'une est constituée d'une palette de fer fixée à un manche mesurant 4 pieds (1,2 m) de longueur. L'autre a l'allure d'un trident et possède trois ou quatre dents d'une dizaine de pouces (26 cm) de longueur[46]. On peut aussi utiliser une pelle pour déterrer les coques.

C'était généralement les femmes qui pêchaient les coques; elles travaillaient parfois une trentaine à la fois, après avoir reconduit, en brouette, leurs jeunes enfants chez des parents, alors que les maris pêchaient la morue ou le hareng.

45. Donat Lacroix, *op. cit.*, p. 126.
46. *Idem*, p. 124.

Pêche au flétan à Havre Saint-Pierre sur la côte nord du Québec.
(*Photo* Éditeur officiel du Québec.)

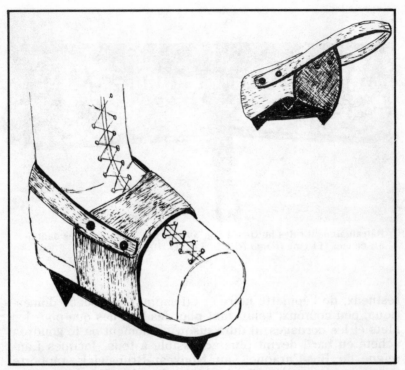

Ce grappin constitué d'un fourreau de cuir auquel est fixé une vieille dent de faucheuse, aurait été inventé en 1930 par Charles Bourgeois de Havre-Aubert. On s'en servait aux îles de la Madeleine, Qué. au moment de chasser les phoques sur les glaces. (Coll. de l'abbé Esdras Nadeau, Cap-aux-Meules.)

C. Quelques travaux associés à la pêche

1. Le soin des embarcations et des agrès de pêche

Les Acadiens de Terre-Neuve ont pratiqué plus longtemps que leurs compatriotes des méthodes primitives de traitement des agrès de pêche. Entre autres, mentionnons une technique en usage au printemps qui consistait à tremper les filets de pêche dans une solution d'ocre rouge et d'eau chaude.

Cependant, le goudronnage était une façon courante de préserver les agrès de pêche contre l'action corrosive du sel de mer. D'autant plus que les pêcheurs fabriquaient eux-mêmes leur goudron à partir de la distillation d'écorces de

Râteau à cueillir des huîtres. Larg. 39 pouces (1 m); long. des dents:
5½ pouces (14 cm). (*Photo* AFUL, J.-C. D. 1015.)

résineux, de l'épinette noire et du sapin. Ce procédé domestique, peu coûteux, valait tant pour les barques que pour les
filets et les cordages; il dura jusqu'au moment où le goudron
acheté en baril devint plus accessible à tous. Jacques Lanteigne de Bas-Caraquet, au Nouveau-Brunswick, rapporte
aussi que les voiles d'embarcations et les filets de pêche
étaient souvent trempés «dans de la saumure coupée d'eau
de chaux ou dans un goudron tiré de bourgeons de peuplier».

Suivant les régions, on employait à cette fin même
l'huile de lin ou la graisse de phoque. Le pêcheur G. Chiasson,
de Pokesudie, au Nouveau-Brunswick, mentionne que l'ingéniosité du pêcheur allait jusqu'à faire tremper les filets dans
un bouillon d'écorces de *haricots,* substitut lointain du
goudron, tandis qu'un informateur de Caraquet parlait plutôt d'un traitement au *brai* et à la colle d'éperlan pour conserver les filets de pêche.

Chez les Acadiens de la Gaspésie, on entend dire:
flamber le flat, pour désigner un procédé de calfatage courant.

Voici, en bref, les différentes étapes de ce travail:
— Aller dans la forêt, couper de l'écorce de bouleau
  et l'enrouler autour des bâtons; on nomme cet outil
  un *flambeau.*
— Fabriquer des *guipons,* genre de balai constitué
  d'un bâton auquel on attache solidement des guenilles
  à une extrémité.

384

En route pour la pêche aux coques en charrette. L'une des cueilleuses tient en main un *pêche-coque*. Ces fruits de mer serviront à appâter les hameçons à maquereau. *Photo* prise en 1930 aux îles de la Madeleine, Qué. (Edwin Smith, *op. cit.*, p. 342.)

— Chauffer le goudron avec les *flambeaux* jusqu'à ce que la matière devienne molle comme de la mélasse.

— Mettre la barque sur le *plain,* c'est-à-dire la tourner à l'envers sur la terre ferme.

— Tremper les *guipons* dans le goudron, et frapper sur les joints de bordés de la barque, comme pour lancer le goudron dans les joints.

— Au moyen de chaudières, lancer de l'eau de mer sur les bordés; le goudron durcit et la barque est

385

Pêche-coque consistant en un large couteau de fer emmanché. Long. du manche de bois: 4 pieds (1,2 m); palette de 4 pouces (10,5 cm) de long. et de 3 pouces (7,8 cm) de larg. à la base.

alors retournée sur sa coque sans souiller de goudron les vêtements du travailleur.

Lorsque l'on tire une embarcation de la mer, on utilise surtout le cabestan à bras, sorte de treuil à arbre vertical sur lequel s'enroule un câble. Il arrive aussi que l'on veuille traîner une barque près des bâtiments, pour la réparer à l'abri du vent ou que l'on conduise à la mer une embarcation neuve. Pour transporter la barque sur la terre ferme, jusque vers 1945, on la chargeait sur une voiture traînante ou roulante tirée par un cheval. À Terre-Neuve, les Acadiens plaçaient l'embarcation dans une longue charrette non foncée, tandis que ceux de la Gaspésie, à Bonaventure, employaient un chariot à quatre roues, et à Cap-aux-Os, un long traîneau à patins de bois non ferrés. De nos jours, le camion, la camionnette ou le tracteur ont presque partout remplacé les véhicules à traction animale.

Cabestan encore en usage à Cap Saint-Georges, Terre-Neuve. (Ronald Labelle, *op. cit.*, p. 5). Il est installé au bout du *traîneau,* voie de rondins construite sur le rivage.

2. La tonnellerie

Les produits du tonnelier furent surtout les *toubes* ou *boucauts,* qui servaient encore vers 1920 à expédier le poisson. Ces contenants mesuraient quatre pieds (1,2 m) de hauteur, avaient un diamètre de trois pieds (0,9 m), et contenaient quatre cents à quatre cent cinquante livres (180 à 202,5 kg) de morue. Le tonnelier façonnait aussi des contenants divers tels des seaux et des cuvettes pour le nettoyage et la salaison du poisson, de même que certains vases, cuviers, mesures, chaudières, baquets nécessaires aux fermiers. Pour l'usage de la cuisine il fabriquait encore des boîtes à sel, barattes et tinettes[47].

47. Donat Robichaud, *op. cit.*, pp. 176-177; — Anselme Chiasson, *La Vie populaire des Madelinots,* CEA, Univ. de Moncton, 1966, man., p. 81. Le *Chaleur Area History Museum,* situé à Dalhousie, N.-B., reconstitue la boutique du tonnelier.

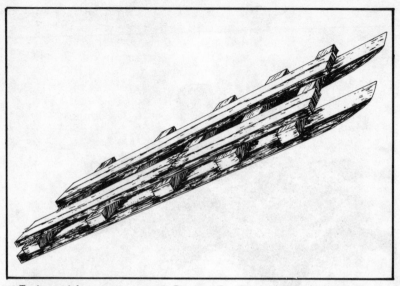

Traîneau à barque en usage à Cap-aux-Os, Gaspésie, Qué. en 1970.

Charrette à transporter une barque comme il en existait à Terre-Neuve en 1965.

Les contenants impropres à la préparation ou à la conservation de la nourriture provenaient généralement du bois de cèdre; mais les tinettes à viande, à beurre, à herbes salées, les barattes à beurre, se tiraient plutôt du bois de sapin ou d'épinette. Les douves de corps des barils destinés à l'expédition du poisson étaient surtout en bois de chêne, de hêtre, ou de frêne (parfois même en sapin), au nord du Nouveau-Brunswick, à cause du poids que supportaient les barils.

Les douves étaient tirées de troncs d'arbres de six pouces (15,2 cm) de diamètre. Chacune des pièces de bois de quatre pieds et six pouces (1,35 m) de longueur était équarrie à la hache, puis lignée à l'ocre ou au charbon de bois et débitée en planches de un demi-pouce (1,3 cm) d'épaisseur. Les douves de corps se présentaient légèrement plus étroites aux extrémités afin que le baril soit bombé. Avant de transformer les pièces de bois en douves, on les séchait sur des supports fixés au plafond de la cuisine ou dans une chaufferie spécialement aménagée. Les douves de fond étaient en bois de bouleau ou de merisier.

Les cercles retenant les douves de corps des barils provenaient de petits arbres de frêne, de bouleau ou de merisier coupés en automne, fendus en deux parties au moment de servir. Ces pièces étaient de bois vert ayant la propriété de se resserrer en séchant afin de les rendre plus efficaces, et on les trempait encore dans l'eau avant de les utiliser. Les deux extrémités d'un cercle étaient reliées l'une à l'autre en les croisant après les avoir *cochées*. En général deux cercles apparaissaient à chaque extrémité du baril. Lorsque deux douves n'étaient pas assez rapprochées et laissaient filtrer le liquide, le tonnelier bouchait l'interstice au moyen de la mousse de quenouilles.

Une douzaine d'outils étaient employés à la fabrication d'un contenant; ils sont présentés ici dans la langue du peuple et dans l'ordre de leur utilisation[48].

— *Frau:* départoir à lame courbée longitudinalement et à percussion posée et frappée. Il sert à fendre un morceau de bois en planchettes dans la fabrication des douves. Le tonnelier frappe sur le dos du couteau avec un maillet de bois.

— *Chevalet:* banc de tonnelier ou banc d'âne muni d'un étau actionné au pied et servant à retenir fortement lors du dégrossissage des planchettes préalablement fendues avec le départoir.

— *Couteau à deux manches:* plane courbe servant à donner une surface longitudinale convexe (extérieur) et concave (intérieur) aux douves de corps. Elle chanfreine aussi l'extrémité des douves de fond.

48. Anselme Chiasson, *La vie populaire des Madelinots,* CEA, Univ. de Moncton, 1966, man., p. 81a; et Julienne Comeau, 80 ans en 1973, Saint-Louis de Kent, N.-B.

- *Colombe:* long rabot de 5 pieds ou 1,5 m fixé à un trépied, taillant en haut, sur lequel on rabote le côté des douves pour les chanfreiner.
- *Poque-chèvre:* vastringue ou petite plane de charron utilisée pour finir le biseautage des côtés des douves de corps.
- Compas: compas à pointe sèche décrivant la circonférence des fonds d'un baril.
- Cerceaux: cercles (2) de fer couchés par terre et qui retiennent les douves de corps lors du montage d'un baril. L'un des cerceaux est plus petit que l'autre, et le tonnelier insère entre eux les douves de corps.
- *Chien:* serre-joint utilisé pour recourber, sur la longueur, les extrémités des douves de corps et fixer les cercles de bois lorsque la dernière douve servant de coin a été placée.

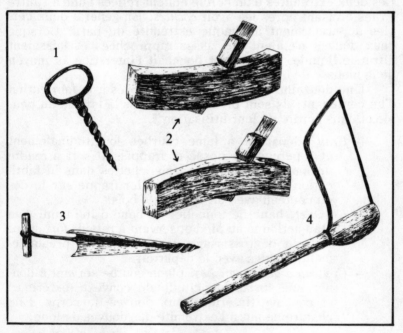

Outils de tonnellerie:
1. Vrille, long.: 4 pouces (10 cm).
2. Rabots, convexe et concave, long.: 8 pouces (20 cm).
3. Alésoir, long.: 6 pouces (15,5 cm).
4. Départoir, long. du manche: 12 pouces (30 cm); long. du couteau: 10 pouces (25 cm).

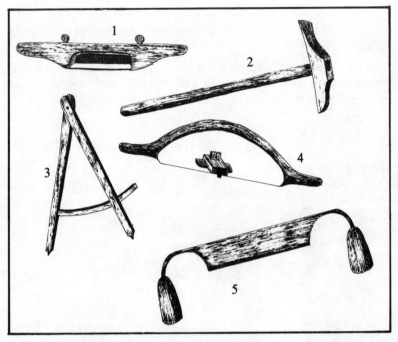

Outils de tonnellerie:
1. Vastringue, long.: 12 pouces (30 cm).
2. *Asseau,* long. du manche: 15 pouces (38 cm), long. du fer: 6 pouces (15,5 cm).
3. Compas à pointes sèches, long.: 14 pouces (36 cm).
4. Jabloire, long.: 14 pouces (36 cm).
5. Plane, long.: 15 pouces (38 cm).

— *Jabellone:* jabloir à tracer le sillon découpé à l'extrémité intérieure des douves de corps pour retenir les fonds.

— *Asseau:* marteau recourbé, tranchant d'un côté, employé par le tonnelier pour installer les cercles de baril.

— Rabot: outil à surface convexe, servant à égaliser les joints intérieurs des douves de corps; ou parfois concave, égalisant les joints extérieurs des douves de corps.

— Vrille: petite tarière s'amincissant en pointe, elle perfore le bois et retire aussi les nœuds qui s'y incrustent en les remplaçant par des chevilles.

— Alésoir: anciennement une cuillère à percer le bois, elle a été remplacée par une mèche fixée à un vilebrequin. On s'en sert pour pratiquer une ouverture dans le fond du tonneau que l'on veut remplir ou vider.

Le métier de tonnelier disparut assez tôt. Lorsqu'on put se passer de ses services, le tonnelier devint constructeur de canots de pêche[49].

49. Carmen Roy, *Les Acadiens de la rive nord du fleuve Saint-Laurent,* bull. 194, 1963, p. 168.

CONCLUSION

L'économie domestique chez les Acadiens riverains fut étroitement associée à l'écologie: l'exploitation des pêcheries, l'endiguement des rives engraissées par les eaux, l'intégration d'éléments naturels à l'habitation, la réutilisation de matériaux liés au travail en mer, voilà autant de manières directes ou indirectes de tirer parti de l'environnement. Cependant, cette présence maritime, comme nous le montrent la maison traditionnelle et ses dépendances, ne fut pas que bénéfique, puisque l'on dut apprendre à se défendre du climat riverain.

Et ce milieu physique, de même que les activités quotidiennes corrélatives, s'inscrivirent dans l'esprit des habitants qui les ont recréés dans des formes d'art populaire et conservés dans leur langue.

Mais la facette prédominante de la culture acadienne n'est pas celle de la civilisation matérielle: l'héritage spirituel l'emporte sur le legs matériel. L'Acadien n'a pas ressenti le besoin de marquer son passage par des témoignages matériels, il a préféré jouir des jeux de l'esprit et bâtir dans la mémoire.

Lors d'enquêtes ethnographiques sur le terrain, lorsque l'on tente d'obtenir des détails de fabrication ou d'utilisation d'un procédé technique, les informateurs n'y apportent que peu d'attention, laissant même tomber des étapes, comme s'ils n'attachaient pas d'importance aux productions manuelles. Mais si l'on veut les écouter décrire un sentiment ou une pratique populaire, chanter une complainte, rebâtir un récit fictif, ils y prennent plaisir et se font acteurs d'un texte qu'ils connaissent de mémoire: on le leur a transmis oralement et ils se le remémorent en détail avec bonheur.

Quand il s'en va, l'Acadien ne laisse pas de biens matériels et ses bagages comptent pour peu; il traîne sa civilisation dans son être. Est-ce que le fait, pour l'étranger, de ne pouvoir s'appuyer sur quelque repère matériel rendrait si difficile la connaissance de l'âme acadienne? On peut identifier, classifier et analyser un procédé technique ou une forme d'art populaire, mais il est plus ardu de prétendre participer

393

au génie de l'humour acadien, de saisir le contenu du long silence de la personne qui *avise.*

Il n'y a pas non plus, en Acadie, de classe de production dans les formes d'art populaire ni dans la technologie de transformation des matériaux, comme le bois, dépendant de l'agent de fabrication ou d'utilisation, comme ce fut le cas au Québec aux XVIIe, XVIIIe et XIXe siècles. Tous les foyers, qu'ils aient été modestes ou de condition économique supérieure, eurent un environnement identique, celui des objets rustiques. Ainsi, on ne retrouve pas de meubles semi-savants découlant des grandes traditions artisanales comme celles du compagnonnage français. Nous n'avons pas vu en Acadie de pièces de mobilier inspirées des écoles de la Renaissance, croix de saint André ou pointes à diamant du style Louis XIII, ni de motifs chantournés rappelant le style Louis XV, comme on en conserve au Québec et qui furent en très grande partie façonnés pour les communautés religieuses, les administrateurs et les bourgeois en général.

Les artisans spécialisés, hommes de métier du fer, du bois, de la pierre, ne semblent pas avoir joué un rôle important, ou contribué à une production artisanale: aucun d'eux n'aurait fait école au point de développer un style particulier et de le répandre comme ce fut le cas au Québec, avec Quévillon pour le meuble, Lozeau ou Vallières pour la ferronnerie. Il apparaît plutôt que ces gens de métier se soient associés aux habitants pour les conseiller, travailler avec eux dans des fabrications domestiques; ils auraient été à la direction des travaux lors des corvées, peut-être simplement la personne adroite qui conseillait le chef de communauté, l'aidant au besoin. Il serait juste de dire qu'ils se sont associés, comme tous les autres, à une cause commune, celle de la survie, plutôt que de constituer une classe à part qui aurait perpétué des formes, des motifs et des techniques, en continuité avec ce que le peuple avait de plus beau en France. Et c'est ainsi que, d'un fait de culture matérielle, l'Acadien ne dira que très rarement: «Les *vieux* ont amené ça de France», mais plutôt: «Ce sont nos vieux parents qui faisaient ça.»

Mais, bien malin qui voudrait présenter le corpus des faits de culture matérielle acadienne comme étant un tout homogène, puisque les occupations ne sont pas les mêmes d'une région à l'autre; par exemple, dans deux régions en bordure de la mer où le homard est absent, on ne retrouve pas les procédés de capture de ce crustacé et, qui plus est, certains territoires sont spécialisés en agriculture et d'autres dans le travail en chantier forestier. Certaines réalités matérielles ou spirituelles bien ancrées dans une région des provinces Maritimes peuvent être secondaires dans une autre. Ce phénomène est encore plus apparent lorsque l'on compare la tradition acadienne louisianaise avec celle des rives atlantiques: ici, par exemple, la forme décorative de l'étoile sera significative, tandis que là-bas, un symbole comparable sera celui de l'iris, du magnolia ou du pélican. Même le terme «Acadien» n'a plus le même sens lorsqu'il s'entend à l'est du Canada ou en Louisiane. Deux écologies différentes ont façonné des traits de culture dissemblables. Par exemple, le métier à tisser acadien louisianais en est un du milieu du XVIIIe siècle, période d'établissement de la population et il n'a pas évolué techniquement, parce qu'il n'était pas un instrument de première nécessité. D'ailleurs, chez eux l'hiver doux et les insectes d'été n'ont pas favorisé l'usage de la laine; ils ont plutôt développé des fabrications originales de coton blanc et *jaune,* exploitant ainsi un matériau qu'ils cultivent[1]. Il arrive même que d'une région à l'autre l'objet identifié sous une appellation ne soit pas le même. Lorsque les pêcheurs de la Nouvelle-Écosse parlent du *poisson,* ils désignent la morue, tandis que ceux du Nouveau-Brunswick parlent alors du hareng.

La langue technique, tout comme les expressions dialectales, varient d'un endroit à l'autre et déroutent par leur disparition rapide, à tel point que des ouvrages comme ceux de Pascal Poirier[2] et de Geneviève Massignon[3] ne semblent plus, dans certaines régions, chez les moins de trente ans, avoir tellement de résonance. De nombreux faits de culture matérielle, de même que leur désignation, étant assez particuliers, nous nous sommes efforcés, afin de donner une plus grande valeur scientifique à notre étude, de situer géographiquement la plupart des éléments, surtout lorsque ceux-ci ne semblaient pas communs à tous les lieux visités.

En 1977, les cycles d'occupation de la société traditionnelle du XIXe siècle ne sont plus les mêmes, certains métiers sont disparus parce qu'ils ne répondaient plus à un besoin, telle la coutume de cueillir des œufs sauvages, l'automne, pour s'alimenter; ou parce que l'objet à acquérir n'existait plus, telle la pratique de chasse à l'*orignal.* D'autres occupations, à cause de règlements, se sont déplacées dans

---

1. Robert E. Smith, *op, cit.,* pp. 43-51.
2. *Le parler franco-acadien et ses origines* et *Glossaire acadien.*
3. *Les parlers français d'Acadie.*

le cycle des travaux; comme celle de la pêche au homard, qui passa du printemps à l'automne. Parfois, la cause du changement des habitudes de travail réside aussi dans l'évolution technologique; par exemple, on n'a plus besoin de pêcher le hareng pour appâter les engins de capture de la morue.

Cette contribution à l'étude de la culture matérielle ne fait qu'explorer en surface un certain nombre d'avenues de la recherche, et chacun des sept thèmes abordés constituerait à lui seul l'objet d'études approfondies. Ainsi, au domaine de l'habitat, une recherche spécialisée mettrait en lumière certains phénomènes comme les abris temporaires constitués au XIXe siècle, telles les grottes de sable érigées à Saint-Jacques de l'Achigan[4], à la façon de celles de Touraine en France, et les hangars des anciennes mines d'or de Beauceville, au Québec, qui abritèrent les Acadiens plus tard installés à Saint-Côme, Saint-Théophile et Armstrong. D'autres sujets ne furent pas abordés, ceux de la chasse et du trappage, de la vie dans les chantiers forestiers et dans les mines. L'une ou l'autre de ces occupations pourrait à elle seule faire l'objet d'une monographie. Mais si notre apport à l'étude de la culture matérielle acadienne concourt à la connaissance plus profonde de l'Acadie, nous aurons déjà quelque raison de nous y être intéressé.

---

4. Guy Courteau et François Lanoue, *op. cit.*, p. 46.

GLOSSAIRE

Aboîteau: s.m. Partie de la digue ou de la levée munie d'un clapet de contrôle d'entrée et de sortie des eaux. Digue. Terrain endigué.

Abouetter: v. tr. Appâter un hameçon ou tout agrès de pêche.

Abrier: v. tr. Recouvrir de terre les germes de pommes de terre.

Aile de chasse: Clôture de *fascine* placée dans un cours d'eau dans le but de diriger le poisson vers un engin de pêche qui le retiendra prisonnier.

Alingue: s.f. Alêne.

Amarrer: v. tr. Attacher.

Anciner: v. tr. Inciser le ventre d'un poisson.

Ancrer: v. tr. Se fixer sur un lieu de pêche.

Ancre du nord: Extrémité du filet située du côté opposé à la rive.

Ancre du sud: Extrémité du filet située en bordure de la rive.

Ansillon: s.m. Entrée en forme d'entonnoir circulaire ou carré d'un piège à anguille.

Appareiller la terre: Préparer la terre pour l'ensemencement.

Appentis: s.m. Mur intérieur du garde-fou d'une goélette.

Après: prép. Derrière.

Arganot: s.m. Oeillet des ris de la grand'voile d'une goélette.

Arrachis: s.m. Amas de racines.

Arrime: s.m. Pile en longueur de morue sèche.

Arrimer: v. tr. Mettre en une pile continue des morues à sécher.

Asseau: s.m. Asseau adapté par le tonnelier pour le travail du bois.

Astiner: v. tr. Obstiner.

Attique: s.m. (ang. *attic*) Grenier d'une maison.

Attrape: s.m. Casier à homard.

Avançon: s.m. Courte ligne reliant l'hameçon au filin principal de la palangre.

Aviser: 1. *v. tr.* Regarder fixement. 2. *v. intr.* Réfléchir.

Babeurre: s.m. Liquide blanchâtre et sans grande valeur nutritive qui se sépare du beurre lorsqu'on le fabrique, ou du fromage lors du caillage et du séchage.

Babiche: s.f. (amérindianisme) Fine lanière de peau tannée que l'on utilise comme corde.

Bacul: s.m. Enroulement barré d'un cordage autour de deux piquets pour immobiliser un filet ou une palangre en mer.

Baie morte: Baie dont l'eau devient stagnante.

Baille: s.f. Baquet, cuve à linge.

Baille à laver le linge: Machine à laver le linge.

Balai de grange: Balai d'éclisses de frêne.

Balai de pont: Voir *Balai de grange.*

Balai tillé: Balai d'éclisses de bois de cèdre façonné à la tille.

Balestan: s.m. Une des voiles des anciennes *barges* de Caraquet.

Ballotter: v. tr. Bercer.

Ballotter la crème: Baratter la crème.

Ballotter un enfant: Bercer un enfant pour l'endormir.

Banc de terre: Banc de pêche éloigné de un à trois milles (1,6 à 4,8 km) de la rive.

Banc d'un châssis: Appui formant la base et la tablette d'une fenêtre.

Banc-huche: s.m. Table sur laquelle on boulange et qu'on peut transformer en banc.

Barachois: s.m. Lagune. Petit enfoncement sur les *côtes* d'un rivage.

Baraque: s.f. Petite grange dont la toiture mobile peut être abaissée ou élevée selon l'importance de la récolte.

Baratton: s.m. Baratte en forme de baril.

Barbette: s.f. Faux à morue.

Barchette: s.f. Petite barque servant à la pêche au hareng, en Nouvelle-Écosse.

Bardocher: v.tr. Recouvrir un toit de plaques de gazon à la façon des couvreurs en bardeau.

Barge: s.f. Barque à voile à *balestan* ou *livarde.* Bateau de pêche à deux mâts, plus petit que la goélette et un peu plus grand qu'une embarcation ordinaire.

Barge de foin: Grosse meule de *foin de prés.*

Barley: s.m. (ang.) Orge perlée.

Barouette à semer: Brouette munie d'un dispositif pour semer.

Barque de pêche: Barque jadis à voile ou à rames, et maintenant à moteur, pouvant contenir une quinzaine de barils de poisson.

Barrage: s.m. Compartiment où on dépose le poisson pour le saler, le déssaler ou le nettoyer.

Barre de savon: s.f. Pain de savon.

Bastringue: s.f. (ang. *base triangle*) Instrument de musique à percussion fait d'une tige d'acier.

Bataillon: s.m. Battant de table.

Bateau à hareng: Barque pour pêcher le hareng et pouvant servir à transporter une quinzaine de barils de poisson dans un voyage.

Bâtisse: s.f. Bâtiment.

Bâton-à-planter: s.m. Plantoir.

Battée: s.f. Une certaine quantité d'ingrédients alimentaires préparée en une seule fois.

Battoué: s.m. Battoir utilisé pour laver le linge.

Batture morte: Voir *Baie morte.*

Bau: s.m. (ang. *bow*) Carrelet circulaire servant à pêcher le homard. Ce mot désigne aussi les *cerceaux* de bois du casier à homard.

Baume: s.m. Pièce horizontale de bois fixée au mât de la goélette et servant à maintenir le bas d'une voile.

Bay leaf: (ang.) Feuille de laurier, motif de courtepointe.

Bayou: s.m. Marécage louisianais.

Beacon: s.m. (ang.) Banc-coffre dans lequel on range les vêtements.

Becquillon: s.m. Lampe-écuelle en fer munie d'un bec.

Bédaine: s.f. Ventre.

Beignet à la râpure: Râpure de pommes de terre mélangée à du lard salé, des échalotes, des oignons et des condiments, et que l'on fait cuire sous forme de crêpe.

Ber du petit: Berceau d'enfant.

Bête à patates: Doryphore.

Beurdouille: s.f. Galette de pâte cuite dans de l'eau.

Bijouetter: v.tr. Mêler.

Blé d'Inde: s.m. Maïs.

Bleuet: s.m. Airelle des tourbières et des abattis.

Boat: s.m. (ang.) Bateau, embarcation de pêche.

Bob: s.m. (ang.) Faux à morue.

Bobber: v. intr. (ang.) Pêcher avec une faux à morue.

Boire: v. intr. Laisser filtrer l'eau.

Bois: s.m. Forêt.

Bois à seine: Jauge servant à déterminer la dimension de la maille du filet à pêcher.

Bois de mer: Bois flotté.

Bois mariés: Rang d'aulnes croisées et noyées dans la boue.

Boîte de linge: Vêtements usagés donnés en cadeau.

Bôleur du poêle: s.m. (ang. *boiler*) Récipient fixé à un poêle à bois et servant à chauffer l'eau.

Bombette: s.f. Étoffe moirée, à l'origine de Bombay, en Inde.

Borcer la crème: Bercer, baratter la crème pour en faire du beurre.

Borcer le petit: Bercer un enfant.

Bordasser: v. intr. S'occuper à différents travaux.

Bordée (... de neige): s.f. Ce qui tombe de neige en une seule fois.

Bordouille: s.f. Voir *Beurdouille.*

Borgo: s.m. Burgau ou gros bigorneau que l'on retrouve sur la grève et servant parfois de porte-voix.

Botte à rames: (ang. *boat) Barque de pêche* surtout utilisée pour pêcher le hareng.

Botte sauvage: Botte de fabrication domestique munie d'une tige montant au genou.

Boucane: s.f. Fumée.

Boucaner: 1. v. intr. Fumer la pipe. 2. v. tr. Fumer le poisson dans un abri.

Boucanerie: s.f. Voir *Boucanière.*

Boucanière: s.f. Cabane conique servant au fumage de la viande ou du poisson.

Boucaut: s.m. 1. Voir *Boucaut de sucrerie.* 2. Baril à poisson.

Boucaut de sucrerie: Baril plus évasé du bas que du haut et servant à l'érablière.

Boucherie (faire...): Tuer un porc, le débiter en quartiers, et en dégraisser la panse.

Bouchure: s.f. Clôture.

Boudrier: s.m. Varech.

Bouée sonneuse: Bouée faite d'un long piquet surmonté d'une clochette.

Boueille: s.f. Petite bouée de filin de casiers à homard.

Bouette: s.f. Appât de pêche: encornet, coque, hareng ou tête de morue.

Bouetter: v.tr. Appâter un agrès de pêche.

Bougrine: s.f. Manteau d'étoffe.

Bourgne: s.f. Nasse en hart entrelacée.

Bourne: s.f. Voir *Bourgne.*

Bourrole: s.f. Partie centrale de la trappe de la *pêche à fascines.*

Bousiller: v.tr. Calfeutrer les interstices d'un mur avec de la boue.

Boutonnée: s.f. Couverture de coton blanc décorée de motifs de *coton jaune* (ou de laine) constitués au moment du tissage au moyen de brins tirés à la broche.

Boyard: s.m. Support servant à suspendre et à transporter le hareng à fumer.

Brai: s.m. Goudron, variété de résine. Gomme extraite des rameaux des arbres de peuplier.

Braie: s.f. Broie à lin ou à chanvre.

Brayage: s.m. Broyage du lin ou du chanvre.

Brig: *s.m.* Brick.

Brimbale: *s.f.* Perche-levier utilisée pour tirer l'eau d'un puits.

Briqueter entre poteaux: Technique de construction louisianaise consistant à intercaler des rangs de briques dans les murs de bâtiments.

Brise-vent: *s.m.* Rangée de pieux d'une douzaine de pieds (3,6 m) de longueur plantés en terre le long de la mer pour protéger les constructions contre le vent.

Broche: *s.f.* Fil de fer.

Broche à poulet: Clôture légère de fil de fer dont les ouvertures mesurent approximativement 1½ pouce (3,8 cm) de diamètre.

Brocher (... un gilet): Tricoter un gilet.

Brocher (... un filet): Mailler un filet.

Brochure: *s.f.* Tricot.

Broganne: *s.f.* Botte basse de fabrication domestique.

Brogarne: *s.f.* Voir *Broganne*.

Broque à levée: Fourche servant dans la construction des digues.

Broue: *s.f.* Mousse, écume du savon.

Brûlis: *s.m.* Terre nouvellement défrichée et dont on a fait brûler sur place les restes.

Bucarne: *s.f.* Clam.

Buckwheat: *s.m.* (ang.) Sarrasin.

Cabane à sucre: Construction s'élevant dans une érablière et dans laquelle on transforme la sève pour en faire du sirop, de la tire, du sucre.

Cage: *s.f.* Voir *Cage à homard*.

Cage à homard: Casier à homard.

Cagouet: *s.f.* Nuque.

Caillé: *s.m.* Masse de lait figé sous l'action de la présure ou de la chaleur et constituant la première étape de la fabrication du fromage.

Caillette: *s.f.* À l'île du Prince-Édouard, la *caillette* désigne le *caillé*. Normalement, il s'agit de la quatrième partie de l'estomac d'un jeune veau non sevré et servant à la préparation de la présure.

Cale: *s.f.* Pesée en plomb ou en étain que l'on fixe à un engin de pêche pour le retenir à l'eau.

Calicot: *s.m.* Tissu de chanvre ou de jute imperméabilisé par trempage dans l'huile de lin; on s'en sert surtout dans la fabrication de vêtements de pêche.

Câline: *s.f.* Coiffure féminine couvrant les oreilles et percée d'un trou à l'arrière pour y passer le chignon.

Calotta: *s.m.* Calotte munie d'un large bord pour protéger des rayons du soleil.

Canisteaux: *s.m.pl.* Bottes faites dans la peau du jarret d'un animal.

Canistos: *s.m.pl.* Voir *Canisteaux*.

Cannelier: *s.m.* Instrument servant à remplir des cannelles pour le tissage au métier.

Cape: *s.f.* Redingote. Possiblement aussi un pardessus ayant la forme d'une cape et muni d'une ouverture pour y passer la tête.

Capelan: *s.m.* Lodde des mers froides.

Capeline: *s.f.* Coiffe de femme et d'enfant couvrant la tête et les épaules.

Capine: *s.f.* Aux îles de la Madeleine, genre de béret. Au Village acadien de Caraquet, la *capine* est un bonnet féminin muni d'un frison, de deux queues pendant à l'arrière et de deux attaches passant sous le menton.

Capot: *s.m.* Manteau.

Caristaux: *s.m.pl.* Voir *Canisteaux*.

Cash: *s.m. et adj.* (ang.) Comptant.

Casque à palette: Prolongement du toit d'une construction pour servir d'abri au bois de chauffage. L'abri muni de cet élément peut être ainsi désigné.

Catalogne: *s.f.* Couverture faite avec des morceaux de vieux tissus et tissée au métier de basse lisse sur une trame de coton. On dit aussi *couverte barrée*.

Cent de fleur: Sac de cent livres (45 kg) de farine.

Cerceau: *s.m.* Cercle de bois auquel se greffe une pièce de filet à l'entrée des deux compartiments du casier à homard.

Chafaud: *s.m.* Plate-forme sur laquelle on entasse du foin en meule dans les terrains endigués.

Chafauds: *s.m.pl.* Supports ou tréteaux s'élevant à l'extérieur et sur lesquels on fait sécher la morue.

Chaîne empesée: Ficelle traitée au goudron et servant au maillage des filets de pêche.

Chair sur chair (saler le poisson...): Poissons dont le ventre a été ouvert et que l'on sale pour la conservation en les étendant chair sur chair.

Chaise à roulettes: Chaise berçante.

Chaise à rouloires: Voir *Chaise à roulettes*.

Chaise bascule: Chaise berçante.

Chaise d'amoureux: Causeuse berçante à deux places.

Châlit: *s.m.* Petit lit bas d'enfant; on le remisait pendant le jour sous le lit des parents. Le terme désigne parfois cet ensemble.

Chambre propre : Chambre que l'on tenait fermée et dans laquelle on faisait coucher les visiteurs.

Chandelle à baguette : Chandelle de suif de bœuf ou de mouton que l'on fabriquait en se servant d'une baguette.

Chandelle à l'eau : Voir *Chandelle à baguette*.

Chapeau fin : Chapeau confectionné avec des tiges de paille fendues en quatre sections; on l'utilisait surtout le dimanche.

Charpir les défaisures : Écharpir de la laine récupérée de vieux lainages.

Chaussée : s.f. Chemin formé par le dessus de la digue.

Chenal : s.m. Sillon creusé dans l'appui d'une fenêtre pour récupérer l'eau de condensation qui se forme sur les vitres.

Chevalet : s.m. Banc de tonnelier.

Chevrette : s.f. Crevette, en Louisiane.

Chicoutée : s.f. Framboise jaune-orange de la Côte Nord (*rubus chamaemorus*).

Chien : s.m. Serre-joint.

Chôde : s.f. Kiaude, mets constitué de morue fraîche, de pommes de terre et d'assaisonnement.

Clamp : s.f. Pièce de bois placée au lieu de rencontre d'un membre et d'un *bau* de goélette, sous une *courbe*.

Clay : s.f. (ang.) Glaise.

Cloque : s.f. (ang. *cloak*) Long manteau d'homme.

Clayon : s.m. Perchette de clôture ou la clôture à claire-voie elle-même.

Cocarde : s.f. Fête qui a lieu le soir précédant les noces.

Coche : s.f. Fente, encoche.

Coffre : s.m. (ang.) Cercueil. Dernière partie d'un piège à anguille.

Coiffe : s.f. Bonnet féminin en toile piquée. Rebord du *pontage* d'une goélette.

Coiffe à capuchon : *Coiffe* dont la partie arrière ample est élevée.

Colombe : s.f. Long rabot sur trépied.

Confortable : s.m. Douillette.

Conforteur : s.m. Douillette.

Consommé : s.m. Matière grasse traitée et utilisée dans la fabrication du savon domestique.

Conter : v.tr. Raconter.

Coq de pêche : Trophée ayant la forme d'un coq et remis au meilleur pêcheur à la fin de l'année; ce dernier prend aussi le nom de *coq de pêche*.

Coquillage du Saint-Esprit : Scutelle ou béret basque, coquillage circulaire creux de la famille des échinodermes que l'on désigne aussi du nom de *dollar de sable* (*echinarachnius parma*).

Corder (... une trôle): (ang. *trawl*) Étendre une palangre au repos sur un support.

Corlet: *s.m.* Carrelet.

Corn beef: (ang.) Bœuf salé.

Côte: *s.f.* Terrain limitrophe à la mer, rive.

Cotillon: *s.m.* Jupon à la taille, généralement bordé de dentelle.

Coton jaune: Coton non blanchi, récolté et traité en Louisiane.

Cotte: *s.f.* Jupe plissée à la taille.

Couche: *s.f.* Lange de bébé.

Coueffe à capuchon: Ancienne *coiffe* acadienne qui était encore portée sur les côtes du Labrador et des îles de la Madeleine au début du XXᵉ siècle.

Coueffe à la brèche: Voir *Coueffe à capuchon*.

Couenne: *s.f.* Motte de terre recouverte d'herbe.

Couenne herbée: Voir *Couenne*.

Couper: *v.intr.* Jeter à l'eau la ligne de pêche appâtée.

Coupe-varne: *s.m.* Outil tranchant servant à couper les vergnes ou aulnes.

Coupe-vent: *s.m.* Voir *Brise-vent*.

Courbe: *s.f.* Équerre de bois d'une seule pièce utilisée dans la charpente d'une goélettte et placée au lieu de rencontre de la carlingue et de l'étambot ou d'un membre et d'un *bau*.

Couronnement: *s.m.* Pièce horizontale de bois placée sur la lisse d'une goélette.

Cousage: *s.m.* Action de coudre.

Couteau à deux manches: Plane courbe du tonnelier.

Couteau de pêcheur: Couteau à dos courbé se terminant en pointe.

Couverte à brayons: Voir *Catalogne*.

Couverte à guenilles: Voir *Catalogne*.

Couverte de pointes: Couverture piquée ou courtepointe.

Couverte piquée: Couverture piquée.

Couverte de rags: Voir *Catalogne*.

Couverture à pic: (ang.) Toiture à versants en pente prononcée.

Couverture d'écorce à étanche d'eau: Toiture constituée de grandes écorces d'arbres, surtout du bouleau.

Craie: *s.f.* Plâtre.

Crêpe au rampage: Crêpe à base de pommes de terre râpées remplaçant la farine.

Crêpe blême: Crêpe dont la pâte est constituée de lait et de farine et de peu ou pas d'œuf.

Criton: *s.m.* Aulne.

Croc: *s.m.* Hameçon. Nom donné au jour du mariage. Pioche constituée de deux dents et servant dans la construction des digues.

Crochet à foin: Crochet pour tirer le foin des *tasseries*.

Croiser le sel: Saler les poissons en les plaçant chair contre chair dans un récipient.

Croque: *s.f.* (ang. *crock*) Jarre de grès ou baquet de bois.

Cuisine: *s.f.* Compartiment d'entrée dans le casier à homard.

Culotte à braguette: Probablement la *culotte à clapet* ayant un panneau à boutonnage apparent à l'avant; il s'abaisse et se relève au besoin. En France, on désigne cette culotte des noms de «culotte gauloise» et de «pantalon à pont».

Culotte à clapet: Voir *Culotte à braguette*.

Culture en butte: Plantation de légumes à la mode indienne sur une butte de terre.

Cup-grease: *s.f.* (ang.) Graisse à godet.

Dans le coin: Motif de courtepointe.

Décoller la morue: Enlever les entrailles d'une morue et lui casser la tête sur le bord de l'étal.

Décolleur: *s.m.* Travailleur dont l'occupation consiste à enlever les entrailles de la morue et à lui casser la tête.

Défaisure: *s.f.* Vieux lainages destinés à être recyclés.

Démailler: *v.tr.* Enlever le poisson d'un filet de pêche, ou retirer les casiers à homard de l'eau.

Démarrer: *v. tr.* Détacher.

Demi-clef: *s.f.* Nœud coulant constitué par l'enlacement d'un cordage sur la tête de deux piquets côte à côte.

Demoiselle: *s.f.* Bâton à fouler l'étoffe.

Dérailler: *v.tr.* Enlever la graisse qui adhère aux intestins des animaux de boucherie.

Dérangé (être...): Malade mentalement.

Diable: *s.m.* Cric.

Djimbarde: *s.f.* Voiture traînante tirée par un cheval. Brancard formé de deux longues perches parallèles et porté par deux hommes.

Dollar de sable: (ang. *sand dollar*) Voir *Coquillage du Saint-Esprit*.

Doré: *s.m.* Doris, chaloupe à fond plat. S'emploie parfois au féminin.

Dorsoé: *s.m.* Dressoir à vaisselle.

Dorsoué: *s.m.* Voir *Dorsoé*.

Doucin: *s.m.* Eau qui s'écoule des *terres* en passant par le clapet de l'*aboîteau*.

Drâche: *s.f.* Résidu accumulé au fond du récipient utilisé pour préparer l'huile de foie de morue.

Drapeau: *s.m.* Lange de bébé.

Dresser: *s.m.* (ang.) Bureau de chambre à coucher.

Dressoué: *s.m.* Dressoir.

Dressouer: *s.m.* Dressoir.

Driver (... le maquereau): Pêcher au moyen d'une ligne ou d'une nasse à traîner.

Écharpiller: *v.tr.* Mettre de la laine en charpie.

Échine: *s.f.* Dos ou colonne vertébrale d'un animal ou d'un être humain.

Écochage: *s.m.* Action d'*écocher*.

Écocher: *v. tr.* Casser l'écorce d'une tige de lin ou de chanvre avec un écochoir.

Écochoué: *s.m.* Écochoir ou couteau de bois servant à casser l'écorce de la tige de lin ou de chanvre.

Écoclucher: *v.tr.* Décortiquer.

Écouter (s'): *v.pr.* Regarder fixement, réfléchir.

Écrâler: *v.tr.* Voir *Décoller*.

Écrâleur: *s.m.* Voir *Décolleur*.

Edjiber (... une morue): Éguiber, vider un poisson de ses entrailles et lui casser la tête. Habiller n'importe quel animal.

Eel grass: *s.f.* (ang.) Herbes sauvages. Zostère marin.

Éjiber: *v.tr.* Voir *Edjiber*.

Empremier: *s.m.* Jadis, au temps des grands-parents, des aïeux.

Encanure: *s.f.* Embouvetage.

Endigueur: *s.m.* Personne qui travaille à l'endiguement.

En-terre: *s.f.* Parmi les trois lignes de casiers à homard fixées parallèlement à la rive, celle-ci est la plus rapprochée de la terre ferme.

Éparer: *v.tr.* Étendre. S'emploie surtout au participe passé.

Éplan: *s.m.* Éperlan.

Équipette: *s.f.* Petit compartiment dans un coffre.

Escalier: *s.m.* Motif de tapis crocheté.

Espar à clochette: Voir *Bouée sonneuse*.

Essiver: *v.tr.* Cuire dans la lessive, lessiver.

Estomac: *s.m.* Poitrine.

Été (petite..., grosse...): *s.f.* Cordage principal auquel sont fixés le *jib* et le foc d'une goélette.

Étoffe du pays: Étoffe confectionnée à la maison, par opposition aux étoffes importées.

Étoile à huit branches : Motif de courtepointe.

Étoile à huit pointes : Motif de courtepointe.

Étoile pointée : Motif de courtepointe.

Éventer : *v.tr.* Aérer.

Fagot : *s.m.* Gerbe de céréales ou de petites branches.

Faire boire : *v.tr.* Coudre en plissant une des pièces de tissu à assembler pour réaliser un gonflement.

Faire le dedans : Exécuter les travaux domestiques.

Faire le dehors : Travailler aux travaux de la ferme.

Faituchon : *s.m.* Capuchon d'hiver.

Farouche : *adj.* Sauvage.

Fascine : *s.f.* Branche d'épinette.

Fayot à écosser : Cosse contenant des haricots que l'on cultive pour la consommation.

Fée : *s.f.* Parmi les trois lignes de casiers à homard fixées parallèlement à la rive, celle-ci est la plus éloignée en mer.

Ferrée : *s.f.* Bêche utilisée pour construire des digues.

Feuille de laurier : Motif de courtepointe.

Feuille d'érable : Motif de courtepointe ou de tapis crocheté.

Filer : 1. *v.tr.* Suivre. 2. *v.intr.* Passer vite, généralement en ligne droite.

Filer le câble (faire...) : Retenir le filin d'une pêche en le laissant aller petit à petit lorsque la barque est en marche, de façon à distribuer uniformément les engins dans l'eau.

Filet de large : Filet de fond pour pêcher le hareng éloigné des *côtes*.

Filet de terre : Filet flottant pour pêcher le hareng de rivage.

Fion : *s.m.* Dernière touche que l'on ajoute pour finir un travail. Complément esthétique.

Flag d'amorce : (ang.) Drapeau surmontant une *boueille* de filin de casiers à homard et servant de repère.

Flambeau : *s.m.* Torche d'écorce de bouleau.

Flamber le flat : (ang. *flat*) Calfeutrer une barque avec du goudron au moyen d'une torche d'écorce de bouleau.

Fleau : *s.m.* Fléau.

Foin de terres hautes : Foin des terrains autres que celui des *prés*.

Foin de prés : Foin des marais endigués.

Foin d'odeur : Foin odorant cueilli en bordure des cours d'eau; on s'en sert surtout dans la vannerie.

Foin doux : Foin des *terres* éloignées de la mer, par opposition au *foin salé* des grèves.

Foin doux des prés : Foin récolté le printemps suivant un labour d'automne.

Foin salé : Foin des terrains en bordure de la mer.

Foncière: *s.f.* Récipient servant à préparer l'huile de foie de morue que l'on destine au commerce.

Forbir: *v.tr. Fourbir* ou laver un plancher au moyen d'une brosse.

Foulerie: *s.f.* Fête de foulage.

Foulon: *s.m.* Auge dans laquelle on foule l'étoffe.

Fourbir: *v.tr.* Laver et brosser un plancher.

Fourneau: *s.m.* Four.

Fournil: *s.m.* Maison secondaire généralement plus petite que la maison principale, et qui se situe à côté de cette dernière. On y emménage l'été pour y vivre pendant le jour. On s'en sert aussi en d'autres saisons pour y faire des travaux malpropres.

Frac: *s.m.* Genre de veste, de froc.

Frau: *s.m.* Départoir, coin à bardeau.

Fricot: *s.m.* Ragoût particulier à l'Acadie.

Fricot aux coques: Ragoût aux mollusques bivalves.

Fromage blanc: Fromage au lait.

Fuseau: *s.m.* Bobine.

Gabare: *s.f.* Embarcation à fond plat halée par une *barque de pêche* et servant à lever les filets (îles de la Madeleine).

Gabord: *s.m.* Chacune des deux pièces de bois du bordage fixées le long de la quille d'une goélette.

Gaffe: *s.f.* Long bâton dont une extrémité est munie d'hameçons à morue et servant à capturer l'anguille cachée dans la vase.

Gagner (la mer...): Se dit de la mer au moment de la marée montante.

Galance: *s.f.* Balançoire.

Galette à l'eau: Pâte sans levain que l'on cuit en la faisant bouillir dans l'eau.

Gapaille: *s.f.* Balle d'avoine, de blé et d'orge.

Garçonnière: *s.f.* Grenier de la maison créole-acadienne de la Louisiane. C'est généralement les garçons qui y couchaient en montant par un escalier extérieur situé sur le perron.

Garitte: *s.f.* (ang. *garret*) Grenier de maison.

Gâteau au rampage: Pâtisserie préparée de la même façon que la *crêpe au rampage* mais cuite au four.

Gavionner: *v.tr.* Gabionner ou recouvrir quelqu'un de couvertures dans un lit.

Godet: *s.m.* Récipient de bois ou de fer-blanc que l'on fixe à un rouet pour s'y tremper les doigts dans l'eau lorsque l'on file du lin.

Gombo: *s.m.* Potage constitué d'un roux, de viande de poulet et de la chair de différents crustacés. On y ajoute des épices et des grains de gombo. S'écrit aussi *gumbo*.

Gorge: *s.f.* Cou, parfois le haut des seins.

Gourgane: *s.f.* Grosse fève aussi appelée «orteil de prêtre»; on en faisait surtout de la soupe, mais, grillée, elle remplaçait le café.

Grainages: *s.m.pl.* Petits fruits sauvages.

Graisse de rôt: Graisse et gélatine qui se déposent dans le fond du chaudron lorsque l'on fait rôtir de la viande de porc.

Grâlé: *adj.* Fumé et asséché.

Grand bord: Pièce centrale de la maison.

Grand côté: Dernière pièce de bois posée sur le carré d'une construction en bois rond. Cette pièce plus longue que les autres supporte la toiture qui se prolonge sur la façade du camp pour servir d'abri.

Grande chambre: Salle de séjour dans laquelle on prépare la nourriture et où on prend ses repas.

Grande maison: Corps principal du logis; maison principale par rapport à la cuisine d'été.

Grandes herbes: *s.f.pl.* Longues herbes sauvages dans lesquelles on chasse l'outarde.

Grandes mers: *s.f. pl.* Grandes marées.

Grand ménage (faire le...): Ménage plus important que les autres et que l'on fait généralement au printemps.

Grange de marais: Grange s'élevant sur des marais endigués.

Gratte-à-varech: Râteau à dents superposées tiré par un cheval et servant à amasser le goémon.

Grease: *s.f.* (ang.) Graisse.

Gréement de ferme: Instrument aratoire.

Greffe: *s.m.* Voir *Greffe des marques*.

Greffe des marques: Lieu où l'on conserve les marques d'identification des animaux d'une région.

Grob: *s.m.* (ang. *grub*) Instrument consistant en une pioche longue et étroite pour travailler la terre.

Guémon: *s.m.* Algue, varech.

Guimbarde: *s.f.* Voir *Djimbarge*.

Guindineau: *s.m.* Voir *Bacul*.

Guipon: *s.m.* Bâton auquel on a fixé des guenilles à un bout.

Gumbo: *s.m.* Voir *Gombo*.

Gumbo févi: Recette particulière de *gombo* préparée par les Acadiens louisianais.

Haim: *s.m.* Hameçon.

Handy: *adj.* (ang.) Commode, pratique.

Hand-line: *s.f.* (ang.) Ligne à main.

Haricot: *s.m.* Tsuga, variété de conifère.

Harier: *s.m.* Endroit couvert d'herbes sauvages, de harts.

Hart: *s.f.* Longueur de digue qui borde une *terre* en particulier.

Hart de coutre: Hart de coudrier.

Hausse: *s.f.* (ang. *hose*) Botte à mi-jambe de fabrication domestique. Tige de botte.

Herbe à lien: Longue herbe dont on se sert pour attacher des gerbes de grain ou couvrir les toits.

Herbe-outarde: Voir *Grandes herbes*. Zostère marin, *eel grass*.

Herbe rouche: Foin de marais non endigué.

Herring bone: (ang.) Motif de tapis crocheté.

Homme de mer: Pêcheur.

Houque: *s.m.* (ang. *hook*) Crochet servant à crocheter un tapis.

Indienne à carreaux: Indienne dont les motifs sont de petits carrés.

Indienne barrée: Indienne rayée.

Indienne picotée: Indienne piquée de pois de différentes couleurs et grosseurs.

Jabellone: *s.m.* Jabloir.

Jabot: *s.m.* Sein.

Jambalaya: *s.m.* Mets épicé à base d'un roux contenant différentes viandes et des mollusques; il se mange avec du riz.

Jarlot: *s.m.* Pièce de bois agissant à la façon d'un coin et placée entre la quille et le bordage d'une goélette.

Jeter le pigou: Jeter l'ancre.

Jib: *s.m.* Voile triangulaire avant de la goélette; elle se situe à l'arrière du petit foc.

Jigger: *s.m.* (ang.) Faux à morue.

Jongler: *v.intr.* Regarder fixement, réfléchir.

Joug à baux: (ang. *bow*) Joug de garrot.

Joug à tirants: Joug de garrot.

Joug de cou: Joug placé sur le cou d'un animal de trait.

Laize: *s.f.* Tapis long et étroit tissé au métier avec de vieux tissus.

Lapin: *s.m.* Lièvre.

Lessi: *s.m.* Lessive de cendre de bois ou de potasse.

Lessi de bois: Lessive de cendre de bois.

Lessi de chaux: Lessive de chaux.

Levée de mer: Levée en bordure de la mer.

Levée de rivière: Levée en bordure d'une rivière.

Lieu de pêche: Endroit où se fixe le pêcheur pour installer ses engins de pêche.

Ligne fine: Ligne à la main.

Ligner une ligne: Remonter une ligne et l'enrouler sur le caret.

Linge de chantier: Vêtements utilisés pour travailler dans les chantiers forestiers.

Linge d'étable: Vêtements utilisés pour le travail à l'étable.

Lirette: *s.f. Catalogne* louisianaise.

Lisser: *v.tr.* Adoucir un brin de fil de lin.

Lisse de clôture: Perche de cèdre servant à faire des clôtures.

Livarde: *s.f.* Une des voiles d'un ancien voilier de Caraquet.

Livre de bord: Journal de bord.

Livre de raison: Carnet de notes manuscrites concernant les principaux événements de la vie d'une famille.

Log cabin: (ang.) Camp en bois rond. Motif de courtepointe.

Loup-marin: *s.m.* Phoque.

Luncher: *v.intr.* (ang.) Manger.

Lune déclinante: Décroissement de la lune.

Mâcher: *v.tr.* (ang. *to mash*) Hacher, piler.

Maçoune: *s.f.* Âtre ou foyer de cuisson et de chauffage intégré à la cheminée.

Maganer: *v.tr.* Maltraiter.

Mailloche (à la...): Foulage de l'étoffe dans une auge à l'aide d'une massue.

Maintien: *s.m.* Manche du fléau.

Maison de toutes saisons: Maison habitable à l'année.

Manger: *s.m.* Nourriture.

Manne: *s.f.* Coffre.

Mantelet: *s.m.* Veste qui se lace en avant et couvre le buste; elle ressemble parfois à une écharpe.

Margot: *s.f.* Voir *Chicoutée*.

Marlounes: *s.f.pl.* Bottes malouines.

Marque: *s.f.* Signe pour identifier les animaux.

Marquer sa main: Couper ou poinçonner l'oreille de ses animaux pour les identifier.

Masqui: *s.m.* (amérindianisme) Machecoui ou écorce de bouleau.

Matinée: *s.f.* Chemisier.

Médalle: *s.f.* Médaille.

Mégaillère: *s.f.* Ouverture à la ceinture d'un jupon ou d'une jupe permettant de l'enfiler; ou encore, ouverture sur une paillasse par laquelle on la remplit de paille, de plumes ou de mousse de cyprès.

Ménager: *v.tr.* Utiliser avec modération.

Merry-go-round: (ang.) Voir *Crêpe blême*.

Métiver: *v.tr.* Moissonner à la faucille.

Mette: *s.f.* Huche.

Mettre en presse: Mettre la morue en meule.

Middle ground: (ang.) Parmi les trois lignes de casiers à homard placées parallèlement à la rive, celle-ci se situe entre les deux autres, soit l'*en-terre* et la *fée*.

Mitan: *s.m.* Milieu, centre.

Mizotte: *s.f.* Mélange de *foin de prés,* de *foin de terres hautes* et de paille d'avoine. Aussi, foin court qui pousse dans les *prés*.

Mocauque: *s.f.* (amérindianisme) Tourbière, savane.

Moé: *pron. pers.* Moi.

Moitié de ligne: Sur une barque, aide travaillant à la pêche, et qui garde comme salaire la moitié de ce qu'il prend.

Monikac: (amérindianisme) Œuf d'oiseau.

Montreaux: *s.m.pl.* Supports fixés sur une barque de pêche pour étendre pendant le jour le filet qui sert à pêcher le hareng à *bouetter* pendant la nuit.

Morceau du voisin: Morceau de viande remis à un voisin lorsque l'on faisait *boucherie*.

Morue de cabane: Kiaude à laquelle on ajoute du lard salé. À l'origine, ce mets était préparé par les hommes qui dînaient dans la cabane de pêche au bord de la mer.

Morue de large: Morue pêchée à la pêche hauturière; elle est plus grosse que la *morue de rivage*.

Morue de rivage: Morue pêchée le long du rivage; elle est plus petite que la *morue de large*.

Mouchouer: *s.m.* Mouchoir.

Mouiller: *v.tr.* Jeter ses agrès de pêche à l'eau sur un lieu de pêche.

Moulange: *s.f.* Meule à grain.

Moulin à vent: Motif de courtepointe.

Mouque: *s.f.* Moule, mollusque lamellibranche comestible.

Mousse de grève: Mousse irlandaise.

Mouton: *s.m.* Pile de morues ou petit tas d'une vingtaine de morues.

Mud-digger: (ang.) Pelle mue par un cheval et utilisée pour retirer de la boue au fond d'une baie.

Mulon: *s.m.* Meule.

Mur à auges: Assemblage constitué par l'enlignement de troncs d'arbres dont le pied et la tête sont emboîtés dans des auges de bois.

Mur à pieux: Assemblage constitué par l'empilage de troncs d'arbres retenus par des piquets plantés en terre.

Néko: (amérindianisme) Cendre de bois.

Neuf blocs: Motif de courtepointe.

412

Neuf carrés : Motif de courtepointe.

Neuf pièces : Motif de courtepointe.

Nigeagan : *s.m.* (amérindianisme nijagan) Barrage de pieux à l'embouchure des rivières et des ruisseaux qui retient le poisson prisonnier lorsque la mer baisse.

Nigogue : *s.f.* (amérindianisme) Long bâton muni d'un dard placé entre deux lamelles mobiles en bois ou en fer agissant à la manière de pinces et servant à capturer le poisson. Ce mot désigne parfois la fouine et la *gaffe*. S'écrit aussi *nigog*.

Nigoguer : *v.tr.* Pêcher avec une *nigogue*.

Nigogueux : s.m. Personne qui *nigogue*.

Nœud à boucle : Nœud rattachant la ralingue inférieure d'un filet au câble d'ancrage.

Nouc : *s.f.* Nœud de maille d'un filet de pêche.

Organeau : *s.m.* Anneau ou fourreau.

Orignal : *s.m.* Cerf d'Amérique.

Orin : *s.m.* Filin rattachant la bouée à la *ralingue* supérieure d'un filet.

Ouvreur : *s.m.* Personne dont le travail consiste à trancher la gorge de la morue et à l'éventrer.

Overall : *s.m.* (ang.) Denim, salopette en demin.

Paille de cèdre : Résidu de bois de cèdre ramassé sous les machines dans les moulins où l'on prépare le bardeau à recouvrir les constructions.

Palette du poêle : Tablette mobile fixée sur le devant d'un réchaud de poêle à bois.

Palmetto : *s.m.* Palmier nain.

Paravent : *s.m.* Toile montée sur un cadre de bois et qui protège en le cachant celui qui pêche l'éperlan sur la glace d'un cours d'eau.

Parlache : *s.f.* (ang. *pearl ash*) Potasse.

Parler en indien : Parler une langue amérindienne.

Patate : *s.f.* Pomme de terre.

Patate à cochon : Petite pomme de terre que l'on ne consomme pas et que l'on fait cuire pour donner aux porcs.

Patchwork : *s.m.* (ang.) Layette.

Pâté à la râpure : Mets traditionnel chez les Acadiens de la Nouvelle-Écosse; il est surtout préparé à base de viande de poulet, de lard salé et de pommes de terre.

Peaker : *s.m.* (ang.) Récipient servant à cueillir les fruits sauvages.

Pêche à fascines : Enclos pour pêcher l'anguille; il est constitué d'une *aile de chasse* et d'une *trappe*.

Pêche-coque: Bêche servant à déterrer les coques, ou palette de fer emmanchée pour lever les coques.

Peg: *s.m.* (ang.) Cheville de bois utilisée dans la fabrication des chaussures.

Peigne à bleuets: Récipient servant à cueillir des myrtilles.

Pelle à terre grasse: Voir *Mud-digger.*

Pelle à terre morte: Voir *Mud-digger.*

Pelle de batture: Voir *Mud-digger.*

Pelle de marais: Voir *Mud-digger.*

Pendoreilles: *s.m.pl.* Boucles d'oreilles.

Perdre (la mer...): Se dit de la mer au moment de la marée baissante.

Perdrix: *s.f.* Gélinotte huppée.

Petite bière: Bière de fabrication domestique.

Petite faux: Faux fixée au bout d'un long manche et utilisée par un homme.

Petit lait: Voir *Babeurre.*

Petits cochons en sac: Pâte de *bordouille* que l'on fait cuire dans de petits sacs individuels, dans l'eau.

Petits fruits: Fruits sauvages.

Picasse: *s.f.* Ancre de bois lestée de pierres.

Picosser: *v.intr.* Travailler pour s'occuper.

Pièce de bête: Bête de cheptel.

Pièce face en bas: Tronc d'arbre couché et fendu en deux, et dont l'écorce est tournée vers le haut.

Pièce face en l'air: Tronc d'arbre couché et fendu en deux, et dont la face plane est tournée vers le haut.

Piganouille: *s.f.* Alêne droite.

Pinou (pêche au...): Câble de ligne de pêche. Pêcher à la ligne à main.

Pioche à palette: Pioche en fer longue et étroite.

Piqueur: *s.m.* Voir *Ouvreur.*

Piquoi: *s.m.* Piquoir ou fourche à deux fourchons servant à décharger la morue.

Piroune: *s.f.* Oie.

Plain: *s.m.* (ang.) Terre ferme en bordure d'un cours d'eau.

Plairie naturelle: Bande de terre inondée par la mer à marée haute et sur laquelle pousse du foin sauvage.

Plaquebière: *s.f.* Ronce ou baie sauvage.

Plat à pétrir: Voir *Mette.*

Pleure herbée: Voir *Couenne herbée.*

Plion: *s.m.* Perche de bois placée sur la base des tiges de chaume utilisées pour couvrir un bâtiment.

Plogue: *s.f.* (ang. *plug*) Crêpe à la farine de sarrasin. Substantif retrouvé seulement au Madawaska.

Plomber (...un filet) : Fixer des pesées à un filet.

Poche : *s.f.* Sac de jute, ordinairement de cent livres (45 kg).

Pointed star : (ang.) Motif de courtepointe.

Poisson : *s.m.* En Nouvelle-Écosse, morue. Au Nouveau-Brunswick, hareng.

Politaine : *s.f.* Jeu de cartes.

Pomme de prés : Airelle à gros fruits rouges. Grande canneberge.

Ponchon : *s.m.* Baril.

Pontage : *s.m.* Pont d'une goélette.

Poque-chèvre : *s.m.* (ang. *spokeshave*) Vastringue de charron.

Porlache : *s.m.* Bicarbonate de soude.

Pottée : *s.f.* Contenu d'un pot ou d'un chaudron.

Poulamon : *s.m.* Petit poisson abondant dans le fleuve Saint-Laurent et dans les rivières Memramcook et Petitcodiac.

Pour : *prép.* Pendant.

Pourcil : *s.m.* Dauphin. Cochon de mer.

Pour que : *loc. prép.* Afin que.

Poutines râpées : Mets traditionnel des Acadiens du sud du Nouveau-Brunswick. Probablement d'origine allemande.

Poutines en sac : Dessert de pâte sucrée, riche en gras, et mise dans un sac lors de la cuisson.

Prague : *s.f.* (ang. *pry*) Levier.

Pré : *s.f.* Terre alluviale que l'on cultive. S'écrit parfois avec un e muet. S'emploie aussi au masculin.

Pruche : *s.m.* Nom vulgaire du tsuga du Canada.

Puisette : *s.f.* Épuisette.

Quiante de morue : *Morue de cabane* à laquelle on ajoute du bœuf salé et de la farine grillée.

Rack à trôle : (ang. *rack, trawl*) Support en bois muni de fils de fer horizontaux sur lesquels on accroche les hameçons de la palangre au repos.

Radeau : *s.m.* Plate-forme flottante constituée par l'assemblage de pièces de bois à transporter.

Raft : *s.m.* (ang.) Radeau consistant en une cage de bois flottante.

Raftmen : *s.m.pl.* (ang.) Hommes travaillant sur un *raft*.

Ralingue : *s.f.* Filin principal de bordure supérieure ou inférieure d'un filet de pêche.

Rang de marée : Barre blanche apparaissant à la surface de la mer vis-à-vis des bancs de harengs.

Râquer : *v.tr.* Racler.

Raquette à cheval : Instrument de bois ou de fer que l'on fixe aux sabots du cheval (au moyen de courroies) pour aller sur des terrains mous.

Raquette à prés : Voir *Raquette à cheval.*

Râteau aux huîtres : Longue pince servant à pêcher les huîtres.

Ratte : *s.m.* Bateau passeur. Voir aussi *Raft.*

Recroc : *s.m.* Fête qui a lieu le lendemain du mariage, c'est-à-dire le lendemain du *croc.*

Recul (à...) : Foulage de l'étoffe sur une table.

Réjain : *s.m.* Regain ou pousse d'herbe après que le foin a été coupé.

Renchausser : *v.tr.* Enchausser.

Retarde (à la...) : Foulage de l'étoffe sur une table.

Rets : *s.m.* Filet de pêche.

Revers : *s.m.* Poupe d'une goélette.

Riblage : *s.m.* Action d'émonder de l'orge dans un mortier.

Ribleuse : *s.f.* Mortier pour émonder l'orge.

Ribotte : *s.f.* Voir *Baratton.*

Roche roulante : Motif de courtepointe.

Rode : *s.f.* (ang. *rod*) Longueur de levée que font quatre hommes dans une journée de travail.

Rollon : *s.m.* Perche de bois rond.

Rosage : *s.m.* Séchage du chanvre au soleil.

Rouche : *s.f.* Voir *Herbe rouche.*

Roue à semer : Semoir consistant en une roue trouée qui laisse échapper la graine.

Rouler : *v.tr.* Aplanir.

Roulette : *s.f.* Patin d'une chaise berçante.

Rumeur : *s.m.* (ang. *rim*) Rond sur le dessus du poêle.

Sablier : Motif de courtepointe.

Sac à housse : Lit emmuré. On y accède par une petite ouverture fermée par un rideau.

Sage : *s.m.* Prêtre ou vieillard reconnu pour son esprit de justice.

Saignée : *s.f.* Trou d'eau claire sur un cours d'eau gelé.

Sailor's cabin : (ang.) Lit emmuré.

Salange : *s.m.* Foin récolté dans les *prés* endiguées qui n'ont pas encore été labourées.

Saleur : *s.m.* Personne dont l'occupation consiste à saler le poisson.

Salon : *s.m.* Compartiment faisant suite à la *cuisine* dans le casier à homard.

Sapinage : *s.m.* Petits arbres de sapin.

Sauvage : *s.m.* Amérindien.

Savate : *s.f.* Chaussure de fabrication domestique. Vieille chaussure.

Savon de drâche: Savon fait avec les résidus de l'huile de foie de morue.

Savon de morue: Savon fait avec de l'huile de foie de morue.

Savon de potasse: Savon domestique de couleur foncée; il est fait du résidu du savon liquide.

Savon du pays: Savon de fabrication domestique.

Sawest: *s.m.* Suroît, chapeau de pêcheur; semblable au *calotta,* mais il est confectionné avec des rameaux de sapin.

Scow: *s.m.* (ang.) Plate-forme flottante servant au transport sur un cours d'eau. Genre de bateau passeur.

Seau à lavure: Chaudière dans laquelle on conservait l'eau ayant servi à laver la vaisselle.

Service: *s.m.* Service funèbre.

Shanty: *s.m.* (ang.) Cabane sur la glace servant d'abri au pêcheur d'éperlan.

Ships-carving: (ang.) Dessin géométrique.

Sillon de la porte: Seuil de porte.

Sirène de mer: Sirène.

Slabe: *s.f.* (ang. *slab*) Pièce de bois placée longitudinalement dans une levée d'endiguement des eaux.

Soda: *s.m.* Bicarbonate de soude.

Soigner: *v.tr.* Prendre soin.

Soleil: *s.m.* Motif de courtepointe.

Souliers de bœuf: Souliers de fabrication domestique.

Souliers de peaux: Souliers de fabrication domestique.

Souliers sauvages: Souliers de fabrication domestique.

Soupe au barley: (ang.) Potage à l'orge perlée.

Soupe au blé d'Inde: Potage au maïs.

Soupe aux patates: Potage aux pommes de terre.

Soupe aux pois: Potage aux pois jaunes, séchés et entiers, assaisonné d'herbes et de lard salé.

Sourd du marais: (ang. *sewer*) Homme désigné pour surveiller l'état des digues.

Squid jigger: (ang.) Turlutte pour pêcher le calmar.

Stouque: *s.f.* (ang. *stook*) Gerbes de grain attachées à la main avec des liens faits de tiges naturelles.

Strapper: *v.tr.* (ang. *to strap*) Chaîner.

Sucre (faire du...): Travail consistant à transformer la sève d'érable en sirop, tire ou sucre.

Sucre d'érable: Sucre tiré de la sève d'érable qu'on a fait cuire.

Sucre du pays: Voir *Sucre d'érable*.

Sucrerie: *s.f.* Érablière exploitée en vue de la production du sirop, de la tire et du sucre d'érable.

Suer (la morue...): S'égoutter, en parlant de la morue qui finit de sécher à l'intérieur du hangar.

Suète: *s.m.* Vent du sud-est.

Sunburst: (ang.) Motif de courtepointe.

Suspend: *s.m.* Voir *Orin*.

Tâche: *s.f.* Fosse dans laquelle on mélange en piétinant de la terre glaise et du foin.

Tâche à torchis: Voir *Tâche*.

Taille: *s.f.* (ang. *tie*) Mince tranche de pomme de terre crue, cuite directement sur le dessus du poêle à bois.

Tailler en guenilles: Découper du vieux tissu en lanières afin de le réutiliser dans le tissage ou le crochetage.

Tannante de brosse: Grosse cuite.

Tapis houqué: (ang. *hooked*) Tapis crocheté.

Tartonnerie: *s.f.* Pâtisseries, surtout des tartes.

Tasserie: *s.f.* Aire dans la grange où l'on entasse le foin.

Terrasser: *v.tr.* Enchausser.

Terre: *s.f.* Ferme. Terrain en bordure de la mer.

Terre grasse: Glaise.

Terre neuve: Terrain nouvellement défriché et qui n'a été ensemencé qu'une année.

Terres: *s.f.pl.* Terrains éloignés de la rive.

Terres basses: Terrain en bordure d'un cours d'eau.

Terres hautes: Terrain autre que les *prés* et généralement éloigné des rives.

Tête de la table: Place de choix à la table, place d'honneur, celle du père.

Tête de violon: Partie tendre et enroulée de la fougère au moment où elle sort de terre.

Tétine de souris: Pattes d'alouettes.

Tit-fer: *s.m.* Voir *Bastringue*.

Top mast: *s.m.* (angl) Partie la plus élevée du grand mât d'une goélette.

Torchon: *s.m.* Galette de pâte sans levain que l'on faisait cuire directement sur le poêle.

Torteau: *s.m.* Galette de sarrasin cuite sur le poêle. Dans le nord du Nouveau-Brunswick il est cuit dans un récipient contenant de la graisse ou du beurre.

Toube: *s.m.* (ang. *tub*) Boucaut à poisson.

Tournesol: *s.m.* Motif de courtepointe.

Tracher le grain: (ang. *to thresh*) Battre le grain.

Train de bois: Voir *Raft*.

Train (faire le...): S'occuper aux différents travaux de la ferme; surtout la traite des vaches et les soins des animaux.

Traîneau: *s.m.* Voie de rondins construite sur le rivage pour monter les barques.

Traiteur: *s.m.* Marchand itinérant visitant les villages de la Côte Nord en goélette.

Trancheur: *s.m.* Personne dont le travail consiste à tailler la morue sur la longueur le long de l'arête principale pour l'extraire.

Transpigouche: *s.f.* Voir *Becquillon*.

Trappe: *s.f.* Poche en filet pour emprisonner le poisson. Casier à homard.

Travouil: *s.m.* Travois, voiture traînante tirée par un cheval. Dévidoir.

Tripe: *s.f.* Boyau de l'intestin.

Tripe de cochon: Boyau intestinal du porc.

Trôle: *s.f.* (ang. *trawl*) Palangre.

Trôler: *v.tr.* Pêcher en utilisant une *trôle*.

Twine: *s.f.* (ang.) Ficelle employée dans la confection domestique de filet de pêche.

Vanoué: *s.m.* Vannoir ou van.

Varne: *s.f.* Vergne.

Vaser (se): *v.tr.* Se cacher dans la vase d'un fond marin.

Vatte: *s.f.* (ang. *vat*) Grand récipient, circulaire ou carré, en bois, en béton ou en métal.

Veiller à la craque: S'éclairer à la lueur des fentes du poêle à bois.

Véranda: *s.f.* Galerie couverte d'une toiture en appentis soutenue par des poteaux.

Veste: *s.f.* Justaucorps, souvent complétée de manches.

Vieux: *s.m.pl.* Vieillards déjà décédés.

Vigneaux: *s.m.pl.* Voir *Chafauds*.

Virée des chemins: Lieu où se termine la route en forêt.

Vire-langue: *s.m.* Formulette enfantine.

Virou: *s.m.* Tourniquet pour apprendre à l'enfant à marcher.

Voilier: *s.m.* Motif de courtepointe.

Voisin de ligne: Voisin de la ferme voisine.

Voiture fine: Véhicule de promenade.

Volée: *s.f.* Fessée.

Weight: *s.f.* (ang.) Pesée.

Yeast cake: (ang.) Levure à cuire.

FONDS DOCUMENTAIRES CITÉS

A. Musées dont des spécimens acadiens ont été cités

Île du Prince-Édouard

Miscouche: Musée historique acadien de Miscouche
Mont-Carmel: Village acadien de Mont-Carmel

Louisiane

Baton Rouge: The LSU Rural Life Museum (Louisiana State University)
Lafayette: Acadian Village, Alleman Center
Lafayette Natural History Museum and Planetarium
Nouvelle-Orléans: The Louisiana State Museum (Cabildo and Presbytere)
Saint-Martinville: Le Petit Paris Museum
Longfellow Evangeline State Park:
Acadian House Museum
Saint-Martin de Tours Catholic Church

Maine

Van Buren: Le Village acadien

Nouveau-Brunswick

Aulac: Musée du fort Beauséjour
Caraquet: Le Village historique acadien
Musée acadien de Caraquet
Chatham: Miramichi Natural History Museum
Dalhousie: Chaleur Area History Museum
Fredericton: York-Sunbury Historical Society Museum
The Provincial Archives, University of New Brunswick
Moncton: Musée acadien de l'Université de Moncton
Richibouctou: Musée de Richibouctou
Saint-Antoine de Kent: Musée de l'École (lors du « Festival de chez nous » en 1973)
Saint-Jean: The New Brunswick Museum

Nouvelle-Écosse

Annapolis Royal: Parc historique national du fort Anne
Chéticamp: Musée de Chéticamp
Grand-Pré: Parc historique national de Grand-Pré
Halifax: Citadelle d'Halifax
Louisbourg: Parc historique de la Forteresse de Louis-
        bourg
Margaree: Salmon River Museum
Margaree Harbour: Paul Six Shop
Meteghan: La vieille maison Robichaud
Port-Royal: L'habitation de Port-Royal

Québec

Bonaventure: Musée historique de Bonaventure
Carleton: Musée des Antiquités
Grande-Baie: Musée Mgr Dufour
Havre-Aubert: Musée de la Mer

Terre-Neuve

Saint John's: Saint-John's Museum

B. Archives dont des documents ont été cités

Louisiane

Lafayette: Southwestern Louisiana Institute
Nouvelle-Orléans: Archives de Nouvelle-Orléans

Nouveau-Brunswick

Fredericton: The Provincial Archives, University of
        New Brunswick
Moncton: Centre d'études acadiennes, Université de
        Moncton
Saint-Jean: Archives de Saint-Jean

Nouvelle-Écosse

Halifax: Provincial Archives of Nova Scotia
Pointe-de-l'Église: Centre acadien, Université Sainte-
        Anne

Ontario

Ottawa: Archives Nationales du Canada
Centre Canadien d'études sur la culture traditionnelle, Musée national du Canada

Québec

Québec: Archives de folklore du CÉLAT (Centre d'études sur la langue, les arts et les traditions populaires), faculté des Lettres, Université Laval.
Éditeur officiel du Québec, Gouvernement du Québec.

Terre-Neuve

Saint John's: Memorial University Folklore and Language Archives

C. Informographie

Les comtés sont donnés d'après le *Canadian Official Railway Guide.* Montréal International Railway Publishing Company Limited, 1961, 998 p.

Alphonse-Marie, S., 67 ans en 1973, Cocagne, Kent, N.-B.

April, Marie-Thérèse, 21 ans en 1968, Étang-du-Nord, îles de la Madeleine, Qué.

Arsenault, Angèle, 20 ans en 1966, Abrams Village, Prince, Î. P.-É.

Arsenault, Ella, 28 ans en 1966, Bathurst, Gloucester, N.-B.

Arsenault, Georges, 57 ans en 1973, Mont-Carmel, Prince, Î. P.-É.

Arsenault, Joseph-J., 78 ans en 1973, Saint-Chrysostome, Prince, Î. P.-É.

Arsenault, Lucienne, 75 ans en 1973, Saint-Chrysostome, Prince, Î. P.-É.

Arsenault, Mme Mélanie, 84 ans en 1973, Saint-Chrysostome, Prince, Î. P.-É.

Aucoin, Gaston, 65 ans en 1973, Chéticamp, Inverness, N.-É.

Aucoin, Marie-Thérèse, 45 ans en 1973, Cross-Point, Inverness, N.-É.

Aucoin, Paddée, 79 ans en 1973, Grand-Étang, Inverness, N.-É.

Auffrey, Mme Alice, 82 ans en 1973, Pré-d'en-Haut, West., N.-B.

Babineau, Alonzo, 51 ans en 1973, Robichaud, West., N.-B.

Babineau, André, 60 ans en 1966, Petit Chocpiche, Kent, N.-B.

Babineau, Arthur, 60 ans en 1973, Shediac, West., N.-B.

Babineau, Jean-Baptiste, 60 ans en 1966, Petit Chocpiche, Kent, N.-B.

Babineau, Lazime, 65 ans en 1966, Petit Chocpiche, Kent, N.-B.

Babineau, Philippe, 78 ans en 1973, Robichaud, West., N.-B.

Barthe, Irène, 20 ans en 1966, Petit-Rocher, Gloucester, N.-B.

Belliveau, Mme Edmond, 58 ans en 1973, Saint-Paul de Kent, N.-B.

Belly, Cyril, 65 ans en 1965, Saint John's, Terre-Neuve.

Boudreau, Amédée, 77 ans en 1973, Belle Marche, Inverness, N.-É.

Bourgeois-Schofield, Mme Blanche, 55 ans en 1966, Cocagne, Kent, N.-B.

Bourque, Laurie, 45 ans en 1973, Robichaud, West., N.-B.

Brault, Jérôme, 61 ans en 1973, Néguac, North., N.-B.

Caissie, René, 60 ans en 1971, Nouvelle, Bonaventure, Qué.

Chiasson, G., 1966, Pokesudie, Gloucester, N.-B.

Comeau, Mme Julienne, 80 ans en 1973, Saint-Louis de Kent, N.-B.

Cormier, Angela, 20 ans en 1966, Moncton, West., N.-B.

Cormier, Honoré, 72 ans en 1966, Memramcook, West. N.-B.

Cormier, Ovila, 56 ans en 1973, Notre-Dame de Kent, N.-B.

Cormier, Patrick, 77 ans en 1973, Cap-Pelé, West., N.-B.

Cormier, Raymond, 60 ans en 1973, Notre-Dame de Kent, N.-B.

Cormier, Mme Zoël, 86 ans en 1967, Moncton, West., N.-B.

Daigle, Gérard, 56 ans en 1973, Pointe-Sapin, Kent, N.-B.

Daigle-Richard, Mme Ludivine, 50 ans en 1967, Saint-Louis de Kent, N.-B.

Daigle, Marcel, 88 ans en 1973, Pointe-Sapin, Kent, N.-B.

Desprès, Amédée, 75 ans en 1973, Cocagne, Kent, N.-B.

Desprès, Amédée, 82 ans en 1973, Notre-Dame de Kent, N.-B.

Fontenot, Joseph-Carrignan, 25 ans en 1975, Mamou, Louisiane, É.-U.

Fougère, Mme Frédéric, 75 ans en 1973, Shediac, West., N.-B.

Gallant, Arsène-J., 87 ans en 1973, Mont-Carmel, Prince, Î. P.-É.

Gallant, Augustin, 67 ans en 1973, Baie-Egmont, Prince, Î. P.-É.

Gallant, Irène, 20 ans en 1967, Grande-Digue, Kent, N.-B.

Gaudet, Mme Dosithée, 88 ans en 1973, Barachois, West., N.-B.

Gaudet, Éloi, 77 ans en 1973, Memramcook, West., N.-B.

Gaudet, Mme Héloise, 75 ans en 1973, Memramcook, West., N.-B.

Gautreau, Cyrille, 70 ans en 1973, Pré-d'en-Haut, West., N.-B.

Gautreau, Félicien, 98 ans en 1973, Pré-d'en-Haut, West., N.-B.

Giasson, Émile, 67 ans en 1972, Cap-des-Rosiers, Gaspésie, Qué.

Gionet, Louis, 73 ans en 1973, Caraquet, Gloucester, N.-B.

Goguen, Filmon, 55 ans en 1973, Notre-Dame de Kent, N.-B.

Harding, Mme Margaret Martin, 53 ans en 1975, Lafayette, Louisiane, É.-U.

Harvey, Théodore, 92 ans en 1969, Fatima, îles de la Madeleine, Qué.

Hébert, Mathias, 79 ans en 1973, Rogersville, North., N.-B.

Kidder, Mme Elvina, 57 ans en 1975, Arnaudville, Louisiane, É.-U.

Landry, Fernand, 50 ans en 1968, Étang-du-Nord, îles de la Madeleine, Qué.

Landry, Mme Frank, 61 ans en 1966, Pré-d'en-Haut, West., N.-B.

Landry, Mme Ida, 76 ans en 1973, Robichaud, West., N.-B.

Landry, Sylvain, 78 ans en 1973, Cap-Pelé, West., N.-B.

Landry, Vital, 85 ans en 1967, Memramcook, West., N.-B.

Langevin, Anne-Marie, S., 53 ans en 1967, Moncton, West., N.-B.

Lanteigne, Mme X., 68 ans en 1973, Lamèque, Gloucester, N.-B.

LeBlanc, Mme Adelma, S., 53 ans en 1967, Fox Creek, West., N.-B.

LeBlanc, Adolphe, 88 ans en 1966 (et 94 ans en 1973), Memramcook, West., N.-B.

LeBlanc, Alma, 59 ans en 1973, Grande-Digue, Kent, N.-B.

LeBlanc, Mme Ambroise, 82 ans en 1975, Lafayette, Louisiane, É.-U.

LeBlanc, Avila, 68 ans en 1968, Fatima, îles de la Madeleine, Qué.

LeBlanc, Exelda, 84 ans en 1973, Memramcook, West., N.-B.

LeBlanc, Guy-Aurèle, 20 ans en 1966, Memramcook, West., N.-B.

LeBlanc, Hector, 69 ans en 1973, Grande-Digue, Kent, N.-B.

LeBlanc, Lauraine, 37 ans en 1967, Moncton, West., N.-B.

LeBlanc, Marie, 58 ans en 1973, Moncton, West., N.-B.

LeBlanc, Narcisse, 79 ans en 1966, Memramcook, West., N.-B.

LeBlanc, Mme Rodolphe, née Mélida Léger, 72 ans en 1966, Sainte-Marie de Kent, N.-B.

LeBlanc, Mme Thomas (Zelma), 82 ans en 1973, Belliveau Village, West., N.-B.

Léger, Arthur, 50 ans en 1973, Barachois, West., N.-B.

Léger, Dosithée, 77 ans en 1973, Robichaud, West., N.-B.

Léger, Jeannita, 29 ans en 1967, Barachois, West., N.-B.

Léger, Mme Violetta, 55 ans en 1973, Robichaud, West., N.-B.

Maillet, Ovila, 60 ans en 1973, Bouctouche, Kent, N.-B.

Maillet, Mme Thaddée, 69 ans en 1973, Sainte-Anne de Kent, N.-B.

Maillet, Théotime, 95 ans en 1973, Richibouctou Village, Kent, N.-B.

Marie-Claudette, S., 60 ans en 1973, Cocagne, Kent, N.-B.

Marie-Lydia, S., 67 ans en 1973, Bouctouche, Kent, N.-B.

Marie-Sainte-Bertille, S., 70 ans en 1966, Moncton, West., N.-B.

Myers, Ida, 83 ans en 1973, Moncton, West., N.-B.

Ouellette, Léaune, 32 ans en 1967, Lac Baker, Madawaska, N.-B.

Ouellette, Colette, 29 ans en 1966, Baker Brook, Madawaska, N.-B.

Pineau, Pierre, 77 ans en 1973, Summerside, Kings, Î. P.-É.

Poirier, André, 86 ans en 1965, Armstrong, Beauce, Qué.

Richard, Luc, 66 ans en 1966, Petit Chocpiche, Kent, N.-B.

Richard, Mme Philomène, 82 ans en 1973, Richibouctou Village, Kent, N.-B.

Rioux, Fernand, 30 ans en 1966, Shippagan, Gloucester, N.-B.

Robichaud, Edmond, 79 ans en 1973, Tracadie, North., N.-B.

Robichaud, Édouard, 91 ans en 1967, Memramcook, West., N.-B.

Roy, Édouard, 84 ans en 1973, Saint-Antoine, Kent, N.-B.

Roy, X., 45 ans en 1966, Richibouctou, Kent, N.-B.

Roy, Treville, 68 ans en 1975, Lyons Point, Louisiane, É.-U.

S., Mme E., 65 ans en 1966, Memramcook, West., N.-B.

Saint-Pierre, Nora, 23 ans en 1966, Cap-Pelé, West., N.-B.

Saulnier, William, 61 ans en 1966, Penobsquit, Kings, N.-B.

Savoie, Édouard, 85 ans en 1973, Néguac, North., N.-B.

Savoie, Yolande, 23 ans en 1966, Sainte-Anne de Kent, N.-B.

Schofield, Mme Henri, 81 ans en 1966, îles de la Madeleine, Qué.

Thibodeau, Albert, 73 ans en 1973, Richibouctou Village, Kent, N.-B.

Thibodeau, Jean, 90 ans en 1960, Pointe-de-l'Église, Digby, N.-É.

Thibodeau, Louise, 68 ans en 1973, Shediac, West., N.-B.

Turbide, Phyllis, 34 ans en 1966, Baie-Sainte-Anne, North., N.-B.

Vigneault, Héliodore, 78 ans en 1959, Sept-Îles, Duplessis, Qué.

Vigneault, Roméo, 75 ans en 1963, Saint-Théophile, Beauce, Qué.

D. Études

1. Sources écrites

ALBERT, Julie-D. *Centennial Madawaska.* Madawaska, Ed'Ston, 1969, 159 p.

ALLAIN, rév. D. *La paroisse de Saint-Antoine de Kent.* s.l., s.é., 1923, 32 p.

ANONYME. «A Salute to the Alleman Center». *Supplement of the Morning Star,* Lafayette, March 31 st, 1977, 12 p.

ANONYME. «Assemblée des pêcheurs». *Tracadie News,* April the 19th 1947. Tracadie, N.-B., p. 1.

ANONYME. *Centenaire de la mort du Père Jean-Mande Sigogne.* Yarmouth, Nova Scotia, The Lauson Publishing Co Ltd, 1944, 64 p.

ANONYME. *La cuisine acadienne, Acadian Cuisine,* (Prince Edward Island, Charlottetown, Société Saint-Thomas d'Aquin). North American Press of Kansas City Inc., 1973, 154 p.

ANONYME. *La paroisse acadienne de Havre-Saint-Pierre célèbre*. Saint-Justin, Imp. Gagné et Fils, 1957, 154 p.

ANONYME. *Le Moniteur acadien*. Shediac, 17 février 1891, p. 2.

ANONYME. «Le Rôle du *Saint-Jehan*, navire qui mit à voile de La Rochelle le 1er avril 1636, et aborda à la Hêve». *Mémoires de la Société généalogique*, s. 1., s.é., janvier 1944, pp. 19 à 30.

ANONYME. «Lin et chanvre, leur donner l'apparence de la soie». *La Gazette des campagnes*. La Pocatière, 1er septembre 1863, p. 170.

ANONYME. «Shediac quelques dates historiques». *L'Évangéline*, Moncton, 8 juillet 1952, p. 6.

ANONYME. «Universitaires de Shediac». *L'Évangéline*, Moncton, 8 juillet 1952, p. 6.

ARSENAULT, Adrien. «La chapelle acadienne de Moncton». *La Société historique acadienne*, Moncton, Imp. acadienne limitée, 2e cahier, 1962, pp. 76-77.

ARSENAULT, Bona. *Histoire et généalogie des Acadiens*. Québec, Le Conseil de la vie française en Amérique, 1965, 2 vol.

ARSENAULT, Samuel et DAIGLE, Jean. «Les défricheurs d'eau». *Atlas de l'Acadie*, planche 15, Moncton, Éditions d'Acadie, 1976.

BACOT, H. Parrot. *Louisiana Folk Art*. Anglo-American Art Museum, Baton Rouge, Louisiana State University, 1972, 44 p.

BARBEAU, Marius. *Trésor des Anciens Jésuites*. Ottawa, Musée national du Canada, 1957, 242 p.

BEAULIEU, abbé J.-A. *Centenaire de Saint-Alexis de Matapédia*. Chandler, Imp. Chandler, 1960, 356 p.

BERNARD, Antoine, c.s.v. *Histoire de la Louisiane de ses origines à nos jours* (Le Conseil de la vie française en Amérique, Univ. Laval). Québec, Ateliers de l'Action Catholique, 1955, 446 p.

BERNARD, Antoine; c.s.v. *Histoire de la survivance acadienne, 1725-1935*. Montréal, Les Clercs de Saint-Viateur, 1935, 465 p.

BERNARD, Antoine, c.s.v. *Le drame acadien depuis 1604*. Montréal, Les Clercs de Saint-Viateur, 1936, 459 p.

BESANÇON, Jacques. *L'homme et le Nil*. Paris, Gallimard, 1957, 396 p.

BLANCHARD, J.-Henri. *Acadiens de l'Île du Prince-Édouard*. Moncton, Imp. acadienne limitée, 1956, 143 p.

BLANCHARD, J.-Henri. «Petite histoire de l'Île du Prince-

Édouard». *L'Évangéline*, Moncton, 4 et 25 avril, p. 2, et 2 mai 1958, p. 5.

BLANCHARD, J.-Henri. *Rustico, une paroisse acadienne de l'Île du Prince-Édouard*. S. 1., s.é., 1938, 126 p.

BOUDREAU, Marielle et GALLANT, Melvin. *La cuisine traditionnelle acadienne*. Moncton, Éditions d'Acadie, 1975, 181 p.

BOURQUE, A.-T. *Chez les anciens Acadiens*. Moncton, L'Évangéline, 1911, 153 p.

BOURQUE, J.-Rodolphe. *Social and Architectural Aspects of Acadians in New Brunswick*. Fredericton, Historical Ressources Administration, 1971, 203 p.

BOURQUE, J.-Rodolphe. «Gros Jean du Ruisseau des Renards». *La Société historique acadienne*, Moncton, Imp. acadienne limitée, 2ᵉ cahier, 1962, pp. 35 à 47.

CAMILLE, F.M., o.c.r. *À l'ombre de Petit-Rocher*. Québec, La Trappe, 1947, 203 p.

CASGRAIN, abbé H.-R. *Un pèlerinage au pays d'Évangéline*. Paris, Lib. Léopold Cerf, 1889, 404 p.

CHIASSON, Anselme, cap. *Chéticamp, Histoire et traditions acadiennes*. Moncton, Éditions des Aboîteaux, 1961, 317 p.

CHIASSON, Anselme. «Les vieilles maisons acadiennes». *La Société historique acadienne*, Moncton, Imp. acadienne limitée, 25ᵉ cahier, 1969, pp. 183 à 188.

CHOUINARD, rév. E.-P. *Histoire de la paroisse de Saint-Joseph de Carleton*. Rimouski, Imp. Générale, 1906, 111 p.

COMEAU, Napoléon. *La vie et les sports sur la Côte Nord du Bas Saint-Laurent et du Golfe* (traduit de l'anglais par Nazaire Levasseur). Québec, Garneau, 1945, 372 p.

COMITÉ DU CENTENAIRE. *Bicentenaire de Bonaventure*. S.1., s.é., 1960, 399 p.

CORMIER, Clément-G. «Sainte-Marie de Kent». *La Société historique acadienne*, Moncton, Imp. acadienne limitée, 12ᵉ cahier, 1966, pp. 69 à 77.

CÔTÉ, Louis-Philippe. *Visions du Labrador*. Montréal, Éd. Albert Lévesque, 1934, 173 p.

COURTEAU, Guy et LANOUE, François. *Une nouvelle Acadie, Saint-Jacques de l'Achigan*. Montréal, Imp. Populaire limitée, 1947, 398 p.

COZZENS, Frederic S. *Acadia or a Month with the Blue Noses*. New York, Dervy & Jackson, 1859, s.p.

CROWELL, Ivan-H. «Caractéristiques propres des meubles acadiens». *L'Évangéline*, Moncton, 2 février 1966, p. 3.

CROWELL, Ivan-H. «The Maritime Acadian Style Furniture». *La Société historique acadienne*, Moncton, Imp. acadienne limitée, 11ᵉ cahier, mars 1966, pp. 23 à 27.

CURRIE, Archibald William. *Economic Geographic of Canada*. Toronto, MacMillan, 1945, 485 p.

DAGNAUD, P.-M. *Les Français du Sud-Ouest de la Nouvelle-Écosse*. Valence, Imp. Valentinoise, 1905, 278 p.

DAIGLE, Louis-Cyriaque. *Histoire de Saint-Louis de Kent*. Moncton, Imp. acadienne limitée, 1948, 245 p.

DARDEL, Éric. *État des pêches maritimes sur les côtes occidentales de la France du début au XVIIIᵉ siècle*. Paris, Presses Univ. de France, 1941, 156 p.

DENYS, Nicolas. *Description Géographique et Historique des costes de l'Amérique septentrionale*. Paris, Claude Barbin, 1672, tome I, 267 p.

DESJARDINS, Pierre-W. et collaborateurs. «Séminaire de muséographie». *Courtepointes anciennes de la famille Merkey*, Exposition et dépliant présentés au Musée d'art contemporain, Cité du Havre, Montréal, du 20 avril au 18 mai 1975.

DEVEAU, Alphonse. *La ville française*. Québec, Les Éditions Ferland, 1968, 286 p.

DIÈREVILLE, Sieur de. *Relation du Voyage du Port-Royal de l'Acadie ou de la Nouvelle-France*. Rouen, Jean-Baptiste Besongne, 1708, 243 p.

DIÈREVILLE, Sieur de. *Relation du Voyage du Port-Royal de l'Acadie 1699-1700*. S.l., La Société Champlain, 1933, 324 p.

DITCHY, Jay K. *Les Acadiens louisianais et leur parler*. Paris, Chez Droz, 1932, 272 p.

DOUCET, Alain. *Littérature orale de la baie Sainte-Marie*. Québec, Éd. Ferland, 1965, 111 p.

DUPONT, Jean-Claude. *Contribution à l'ethnographie des côtes de Terre-Neuve*. Québec, Centre d'études nordiques, Université Laval, n° 22, 1968, 165 p.

DUPONT, Jean-Claude. *Héritage d'Acadie*. Montréal, Leméac, 1977, 376 p.

DUPONT, Jean-Claude. «L'apport du curé dans le développement économique et social de l'Acadie». *Revue économique de l'Université de Moncton*, Moncton, février 1967, pp. 28 à 32.

DUPONT, Jean-Claude. «L'art populaire au Canada français». *Ethnologie québécoise I*, Montréal, Hurtubise HMH, 1972, pp. 13 à 20.

DUPONT, Jean-Claude. *Le Légendaire de la Beauce*. Québec, Garneau, 1974, 150 p.

DUPONT, Jean-Claude. *Le Pain d'habitant*. (Traditions du geste et de la parole I). Montréal, Leméac, 1974, 105 p.

DUPONT, Jean-Claude. «Les chasseurs de phoques». *Réseau*, Québec, Université du Québec, vol. 8, n° 4, 1977, pp. 14 à 17.

DUPONT, Jean-Claude. «Les défricheurs d'eau». *Culture Vivante,* Québec, Ministère des Affaires culturelles, décembre 1972, pp. 6 à 10.

DUPONT, Jean-Claude. *Le Sucre du pays.* (Traditions du geste et de la parole II). Montréal, Leméac, 1975, 119 p.

EN COLLABORATION. *Maison Célestin Bourque, Memramcook-Ouest.* Moncton, Centre d'études acadiennes, Université de Moncton, 1976, 20 p.

FAUCHER de SAINT-MAURICE, Narcisse-Henri-Édouard. *En route; sept jours dans les provinces Maritimes.* Québec, Côté, 1888, 280 p.

GALLIEN, abbé Arthur. «Caraquet». *L'Évangéline*, Moncton, 25 janvier et 1ᵉʳ février 1955 (en p. 4).

GALLIENNE, Gérard. *Un pied d'ancre* (Journal de Placide Vigneau). Lévis, Imp. le Quotidien limitée, 1969, 311 p.

GANONG, William Francis. *The History of Caraquet and Pokemouche.* Historical Studies n° 7, St John, The New Brunswick Museum, N.-B., 1948, 62 p.

GAUDET, Placide. «Les *aboîteaux*». *La Nation,* Québec, 14 mars 1929, p. 4.

GAUDET, Vital. «Notes sur les origines de Memramcook». *La Société historique acadienne*, Moncton, Imp. acadienne limitée, 2ᵉ cahier, 1962, pp. 48 à 57.

GORHAM, Raymond-P. «Birth of Agriculture in Canada». *Canadian Geographical Journal*, Ottawa, The Canadian Geographical Society, vol. IV, n° 1, janvier 1932, pp. 3 à 18.

HALE, Robert. «Journal of a Voyage to Nova Scotia Made in 1731 by Robert Hale of Beverly», *Observations of an Educated Man of New England upon some of the Acadian Settlements.* Massachusetts, The Essex Institute Publication, vol. XLII, July 1806.

HANCHEY, Louise. *How Men Cook.* Lafayette, The Lafayette Natural History Museum and Planetarium, 1975, 10 p.

HECHTLINGER, Adelaide. *American Quilts, Quilting & Patchwork.* New York, Galahads Books, 1974, 358 p.

HOCART, A.M. *Les progrès de l'homme.* Paris, Payot, 1935, 358 p.

HOLDEN, Jack. «The Early Furniture of French Louisiana», *Louisiana French Furnishings 1700-1830.* Lafayette, Art Center for Southwestern Louisiana, 1976, pp. 4 à 42.

HUARD, abbé V.-A. *Labrador et Anticosti*. Montréal, Beauchemin, 1897, 505 p.

HUBERT, Paul. *Les Îles de la Madeleine*. Rimouski, Imp. Générale, 1926, 251 p.

JÉSUITES. *Relations des Jésuites*. Québec, Côté, 1858, 3 vol.

LAFITTE, Alain. «Les Barthes du nord de l'Adour, de Sainte-Marie-de-Gosse à Tarnos». *Ethnologie française*, Paris, Centre d'Ethnologie française, tome 7, n° 2, 1977, pp. 167 à 176.

LAUVRIÈRE, Émile. *La tragédie d'un peuple* (histoire du peuple acadien de ses origines à nos jours). Paris, Brossard, 1922, 2 vol.

LEBLANC, Dudley-J. *The True Story of the Acadians*. Lafayette, s.é., 1937, 256 p.

LÉGER, abbé D.-F. *Historique de la paroisse Saint-Louis-de-France*. Moncton, L'Évangéline, 1928, 40 p.

LÉGER, abbé D.-F. *L'histoire de Saint-Pierre de Cocagne*. Moncton, L'Évangéline, 1920, 35 p.

LÉGER, abbé D.-F. «Historique de Shediac». *L'Évangéline*, Moncton, 17 octobre 1935, p. 5.

LÉGER, Évariste-L. *L'histoire de la paroisse de Saint-Antoine*. Shediac Bridge, Imp. Léonard Le Gresley, 1967, 84 p.

LÉGER, J.-Médard. «Au temps des goélettes». *L'Évangéline*, Moncton, s.d., s.p. (CEA)

LÉGER, J.-Médard. «Caraquet». *L'Évangéline*, Moncton, 19 novembre 1953, p. 4.

LÉGER, J.-Médard. «Les aboîteaux». *La Société historique acadienne*, Moncton, Imp. acadienne limitée, 2e cahier, 1962, pp. 61 à 67.

LÉGER, J.-Médard. «Miettes d'histoires sur Caraquet». *L'Évangéline*, Moncton, 3 mai 1953, p. 16.

MARQUIS, L.-J.-D. et G.-E. *Monographie des Îles de la Madeleine*. Québec, Société de Géographie de Québec, 1927, pp. 3 à 26.

MASSIGNON, Geneviève. *Les parlers français d'Acadie*. Paris, C. Klincksieck, 1962, 2 vol. 975 p.

MENON, P.-L. et LECOTTÉ, R. *Au village de France* (La vie traditionnelle des paysans). Paris, Bourrelier, tome II, 1954, (p. 116).

MOUSSETTE, Marcel. *Répertoire des méthodes de pêche utilisées sur le fleuve et le golfe Saint-Laurent*. Ottawa, Ministère des affaires indiennes et du nord canadien, Direction des parcs nationaux et des lieux historiques, travail inédit n° 83, avril 1968, 343 p.

NEWTON, Milton B. *Louisiana House Types a Field Guide*. Baton Rouge, Louisiana State University, Museum of Geoscience, 1971, 18 p.

NOWLAN, Jeanne. « Les *souliers de peau* ». *La Société historique acadienne*, Moncton, Imp. acadienne limitée, vol. 6, n° 4, décembre 1975, pp. 181 à 185.

POIRIER, Pascal. *Le parler franco-acadien et ses origines*. Québec, Imp. Franciscaine missionnaire, 1928, 339 p.

POIRIER, Pascal. *Glossaire acadien*. Moncton, CEA, 1977, 5 vol.

POTHIER, J.-Frank. « Acadian at Home, 1765 ». *Canadian Cancer Society*, s.1., s.é., 1957, 66 p.

ROBICHAUD, abbé Donat. *Le grand Chipagan* (Histoire de Shippagan). Montréal, Imp. Gagné Ltée, 1976, 454 p.

ROY, Carmen. *Les Acadiens de la rive nord du fleuve Saint-Laurent*. Ottawa, Musée national du Canada, Ministère du nord canadien et des ressources nationales, bulletin 194, 1963.

RUMILLY, Robert. *Les Îles de la Madeleine*. Montréal, Éd. Chanteclerc, 1951, 200 p.

RUSSELL, Loris S. *A Heritage of Light*. Toronto, University of Toronto Press, 1968, 344 p.

RYDER, Huia G. « Furniture of the Acadian », *Antique Furniture by New Brunswick Craftsmen*. Toronto, The Ryerson Press, 1965, pp. 1 à 10.

SAUCIER, Corinne-Lelia. *History of Avoyelles Parish, in Louisiana*, New Orleans, Pelican Publ. Co., 1943, 542 p.

SAUCIER, Corinne-Lelia. *Traditions de la paroisse des Avoyelles en Louisiane*. Philadelphia, American Folklore Society, 1956, 162 p.

SAVOIE, Alexandre. *Kedgwick a cinquante ans*. Kedgwick, Imp. Richelieu Inc., 1965, 144 p.

SAVOIE, Francis. *L'Île de Shippagan* (Anecdotes, tours et légendes). Moncton, Éd. des Aboîteaux, 1967, 93 p.

SAVOIE, Mme Roméo. « Le costume acadien ». *La Société historique acadienne*, Moncton, Imp. acadienne limitée, 2e cahier, 1962, pp. 71 à 75.

SMITH, rév. Edwin. « The Magdalen Island ». *Canadian Geographical Journal*, Ottawa, The Canadian Geographical Journal, vol. IV, n° 6, juin 1932, pp. 330 à 347.

SMITH, Robert-E. « Acadian Weaving », *Louisiana French Furnishings 1700-1830*, Lafayette, Art Center for Southwestern Louisiana, 1976, pp. 42 à 51.

SYMONDS, R.W. «Furniture: Post-Roman». *A History of Technology,* Oxford, Clarendon Press, 1954, p. 255.

The 1901 Éditions of the T. Eaton Co Limited Catalogues, (Spring and Summer, Fall and Winter). Toronto, The Musson Book Company, 1970, 248 p. (pp. 242-243).

TREMBLAY, Marc-Adélard et GOLD, Gérald Louis. *Communautés et culture.* Montréal, Éd. HRW Ltée, 1973, 428 p.

YGUAY, Marie. «De bois et toute blanche». *Perspectives, Le Soleil,* Québec, 23 octobre 1976, pp. 12-13.

2. Sources manuscrites

BÉRUBÉ, Louis. *Poissons, crustacés et mollusques pêchés dans la province de Québec.* Québec, La Pocatière, École supérieure des pêcheries, doc. n° 2, novembre 1940, man. n. p.

Brand Book for Opelousas and Attakapas District, 1739-1888. Louisiana, Southwestern Lafayette University, s.d., s.p.

BUTLER, Édith. *Les connaissances d'un vieillard.* Québec, AFUL, 1969, 36 p. man.

CHIASSON, Anselme, cap. *La vie populaire des Madelinots.* CEA, Univ. de Moncton, Moncton, 1966, 114 p. man.

GAUDET, Placide. *Histoire de Barachois.* CEA, Univ. de Moncton, Moncton, juin 1930, 5 p. man.

GAUDET, Placide. *Histoire de la paroisse de Cap-Pelé.* CEA, Univ. de Moncton, Moncton, s.d. 11 p. man.

Papiers Placide GAUDET. *Vente faite par Claude Sébastien de Villieu, 18 nov. 1704.* CEA, Univ. de Moncton, Moncton, man., (n° 1, 19-1).

GAUDET, Placide. *Vieille maison à Memramcook, 1846.* CEA, Univ. de Moncton, Moncton, man., (P1. G. 81-19).

GAUDET, Roméo. *Notes historiques sur Adamsville, N.-B.* CEA, Univ. de Moncton, Moncton, 1952, 5 p. man.

Collection GAUTHIER, Dominique. Doc. son. G-330, G-354 et G-356, AFUL.

Lettre de l'abbé C. GAUVREAU. CEA, Univ. de Moncton, Moncton, octobre 1825.

Collection JOLICOEUR, Catherine. Doc. son. 202, AFUL.

LABELLE, Ronald. *Study in Rural Settlement Geography Mainland, Port au Port, Newfoundland: The Inhabitants and their Environment.* Saint John's Memorial University Folklore and Language Archives, 1976, 19 p. man.

LACROIX, Donat. *Inventaire et descriptions des engins de pêche commerciale en usage dans la province du Nouveau-Brunswick.* École supérieure des pêcheries, La Pocatière,

(Faculté d'agriculture, Université Laval), thèse de bachelier ès sciences Pêcheries, mai 1962, 130 p. man.

LAGRENADE, Monique. *Le costume civil à Louisbourg 1713-58* (le costume féminin). Ministère des Affaires indiennes et du nord canadien, Travail inédit n° 38, 1971, 118 p. man.

Collection LANDRY, Gilles. Doc. son. LG-138, AFUL.

MACDONALD, John, capt. *A report of Captain John Mac-Donald to Desbarres in 1795.* Provincial Archives of Nova Scotia, (Halifax). Miscellaneous files on Desbarres.

MENNEVAL. *Mémoire de Menneval 1688.* Ottawa, ANC (CIID V 2, f. 98).

POIRIER, Pascal. *Shediac, précis historique.* CEA, Univ. de Moncton, Moncton, s.d., 37 p. man.

Journal de Charles ROBIN, 1767-1787. Ottawa, ANC, (mic. A-539).

3. Filmographie

GAUTHIER, Richard. *La boucanerie.* 10 min., court métrage couleur 16 mm. Centre canadien d'études sur la culture traditionnelle, Musée national de l'Homme, Ottawa, 1976.

GAUTHIER, Richard. *La charrette à chien.* 5 min., court métrage couleur 16 mm. Centre canadien d'études sur la culture traditionnelle, Musée national de l'Homme, Ottawa, 1976.

TABLE DES MATIÈRES

TROISIÈME PARTIE

Art populaire

QUATRIÈME PARTIE

Habillement et lingerie

CINQUIÈME PARTIE

Alimentation

ACHEVÉ D'IMPRIMER SUR
LES PRESSES DES ATELIERS
MARQUIS DE MONTMAGNY
LE 9 FÉVRIER 1979 POUR
LES ÉDITIONS LEMÉAC INC.